Marie-Hélène
Rousseau

Temps de crises, temps d'espoirs

XIVᵉ-XVᵉ siècle

Ouvrage de
Alain Demurger

AUX ÉDITIONS DU SEUIL

Vie et Mort de l'ordre du Temple, 1118-1314
1985
coll. « Points Histoire », 1989

Alain Demurger

Nouvelle histoire
de la France médiévale

5

Temps de crises, temps d'espoirs

XIVe-XVe siècle

Éditions du Seuil

EN COUVERTURE : Dijon. Bibliothèque municipale.
Virgile, L'Enéide XVe, *Enterrement de Didon*.
Archives Dagli Orti

ISBN 2-02-011555-7 (éd. complète)
ISBN 2-02-012221-9 (tome 5)

Avant-propos

Entre le prestigieux siècle de Saint Louis et la Renaissance, les historiens n'ont jamais su trop quoi faire des XIVe et XVe siècles : c'est le temps des malheurs, le temps de « la désolation des églises et des feux » (H. Denifle). Alors ils en ont fait des « siècles de transition ». Expression paresseuse, même pas commode, et fausse.

Car enfin, deux siècles de transition, ça n'existe pas ! Pourquoi donc faire systématiquement des périodes de tensions et de craquements des périodes de transition ? L' Histoire est-elle donc un long fleuve tranquille ?

Non, les XIVe et XVe siècles ne sont pas des siècles de transition. Ils sont des siècles de fécondation.

L'historiographie en a maintenant une claire conscience, comme le prouvent quelques titres récents : *Automne du Moyen Age ou printemps des temps nouveaux ?* (P. Wolff), *Le Monde gothique. Automne et renouveau* (Univers des formes), *Genèse de l'État moderne* (Colloques du CNRS), *Naissance de la nation France* (C. Beaune). Pierre Wolff comme Bernard Guenée évoquent le « difficile » ou le « douloureux » accouchement de l'État moderne.

Genèse, naissance, accouchement sont termes de crise, point de déclin. Les Français d'alors l'ont senti ; ils ont pris conscience des nouveautés, — *ars nova* —, de la modernité — *devotio moderna* — de cette période originale, où le Moyen Age meurt — mais il ne le sait pas encore ! — et où la Renaissance a d'abord été Naissance — mais l'ingrate l'a oublié bien vite.

Peut-être le lecteur trouvera-t-il mon tableau peint de couleurs trop claires ou trop vives. Je n'ai pourtant pas cherché à estomper les misères et les violences de ces siècles de fer (sont-elles pires que celles du XVIe siècle des guerres de religion, ou de la fin de règne de Louis XIV ?). Mais je tenais à montrer que, par leur incroyable vitalité, les hommes du XVe siècle ont su faire de ces temps de crises des temps d'espoirs.

Introduction

L'année 1328

Problèmes féodaux.

La guerre de Cent Ans ne serait-elle qu'un conflit féodal qui aurait mal tourné ?

Prenons garde à ne pas faire disparaître la féodalité trop tôt. En cette fin du Moyen Age, elle ne meurt pas, elle cède la place, lentement, à d'autres formes de relations. Nuance !

Or depuis les années 70 du XIIIe siècle, en France, en Angleterre, en Castille, en Aragon, l'État moderne pousse ses premières tiges : sur un territoire aux limites définies s'exerce l'autorité souveraine d'un roi, par l'intermédiaire d'officiers — des fonctionnaires — de plus en plus nombreux. Le temps des grandes monarchies nationales est venu.

Le roi de France n'est le vassal de personne. Le roi d'Angleterre non plus — en tant que roi ! Mais comme duc de Guyenne il doit l'hommage au roi de France. Il accepte de plus en plus mal cette situation humiliante. En 1294-1297, puis en 1324-1327, des incidents ont conduit le roi de France a saisir le fief de Guyenne mais sans jamais pouvoir l'occuper. Aussi en revient-on à la case départ : le nouveau roi Édouard III, rétabli dans ses droits et devoirs de vassal, doit faire l'hommage. Le problème reste donc entier. La guerre de Cent Ans serait ainsi née de l'incompatibilité de la situation féodale de la Guyenne avec la dignité royale de son duc ?

Allons plus loin. Philippe le Bel et ses fils combattent de 1296 à 1328 pour soumettre le riche et industrieux fief de Flandre et, peut-être, l'intégrer au domaine royal. Un peu plus tard, Philippe VI saisit l'occasion de la crise de succession de Bretagne pour accroître son influence dans ce fief trop indépendant. Dans le royaume même, les ligues nobiliaires de 1314-1316 ont protesté contre les abus et empiétements d'un pouvoir royal destructeur des franchises et libertés traditionnelles. La centralisation royale aurait-elle été l'adversaire commun des nobles, des provinces, des grands fiefs, Flandre comme Guyenne ? Pourquoi pas !

La guerre de Cent Ans serait donc une guerre civile ? L'idée est paradoxale mais les divisions du royaume, si profondes tout au long du conflit, lui donnent quelque crédit. Soyons sérieux : cette guerre a bien fini par opposer deux États ! Comment ?

Une nouvelle dynastie.

Le 1er février 1328, Charles IV le Bel meurt. Il a une fille et sa veuve, Jeanne d'Évreux, est enceinte. En attendant la prochaine naissance, un régent est nommé par une assemblée de barons laïcs : il s'agit d'un cousin germain du roi défunt, Philippe de Valois. Si l'enfant à naître devait être un mâle, cette régence se prolongerait jusqu'à sa majorité. Mais si c'était une fille ?

Depuis le choix de 1316, il est admis que les femmes ne peuvent régner. En avril la reine veuve met au monde une fille ; elle ne régnera pas. Il est exclu aussi de faire appel à la sœur du roi défunt, Isabelle, reine d'Angleterre. Mais pourquoi pas à son fils, Édouard III, roi d'Angleterre, qui se trouve être le plus proche parent mâle du dernier roi ?

Plus proche parent par les femmes ! Une femme peut-elle faire, comme on le dit alors, « le pont et la planche », c'est-à-dire transmettre un droit qu'elle n'a pas ? Non. En outre, accepter cette solution ouvrirait la voie à des difficultés sans fin : les filles des trois rois précédents, mariées, auront des enfants et, parmi ceux-ci, il y aura bien un garcon qui, petit-fils de Louis X, Philippe V ou Charles IV, aura de ce fait des droits supérieurs à ceux d'Édouard III (ce sera le cas de Charles le Mauvais). Les barons choisirent donc le plus proche parent par les hommes, le régent Philippe de Valois, fils d'un frère de Philippe le Bel, parce que, écrit un chroniqueur, il était « né du royaume et tant avait d'amis et d'alliés ». C'est clair, on ne voulait pas d'un roi anglais.

Pourtant Édouard était français par son éducation et les deux royaumes seraient restés séparés. Il est curieux de constater qu'en 1328 on a très consciemment écarté le principe de la double monarchie. Déjà ! Personne n'invoqua la loi salique ; et pour cause ! Elle ne fut « inventée » que plus tard, sous Charles V.

Édouard III protesta mais s'inclina et, le 6 juin 1329, fit hommage à Philippe VI pour ses fiefs de Guyenne et de Ponthieu ; deux ans plus tard, il reconnaissait que son hommage était lige. Il admettait ainsi la légitimité du choix de 1328. Mais ne nous y trompons pas : l'assemblée de 1328 avait créé un droit mais elle aurait pu en créer un autre. Édouard III pourra toujours, en butte aux pressions françaises sur la Guyenne, menacer Philippe VI de revendiquer la couronne. Car dans la première phase de la guerre de Cent Ans, la question dynastique est restée secondaire. Il faut attendre le XVe siècle pour qu'Henri V en fasse sa revendication fondamentale.

Le choix de 1328 exaspère donc la contradiction entre deux logiques, celle de la féodalité et celle de l'État moderne. Or un document — unique —, datant de 1326-1328, jette une vive lumière sur le degré de développement atteint par cet État moderne.

L'« État des paroisses et des feux ».

Pour le Florentin Villani, la France est alors un « très grand, très riche et très puissant royaume ». L'*État des paroisses et des feux* confirme tout à fait ce jugement. Il ne s'agit pas d'un recensement démographique, mais d'un document fiscal que Philippe VI fait établir en vue de la guerre de Flandre ; il relève les feux soumis à l'impôt et les regroupe par paroisses, bailliages et sénéchaussées ; il laisse de côté les apanages et seigneuries d'Artois, d'Alençon, de Chartres, d'Évreux, de Mortain, d'Angoulême, de Bourbonnais et de la Marche, ainsi que les fiefs de Bretagne, Bourgogne, Flandre et Guyenne. Il relève 23 671 paroisses et 2 469 987 feux.

A la suite de savants calculs, F. Lot, son éditeur, donnait les chiffres de 32 500 paroisses et 3 363 000 feux pour le royaume dans ses frontières d'alors (la limite des quatre rivières : Escaut, Meuse, Saône et Rhône), soit une population de 17 à 18 millions d'habitants, un chiffre sans doute inférieur à la réalité tant les études locales de ces dernières années ont montré que la population française du premier quart du XIVe siècle était très, très nombreuse. Au même moment, l'Angleterre, la Castille ont environ 3 millions d'habitants.

Ce document est le produit de cet apogée démographique ; il est une réponse de l'État à un problème de population, tout comme la création de nouveaux diocèses, en 1317, a été la réponse de l'Église au même problème : « Le foisonnement démographique engendre le besoin statistique » (A. Higounet-Nadal).

Toutefois, ce n'est pas la démographie qui m'intéresse dans ce document, mais ce qu'il révèle quant au développement et au perfectionnement de l'État. Il prouve que le roi a une emprise directe sur les trois quarts de son royaume ; il démontre, par son existence même et par la manière dont il a été élaboré, la capacité de l'administration royale à maîtriser ce vaste espace. Les agents du roi ont enquêté sur place à partir des documents fournis par la Chambre des comptes. Les omissions ont été signalées : « Amiens, sans ce que l'on dit estre du Chapitre de Nostre-Dame de Cambray que l'on dit estre de l'Empire, et sans ce qui est de la conté des Flandres, qui est du ressort de la prévosté de Monstereul, 1 144 paroisses et 115 716 feux. » L'*État des paroisses et des feux* est le document symbole du développement de la monarchie territoriale et administrative.

Mais rien n'est jamais acquis ! La capacité à produire un tel document n'est pas constante. La crise des années 1350-1450 va passer par là. Lorsqu'elle fut surmontée, on voulut mettre à jour le vieil *État* de 1328. Le 24 mai 1490, le roi ordonna une « recherche générale » des feux. Le travail n'aboutit pas. On invoqua la mauvaise volonté des populations, qui voyaient trop bien à quoi cela allait servir ! Mais ne faut-il pas considérer aussi l'incapacité technique d'une administration encore mal remise de la crise ?

Ce court rappel de l'avant-crise était nécessaire pour comprendre l'enjeu de la période 1350-1500 : comment le royaume de France et son peuple ont-ils surmonté la crise la plus longue et la plus effroyable de leur histoire ?

1

Crise et fausse sortie de crise (1347-1383)

La peste noire, première et brutale manifestation d'un cycle qui va marquer l'Occident pour trois siècles au moins, frappe de plein fouet le monde plein, trop plein, du milieu du XIVe siècle. Plus que cause de la crise, elle en est le révélateur et l'accélérateur.

1. La peste noire

Le cheminement.

En septembre 1347, des bateaux génois, venus de Caffa, du fond de la mer Noire, abordent à Messine, en Sicile. On s'aperçoit bien vite que, avec les marchandises habituelles du commerce génois, ils transportent la mort, fulgurante. Rejetés de Messine, puis de Gênes, ils tentent d'accoster à Marseille en novembre. Là encore on les repousse mais c'est trop tard : Messine, Gênes, Marseille, Majorque peu après, sont autant de foyers d'où la peste se répand rapidement le long des axes de communication. Arles, Aix, Avignon sont touchés avant la fin de 1347.

A Avignon, capitale de la Chrétienté, un bon témoin, Louis Sanctus de Boeringen, a indiqué de façon précise les trois axes de progression du fléau à partir du bas Rhône. A l'ouest, vers le Languedoc, Perpignan et l'Espagne, puis Toulouse et la vallée de la Garonne; Bordeaux est touché en juillet 1348 et de là, par la voie maritime, la maladie gagne la Normandie et l'Angleterre. A l'est, la Provence. Au nord, par le couloir rhodanien, Lyon, Chalon, Paris (en août) sont à leur tour contaminés, puis, à la fin de 1348, le nord du royaume, Flandre comprise d'ailleurs, contrairement à ce qu'on a longtemps cru. La « mortalité » sévit encore dans les années qui suivent : il en est fait mention à Tonnerre en septembre 1351.

Les décès à Givry pendant la peste noire

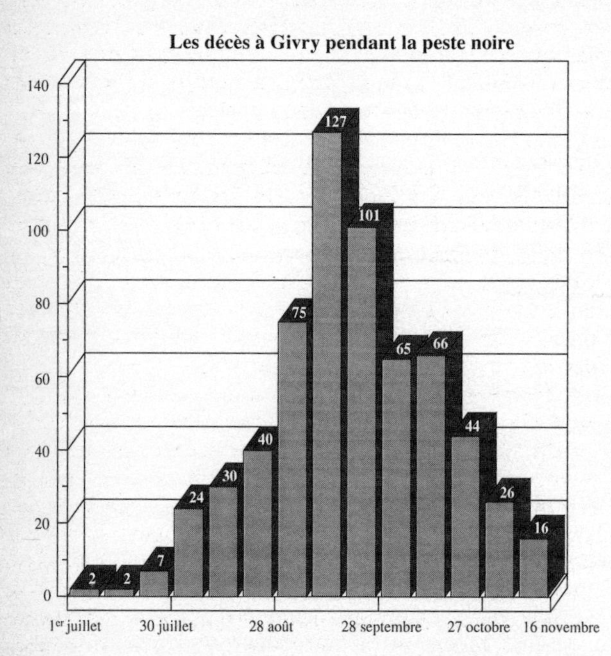

En général, le graphique établi pour le village bourguignon de Givry l'atteste, elle fait rage durant trois ou quatre mois, s'apaise un temps, mais continue à rôder et à se manifester ensuite. Elle a touché tout l'Occident, le Proche-Orient, le Maghreb. Son foyer d'origine se situerait en Sibérie, dans la zone forestière du lac Baïkal. Des recherches archéologiques ont révélé que dès 1339-1340 l'Asie centrale a été frappée. L'épidémie a suivi la route de la soie, puis, à partir de Samarkand, une voie méridionale, en direction de l'Anatolie, et une voie septentrionale, jusqu'à la mer Noire. Là où les Génois, qui y possèdent des comptoirs, la trouvèrent, lors du siège de Caffa par les Tartares.

La maladie.

La peste est une maladie infectieuse très contagieuse provoquée par le bacille *Yersinia pestis* (du nom de Yersin qui le découvrit en 1894). Le bacille affecte la puce *Xenopsylla cheopis* qui a « élu domicile » sur les rongeurs forestiers de la région du Baïkal : grande marmotte, taupe, rat noir. Cette région sibérienne fonctionne donc comme un « réservoir à virus », plus ou moins actif selon les conditions de température et d'humidité des terriers des rongeurs (de tels réservoirs existent encore de nos jours dans les Rocheuses, les Andes, le Kurdistan, le Sud-Est asiatique). *Xenopsylla cheopis* peut passer du rat noir au rat des champs des zones habitées. Le rat n'est pas un vecteur rapide et aventureux; mais qu'il s'attaque à une cargaison de blé et le voilà transporté, lui et ses puces, loin du terrier natal. Une simple piqûre de *Xenopsylla* suffit à contaminer l'homme.

En 1347, la peste s'est propagée sous deux formes, que l'on distingue en fonction du mode de pénétration du germe. La pénétration cutanée, par piqûre de la puce, provoque une forte température, puis la formation d'un bubon, dur et douloureux, à l'aine, à l'aisselle ou au cou, et pour finir divers maux intestinaux et nerveux entraînant la mort dans 80 à 85 % des cas. La pénétration pulmonaire est due à l'infection des muqueuses par les gouttelettes très fines rejetées lorsqu'on parle ou que l'on tousse; les troubles entraînés par la peste pulmonaire sont, le bubon excepté, proches de ceux de la peste bubonique. Mais la létalité est de 100 %. La période d'incubation est courte et la mort survient, dans l'énorme majorité des cas, dans les trois jours. La peste bubonique est virulente l'été et en sommeil durant l'hiver; c'est tout le contraire pour la peste pulmonaire. Cette dernière cependant est rare; mais elle a sévi justement en 1347-1350, puis en 1360-1363.

Les observateurs du milieu du XIVe siècle surent en général décrire les aspects cliniques de la maladie; certains, le chroniqueur Jean de Venette par exemple, distinguèrent bien les deux formes de contagion. Mais l'explication qu'ils donnèrent du fléau n'a évidemment rien de scientifique. On évoqua tout de suite le châtiment divin et certaines réactions, comme le mouvement des flagellants, le massacre des Juifs et des lépreux ou même des vagabonds, accusés d'avoir empoisonné les puits, s'expliquent par là. Le royaume ne fut que très marginalement touché par ces mouvements : Gilles Le Muisit, l'historien de Tournai, décrit le passage spectaculaire des flagellants dans sa bonne ville; quant aux Juifs, ils avaient été expulsés en 1321; mais la persécution se déchaîna en Alsace, Lorraine et Dauphiné. Lorsqu'ils s'efforcent de dépasser cette explication, la plupart des auteurs se rangent dans le camp des «aéristes» : c'est la corruption de l'air chaud et humide, entraînant celle des «humeurs», qui est cause de la propagation du fléau à partir d'une «Inde majeure» où des signes alarmants se sont produits, comme des pluies de crapauds ou de grenouilles. L'on s'efforça de mieux connaître le mal, et la papauté, bien placée à Avignon pour en apprécier l'ampleur, autorisa les médecins à procéder à des dissections.

Une saignée brutale.

Lorsqu'on pense aux conséquences de la peste, on évoque d'abord la chute brutale de la population qu'elle a provoquée. «Tous en étaient frappés.» Froissart nous dit qu'un tiers de la population a disparu et c'est le chiffre que l'on retient, corroboré qu'il est par les études minutieuses et précises faites sur la paroisse Saint-Nizier de Lyon, la ville de Périgueux, les montagnes navarraises... Le registre paroissial du gros village bourguignon de Givry, document unique en son genre, est plus précis encore puisqu'il a enregistré les mariages et décès survenus entre 1338 et 1350 : les décès, en temps normal au nombre de 20 à 25 par an, atteignent le chiffre de 649 en 1348; il y avait une vingtaine de mariage par an avant la peste, il n'y en a aucun en 1348, mais 86 en 1349.

Il n'y a aucun doute : l'épidémie a durement frappé les populations de l'Europe d'alors. Mais a-t-elle frappé seule? Autrement dit, est-elle seule responsable de la chute de population du milieu du XIVe siècle? Malgré la déficience de la documentation en cette ère préstatistique, les études régionales citées ci-dessus ont conduit à reconsidérer complètement le rôle de la peste dans le mouvement de la population des XIVe et XVe siècles. La courbe démographique, jusque-là ascendante, stagne depuis les années 1310-1320. Les mauvaises récoltes de 1315-1317 ont ramené la famine en Flandre et dans le nord de la France. La Normandie voit sa population amorcer un léger déclin alors. En France méridionale, en Navarre, les disettes se multiplient dans la première moitié du siècle, avant qu'une grande famine n'affecte toute l'Europe du Sud en 1346-1347. Si bien que, dans ces régions, la diminution considérable de la population que l'on enregistre à l'issue de la peste noire — par rapport à l'à-pic du début du XIVe siècle — doit être attribuée presque autant à la famine qu'à la maladie; et cela, dans une conjoncture démographique déjà profondément dégradée.

La peste noire ne survient pas dans un «ciel démographique serein»; elle précipite un mouvement déjà amorcé. Seule, elle aurait pu n'être qu'un accident, un creux profond dans une courbe. Mais elle s'installe pour longtemps en Occident; l'épidémie devient pandémie. Certes, hormis en 1360-1363 et en 1373-1374, la peste sera moins virulente et moins générale qu'en 1348; mais elle sera alors épaulée par la famine. Le ressort de l'expansion démographique, M. Berthe l'a montré pour la Navarre, n'a pas été brisé par la «mortalité» des années 1346-1348. Il l'est après la peste de 1360-1363. Pour un siècle.

L'âge d'or du manouvrier.

La peste noire a désorganisé, pour un temps, le corps social et politique. Des officiers royaux sont morts, qui n'ont été remplacés qu'au bout de quelques mois. Le Parlement s'est interrompu. Des bénéfices ecclésiastiques sont demeurés vacants. Mais on s'est vite repris — l'accroissement du nombre des mariages à Givry en est la preuve — et il a pu sembler que tout allait repartir comme avant. Dans la France de Jean le Bon, on craint les ravages des compagnies plus que la peste. On ressent vivement la diminution de la main-d'œuvre; des champs sont restés en friche et les salariés agricoles ont des exigences de salaire inouïes pour des propriétaires fonciers touchés par le marasme des prix céréaliers et l'augmentation des prix industriels (la fameuse scission des prix — agricoles et industriels — caractéristique des années 1350-1450). C'est l'âge d'or du manouvrier, a-t-on dit. Il n'y eut pas cependant d'intervention vigoureuse de l'État en ce domaine (à la différence de l'Angleterre) : l'ordonnance de 1350, qui s'efforçait de contenir la hausse des salaires, ne s'appliquait qu'au domaine royal et de toute façon fut peu appliquée. Mais, là encore, c'est l'accumulation des désastres, dans les vingt-cinq années suivantes, qui enclencha vraiment le processus de décroissance.

La mort au cœur de la vie.

Les conséquences de la peste noire ne sont pas seulement démographiques ou économiques. Qui n'a pas en tête les fortes images du *Septième Sceau* d'Ingmar Bergman où l'on voit la Mort interpeller presque familièrement les humains avant de les entraîner dans la danse macabre? Dans ce domaine aussi, pourtant, la peste noire a accéléré une mutation des comportements plus qu'elle n'en a été la cause. Car la mort était déjà très présente dans la vie quotidienne des gens du Moyen Age; et c'est dans l'ensemble des pratiques de la «religion flamboyante» qu'il faut situer les nouvelles représentations de la mort.

On passe d'une mort idéalisée, celle du XIIIe siècle, à une mort réaliste; d'une représentation sereine du mort, où le corps mortel et l'âme immortelle ne font qu'un, au cadavre décomposé ou desséché, momifié, effrayant en tout cas, qui n'est plus que le corps mort, qui a laissé échapper l'âme. Le cortège mortuaire est représenté sur les côtés du tombeau; dessus, le gisant ou transi a troqué le visage serein du défunt pour un portrait réaliste, puis celui d'un cadavre décharné : celui de Guillaume de Harcigny, médecin de Charles VI, à Laon (1393), et surtout celui, fameux, du cardinal de La Grange à Avignon (1402). Tandis que sur les parois des églises, sous les arcades qui ceignent les cimetières, court la frise de la danse macabre.

> «Je fis de Maccabrée la danse
> Qui toutes gens maine a sa tresche

Et a la fosse les adresche
Qui est leur derraine maison»

écrit en 1376 le poète Jean Lefebvre, l'inventeur de l'expression.

Plus qu'une corrélation directe avec la peste, toujours difficile à établir, ne serait-ce que chronologiquement, c'est par les multiples ruptures qu'a connues la société de ce temps qu'il faut expliquer cette «obsession macabre» (J. Chiffoleau). Entre autres celle-ci, clairement reliée, elle, à l'épidémie, qu'expose un médecin du temps, Gui de Chauliac : «Les gens mouraient sans serviteur et étaient ensevelis sans prêtre; le père ne visitait plus le fils, ni le fils le père.» Les morts sont abandonnés; les cimetières ne suffisent plus et il faut les agrandir, comme à Amiens, en créer d'autres, comme à Avignon. Mais on trouve de plus en plus difficilement de fossoyeurs : à Avignon, on fit descendre des montagnes proches des paysans misérables mais solides, les «gavots», pour enterrer les morts. Ils moururent aussi! Plus grave, le rituel de la mort (sacrements, funérailles) est interrompu; et par là même, la solidarité entre les vivants et les morts, la relation avec les pères, avec les ancêtres. Où donc erre l'âme du mort sans sépulture?

La peste sécrète moins la peur de la mort que l'angoisse de l'au-delà, l'angoisse d'être seul face à Dieu. On y répondit sur terre par la charité; les confréries ou charités, dont on a relevé l'abondance en Normandie, en Bourbonnais, prenaient en charge leurs membres et leurs parents; certaines élargirent leurs activités aux pauvres, aux marginaux de toutes sortes, isolés et abandonnés. Au ciel, puisque, selon l'avis donné au roi Philippe VI par la faculté de médecine de Paris, «lorsque l'épidémie procède de la volonté divine, nous n'avons d'autres conseils à donner que celui de recourir humblement à cette volonté même», on adresse des prières. Le pape Clément VI institua une messe pour la peste en 1348. On eut recours à l'intercession des saints : saint Sébastien (criblé des flèches de l'épidémie), saint protecteur; saint Roch, qu'on représentera montrant son bubon, saint guérisseur. Enfin et surtout, c'est au Purgatoire, dont le culte connaît un prodigieux développement dans les régions méridionales du royaume, qu'ont trouvé refuge les âmes des morts abandonnés, celles des victimes de la peste bien sûr, mais plus généralement celles de tous les déracinés. En attendant le Paradis peut-être ; en échappant à l'Enfer en tout cas.

2. Poitiers

Lendemains de peste.

C'est à peine si la peste noire a marqué la vie militaire du temps. Avant il y eut Crécy ; après il y a Poitiers. Déjà mise en cause en 1346, la noblesse l'est encore plus en 1356. Les États généraux réunis en 1347, 1355 et 1356-1357 émettent les mêmes critiques, les mêmes revendications et, imperturbables, ils proposent toujours de financer et d'équiper 30 000 hommes d'armes, en 1356 comme en 1347. A dix ans de distance, les mêmes problèmes se posent : une armée inefficace et des moyens financiers insuffisants.

Edouard III avait rompu son hommage en 1337 et pris le titre de roi de France en 1340 à Gand ; voulant regagner l'Angleterre, il se heurte à la flotte française qu'il détruit à L'Écluse (ou Sluis), l'avant-port de Bruges. Mais c'est en Bretagne, à l'occasion de la crise de succession qui s'ouvre en 1341 à la mort du duc Jean III, que les deux belligérants vont s'affronter ; le Valois prend le parti de Charles de Blois, époux de l'héritière Jeanne de Penthièvre, tandis que l'Anglais soutient Jean de Montfort, demi-frère du duc défunt. On se livre à quelques escarmouches, à quelques prises de forteresse (Brest tombe aux mains des Anglais), puis l'on conclut, le 19 janvier 1343, la trêve de Malestroit.

La guerre ne commence vraiment qu'à l'été 1345 et l'on sait comment, le 25 août 1346, la nombreuse mais hétéroclite armée de Philippe VI est défaite à Crécy. Le roi d'Angleterre met alors le siège devant Calais qui capitule le 4 août 1347. Il avait auparavant pris quelques places en Poitou et marqué un point en Bretagne en capturant Charles de Blois. Puis, à l'instigation des représentants du pape, une trêve est conclue le 28 octobre 1347. La peste a pour conséquence de la prolonger, mais cela n'empêche pas quelques accrocs : ravage du Toulousain à Noël 1349; escarmouche en Bretagne avec le fameux combat des Trente, en mars 1350; reprise de Lusignan et Saint-Jean-d'Angély par les Français en 1351, installation de bandes anglo-gasconnes dans la bastide de Lafrançaise en 1352. En 1354, on négocie, sous l'égide de la papauté : à Guines d'abord, où un accord trop avantageux pour le roi d'Angleterre (il lui laisserait tout l'ouest du royaume) est désavoué par Jean le Bon; à Avignon ensuite, sans autre résultat que le traité conclu entre le roi d'Angleterre et Charles de Navarre sur la base d'un partage du royaume.

Charles le Mauvais, roi de Navarre.

Le royaume de France est affaibli par ses divisions. Charles, appelé « le Mauvais » (*el Malo*) par le chroniqueur navarrais Davalos de la Pisuna en 1571, est le petit-fils du roi Louis X le Hutin; il a hérité de sa mère Jeanne, en 1349, le petit royaume pyrénéen de Navarre. Brillant, ambitieux, rusé et charmeur, que veut-il? Et que peut-il? Il répète qu'il est issu « de la droite lignée royale de France » (*Chronique des quatre premiers Valois*) et laisse entendre qu'il n'y aurait rien d'injuste à ce qu'il soit roi de France. Mais il est dans une impasse : qu'il demeure fidèle au roi de France ou qu'il s'allie à Édouard III, il doit abandonner ses prétentions à la couronne de France et ne peut espérer qu'accroître ses possessions dans l'ouest du royaume où il possède le comté d'Évreux, Mantes, Anet et le comté de Mortain. Indécis, il intrigue et recrute, essentiellement dans la noblesse normande et picarde, une importante clientèle. On peut hésiter à parler de « parti navarrais » (c'est le premier en date de ces « partis » aristocratiques qui sont un élément essentiel de la société politique des XIVe et XVe siècles), car l'expression implique, il me semble, un minimum d'objectifs politiques, voire de programme. Ce n'est pas vraiment le cas du « parti » navarrais qui emprunte à d'autres le programme de « réformacion du royaume » que la crise des années 1355-1358 va mettre au premier plan. Acceptons cependant une expression que les gens du temps ont utilisée.

Charles le Mauvais a su capter le mécontentement d'une bonne partie de la noblesse normande, mécontentement dont Jean le Bon est largement responsable. Pourquoi, deux mois après son sacre, fit-il arrêter et exécuter le connétable de France, Raoul, comte d'Eu? « Nul n'osa parler de la cause de sa mort », dit la chronique, qui ajoute que par cette mort « furent troublés grant partie des nobles de France ». La connétablie fut donnée à un favori du roi, un étranger, Charles d'Espagne. Pour Charles le Mauvais, alors lieutenant du roi en Languedoc, c'est un rival. Il le fait assassiner le 8 janvier 1354 et se vante de cet acte, accompli, dit-il, pour le bien du royaume. Pourtant, dès le 22 février 1354, le roi l'absout et signe avec lui le traité de Mantes; Charles accroît ses domaines normands de Pont-Audemer, Conches et Breteuil, Beaumont-le-Roger et tout le Cotentin.

On a voulu voir dans ce traité si avantageux pour Charles de Navarre le résultat d'un complot poussant ses ramifications jusque dans le conseil du roi (Robert de Lorris, le cardinal Guy de Boulogne en seraient) et visant à démanteler le royaume pour constituer une Normandie autonome en faveur du roi de Navarre. Charles d'Espagne était un obstacle à la réalisation de ce plan qui se serait poursuivi lors des négociations de Guines menées justement par Guy de Boulogne. En fait, le cardinal n'a pas comploté; il travaillait à établir la paix avec l'Angleterre, à n'importe quel prix sans doute, pour qu'elle fût ratifiée, notamment par le pape. Quant au traité de Mantes, Jean le Bon l'aurait signé rapidement pour couper l'herbe sous le pied au Navarrais, qui négociait alors en sous-main avec les Anglais. De ce point de vue, Jean le Bon a échoué car, à Avignon, Charles le Mauvais s'accorde avec les Anglais.

Le roi rouvre donc les hostilités en Normandie. Le roi de Navarre, ne recevant pas les secours anglais promis, doit traiter avec Jean le Bon : le traité de Valognes (10 septembre 1355) est beaucoup moins avantageux que celui de Mantes. Le 7 décembre, le roi s'engage solennellement à ne jamais abandonner la Normandie en investissant son fils aîné, le dauphin Charles, du titre de duc de Normandie. Il rassure ainsi tous ceux, marchands et producteurs, pour qui l'axe de la Seine est vital.

Mais Charles le Mauvais ne se tient pas pour battu et gagne l'amitié du jeune et inexpérimenté dauphin. Mieux, grâce à ses nombreux partisans, il empêche la levée des impôts accordés par les États réunis en novembre 1355 et mars 1356. Jean le Bon n'y tient plus : le 5 avril 1356, il se précipite à Rouen, fait arrêter le roi de Navarre qui dînait avec le duc de Normandie et décapiter quatre nobles normands, dont le comte d'Harcourt, chef d'un des plus puissants lignages du pays. « Moult fut blamé le roi Jean [...] et moult en fut en la malivolence des nobles et de son peuple et par especial ceulx de Normendie » (*Chronique des quatre premiers Valois*). Charles de Navarre est certes hors jeu ; mais son frère Philippe tient solidement les places fortes normandes et une fraction importante de la noblesse normande est prête à trahir. C'est dans ces conditions que Jean le Bon doit affronter les Anglais.

Le roi prisonnier.

L'échec des négociations a mis fin aux trêves. Édouard III réunit difficilement une armée et ne peut débarquer à Calais qu'en octobre 1355. Or, à ce moment-là, le roi de Navarre a fait la paix avec Jean le Bon et celui-ci a solidement mis en défense Amiens et la Picardie. Le roi d'Angleterre préfère rembarquer. Les seules opérations sont menées en Sud-Ouest où le Prince noir, fils d'Édouard III, ravage le Toulousain et met le feu au bourg de Carcassonne. Les Anglais débarquent à nouveau, en Normandie cette fois, le 22 juin 1356. Mais c'est en Poitou, contre l'armée du Prince noir, qu'a lieu la bataille décisive, le 19 septembre 1356. Comme à Crécy, les attaques de la cavalerie française se brisent sur l'archerie anglaise ; c'est pour éviter que le désordre ne s'installe que Jean le Bon décide « pour retenir plus ferme la baronnie de descendre à pied » (Villani). Mais la « bataille » du roi est bientôt submergée ; malgré son courage, celui-ci doit se rendre avec le plus jeune de ses fils, Philippe, qui de ce jour s'appela le Hardi ; auparavant, il avait commandé à son fils aîné de s'éloigner du champ de bataille. Le roi prisonnier fut emmené à Bordeaux.

L'armée de Poitiers était entièrement nobiliaire ; les contingents urbains qui, l'année précédente, avaient rejoint le roi à Amiens n'étaient pas là. La noblesse supporta donc seule la responsabilité de la défaite. François de Montebelluna évoque les critiques des « populaires » contre la lâcheté des nobles et dénonce leur incompétence au combat. La noblesse « a perdu honneur et prix », dit la *Complainte rimée de la bataille de Poitiers* qui n'a, au contraire, qu'éloges et compassion pour le roi :

> « Dieu vueille conforter et garder nostre roy,
> Et son petit enfant qu'est demoré a soy. »

L'enseignement de la défaite fut cependant assez vite tiré. Charles V, l'opinion le lui reprocha, ne se battit jamais. En 1415, le vieux duc de Berry empêcha que le roi et le dauphin n'aillent sur le champ de bataille d'Azincourt « pour ce qu'il avait esté a la bataille de Poitiers où son père le roy Jehan fut prins, et disoit que mieulx valloit perdre bataille seulle que roy et bataille » (Héraut Berry).

En attendant, le roi était prisonnier. La crise, latente jusque-là, éclata.

3. La crise politique. Réforme ou révolution ?

Montebelluna n'accusait pas que la noblesse ; il mettait également en cause le mauvais gouvernement, les querelles de clans, les conseillers corrompus, tous griefs que les États vont reprendre avec force.

Les États.

Pour l'opinion publique le roi doit vivre du sien, c'est-à-dire des revenus de son domaine. Comme cela ne suffit plus, il peut user de deux moyens pour obtenir des ressources : la mutation de la monnaie ; l'impôt. La mutation, que le roi peut faire à sa guise, lui procure les bénéfices d'une nouvelle frappe. La levée de l'impôt est plus délicate, car il lui faut obtenir le consentement de ses sujets, en vertu d'un principe de droit canonique : « Ce qui concerne tout le monde doit être approuvé par tout le monde » (le fameux *Quod omnes tangit*...). Pour cela, il doit convoquer les états du royaume : clercs, nobles et représentants des villes. Les réunions sont rarement générales ; le plus souvent on réunit les États par bailliage et sénéchaussée ou par « langue » : États de Languedoïl pour le nord du royaume ; États de Languedoc pour le Midi.

Le roi se passerait bien de ces réunions, car si elles sont une occasion de dialogue entre le gouvernement et le pays (le Conseil du roi joue aussi ce rôle), il arrive parfois que ce dialogue tourne à l'aigre et que la politique royale soit vigoureusement contestée : ce fut le cas en 1347.

Pour les sujets, pour leurs « représentants » aux États, l'enjeu se réduit à choisir entre deux maux : accepter l'impôt pour éviter les mutations monétaires.

La « réformation » du royaume.

« Advisé fut des ésleuz que necessaires chose estoit que bien fussent congneuz et desclairés tous les deffaux qui avoient esté [...] tant en fait de justice [...], comme en fait du gouvernement de l'estat du prince, de son hostel, du fait de sa guerre, du fait des monnoyes, des officiers et espécialement de ses conseillers », déclare en octobre 1356 Jean de Craon, archevêque de Reims et porte-parole du clergé. C'est, en négatif, le programme de réforme du royaume que les États vont habilement lier à la question financière : faites-nous un bon gouvernement, vous aurez de bonnes finances !

L'idée de réforme du royaume est inséparable du développement de l'État. Les textes de référence en sont les ordonnances de Saint Louis de 1254, reprises en 1302 et confirmées tout au long du XIVe siècle. Des enquêteurs-réformateurs et des réformateurs généraux écoutaient les doléances des sujets et sanctionnaient les abus des officiers du roi. Les États firent de l'idée de réforme un programme politique : des officiers moins nombreux et compétents, une bonne monnaie, un impôt contrôlé par des États dont la place serait reconnue dans le système de gouvernement.

Trois courants composent le parti de la réforme.

La noblesse et le clergé du nord et nord-ouest du royaume qui défendent leurs « libertés et franchises » menacées par le zèle des agents royaux ; ils se plaignent de la fiscalité et de la dévaluation de la monnaie qui affecte gravement leurs revenus, souvent fixes et exprimés en monnaie de compte.

Les bourgeois des villes du Bassin parisien se reconnaissent dans l'action d'Étienne Marcel à Paris. La grande bourgeoisie marchande importe des draps de Flandre (Étienne Marcel en fait partie) et écoule les blés et les vins de la région parisienne (l'un des grands vignobles du temps) par la Seine et l'Oise ; elle anime ce centre important de consommation et cette grande place financière qu'est Paris, la ville européenne la plus considérable. Ces bourgeois sont soucieux d'ordre et de paix, garants de la sécurité le long des grandes voies de commerce et d'une bonne gestion. La bourgeoisie n'est cependant pas unanime : reconvertis dans la banque et la finance, certains bourgeois, les Braque, des Essars ou Poillevillain, font de belles carrières dans les Monnaies ou les services financiers de la royauté. Ils s'y sont rapidement, trop rapidement, enrichis. Ils sont proches de la noblesse, à laquelle, s'ils le veulent, ils peuvent facilement s'agréger.

Le courant navarrais enfin, qui recoupe en partie les deux précédents. Leur chef, Charles le Mauvais, se sert de la réforme ; il a su retenir le théologien normand Nicole Oresme, qui, dans le traité *De moneta* écrit en 1355, s'oppose aux mutations monétaires et affirme que la monnaie appartient à la communauté du royaume et non au roi seul.

Une monarchie contrôlée.

Au nom du roi prisonnier, le dauphin Charles, lieutenant général du royaume, gouverne avec les conseillers de son père, rendus responsables de la crise. Il réunit aussitôt les États de Languedoïl le 17 octobre 1356 et, par la voix de son chancelier, Pierre de La Forêt, demande « conseil des choses touchans l'onneur, prouffit et estat du royaume de France et la delivrance du corps du Roy... ».

Les États avaient accumulé une riche expérience et obtenu du roi le droit de consulter leurs mandants avant toute décision (1346) et le contrôle du processus fiscal (novembre 1355).

Des « élus » choisis par l'assemblée devaient établir l'assiette de l'imposition et neuf généraux, trois par État, se charger du paiement des troupes. Cela avait été un échec et le roi, faute d'obtenir l'argent par l'impôt, avait eu recours, le 26 juillet 1356, à une mutation des monnaies. Revinrent donc sur le devant de la scène les financiers et les brasseurs d'argent, décriés et haïs mais indispensables en pareil cas. Aucune entente n'est possible entre eux et les États ; la réponse faite par Jean de Craon au discours du chancelier est dépourvue d'ambiguïté sur ce point. Le dauphin, fort mécontent, décide d'ajourner les États.

Ceux-ci passent outre et tiennent séance le 3 novembre, au couvent des Cordeliers. L'évêque de Laon, Robert le Coq, un « Navarrais », expose un véritable programme politique dont l'audace sera tempérée lors de la session de mars 1357 : arrêt des abus, du gaspillage et des aliénations du domaine royal ; stabilité de la monnaie ; révocation de vingt-deux conseillers et nomination par les États d'enquêteurs-réformateurs dans les bailliages et sénéchaussées ; entrée au Conseil du roi de quelques représentants des trois états ; contrôle de l'impôt enfin, de son assiette, de sa collecte et de son utilisation. Car en échange, les États offrent un subside permettant de payer 30 000 hommes d'armes pendant un an ; en outre, ils exigent de se réunir « quand bon leur semblerait », et une première fois le 5 février 1357. Au-delà du programme de réforme, les États esquissent un régime de monarchie contrôlée (E. Perroy). Bien des historiens l'ont nié. A tort.

Réforme ou révolution ?

Les obstacles sont de taille : aux désordres provoqués par les bandes anglo-navarraises et delphinales s'ajoute le mauvais vouloir des officiers royaux, qui laissent se débrouiller les agents inexpérimentés des États ; l'opinion, enfin, ne retient de la réforme que son prix, la fiscalité.

Quant au dauphin, sa marge de manœuvres est réduite. En décembre, il ordonne un léger renforcement de la monnaie, puis va consulter à Metz son oncle, l'empereur Charles IV. Celui-ci lui conseille de s'entendre avec le prévôt des marchands de Paris, Étienne Marcel. Or ce dernier s'oppose à la mutation de la monnaie et met en grève les métiers parisiens. Le dauphin cède et accepte, le 3 mars 1357, le programme politique des États. Des réformateurs modérés, Jean de Craon, les frères de Melun (l'un est archevêque de Sens, l'autre comte de Tancarville), mais aussi des Navarrais, comme Robert le Coq, entrent au Conseil du roi. Neuf réformateurs généraux sont institués.

Malgré les interventions maladroites du roi Jean et la pression des Navarrais qui réclament la libération de leur idole, ce compromis dure jusqu'en octobre. Il favorise le rapprochement entre réformateurs modérés et dauphin. Rassuré, celui-ci destitue, le 15 août, les réformateurs généraux, ce qui ne résout pas le problème des ressources, mais rend méfiant Étienne Marcel. Il faut bien se décider à réunir les États pour le 7 novembre 1357. Mais Étienne Marcel lance une convocation parallèle aux bonnes villes. La crise se radicalise, puis se complique lorsque, le 9 novembre, le roi de Navarre s'évade. Étienne Marcel et les bourgeois des villes du Nord souhaitent une réconciliation entre les deux hommes, gage de calme et de sécurité dans la région parisienne. Mais le roi de Navarre élève ses exigences. De son côté le dauphin s'enhardit : le 11 janvier, il n'hésite pas à critiquer les États devant les Parisiens ébahis : « De toute la finance qui avait été levée depuis que les trois estaz avaient pris le gouvernement, il ne avait eu denier ne obole, mais bien pensait que ceulx qui l'avaient gouverné en rendroient bon compte » (*Chronique de Jean II et de Charles V*).

Étienne Marcel sent le danger : le 22 février 1358, il organise une manifestation qu'il laisse dégénérer : sous les yeux du dauphin épouvanté, les maréchaux de Champagne et de Normandie, Jean de Conflans et Robert de Clermont, réformateurs convaincus, sont assassinés. Dans l'immédiat, le prévôt triomphe : le dauphin qui se proclame régent le 14 mars s'en remet à lui. Mais par ce meurtre il se coupe de la noblesse réformatrice et apparaît de plus en plus lié au parti navarrais. D'ailleurs, dès le 21 mars, le régent quitte Paris. Son objectif est clair : réduire Paris en l'isolant de sa région nourricière. Grâce aux quelques troupes qu'il a pu réunir, il s'empare de Meaux et de Montereau, bloquant la Seine en amont. Étienne Marcel en est réduit à la fuite en avant.

La Jacquerie.

Sans la caution du régent, Étienne Marcel n'est qu'un rebelle. Il est possible alors que le prévôt ait envisagé un changement dynastique au profit du roi de Navarre. Le régent quant à lui réunit les États à Compiègne, hors de la tutelle parisienne, du 4 au 14 mai. Il en obtient un subside en échange d'une série d'engagements qui, tous, vont dans le sens de la réforme. Les États de Compiègne, s'ils ont rompu avec Étienne Marcel et Paris, demeurent réformateurs.

L'épreuve de force est engagée. Pour rompre l'asphyxie de la capitale, des milices de Paris, mais aussi de Senlis, Beauvais, Amiens, s'attaquent aux garnisons royales de l'Ile-de-France. C'est alors que, dans ces mêmes régions, éclate, inattendue, la Jacquerie — probablement du nom de Jacques Bonhomme utilisé par les nobles « pour tourner en dérision la simplicité des paysans » (*Continuation* de Guillaume de Nangis).

Le 14 mai, le régent avait ordonné de mettre en défense le pays. Les paysans furent réquisitionnés pour restaurer les murailles ; de petits groupes de gens de guerre sillonnaient le pays pour tenir garnison. Le 28 mai, une rixe oppose un de ces groupes aux habitants de Saint-Leu-d'Esserent et neuf hommes d'armes sont tués. C'est le signal d'un mouvement qui se répand comme une traînée de poudre en Beauvaisis, dans le Vexin, aux confins de la Normandie, en Picardie et même en Auxerrois. Partout ce n'est qu'un cri : « Que tous les gentilzhommes soient destruis. » Les chroniqueurs ont laissé des récits horrifiés de châteaux abattus, de chevaliers massacrés, de femmes violées, d'enfants rôtis à la broche.

Étienne Marcel s'est défendu d'avoir encouragé la révolte. Il y eut pourtant des actions communes : à Ermenonville, où les jacques et les milices parisiennes attaquent le château de Robert de Lorris, un riche banquier anobli, beau-frère (haï) d'Étienne Marcel et conseiller du roi ; Robert de Lorris « renia gentillesse » pour sauver sa vie ; même collusion lors de l'attaque du « marché » de Meaux (le château) où est réfugiée la femme du dauphin. L'action des jacques contribuait à libérer les accès de Paris ; Étienne Marcel ne pouvait être contre !

Mais il ne peut s'engager trop avant avec les jacques, sous peine de se couper de son principal allié, Charles le Mauvais, à qui les nobles ont fait appel. Le 10 juin, à Mello, à la suite d'une vilaine ruse, le Navarrais s'empare de Guillaume Cale, le chef de la révolte, et détruit l'armée des jacques. La Contre-Jacquerie des nobles est marquée par autant d'horreurs — que le roi de Navarre désavoua — que le mouvement paysan. Quant au dauphin, il n'intervint pas.

Ce mouvement, violent et bref, a intrigué. Les textes contemporains parlent de la « commocion des non-nobles contre les nobles », ce qui souligne bien l'aspect de classe du conflit. On s'attaque au château, au noble dans sa personne et sa famille. On ne s'en prend pas au roi, ni à ses forteresses, ni à ses agents. Du programme de réforme il n'est point question ; d'idéologie non plus. Révolte de la misère ? Même pas ; le mouvement a touché les régions riches du Bassin parisien, où les paysans aisés, ces « laboureurs » qui ont obtenu ensuite des lettres de rémission, sont touchés, comme les seigneurs, par le marasme des prix céréaliers. « Et en ces assemblées avait gens de labour le plus, et si y avait de riches hommes bourgeois et autres » (*Chronique des quatre premiers Valois*).

Haine « primitive » de la noblesse, violence pure alors ? Un mouvement panique, conséquence et signe d'une crise de société que la défaite, imputée à la noblesse, a avivée ? Le château, qui était abri, est devenu repaire de routiers ; le noble, protecteur et garant de l'ordre, devient agent du désordre. La noblesse a failli ; elle ne sert plus à rien. Le dauphin, lorsqu'il décide la mise en défense des forteresses, semble encourager la violence quotidienne des bandes armées, les siennes comme celles des Navarrais. La *Chronique des quatre premiers Valois* a admirablement décrit l'effet dissolvant de ces désordres sur la société : « Moult fut grevée au pais de France et cruelle la guerre d'entre le roy de Navarre et monseigneur le duc de Normandie. Car moult de gens en furent mis a mort, mainte pucelle corrompue, mainte prude femme violée, mainte bonne personne destruite et gastée, mainte eglise, mainte ville et mainte maison arse [brûlée] et brisée et maint enfant en devindrent orphelins et povres mendians. »

Le lien qui unit Jacquerie et révolution parisienne est là. Dans le meurtre des maréchaux, écrit R. Cazelles, ce sont « les attributions militaires de ces personnages qui sont visées [...] Ce n'est pas en raison de ses privilèges que la noblesse est écartée par les autres ordres [...]. Ce qui lui est reproché, c'est de ne plus être fidèle à sa mission». Jacques et Parisiens, à deux niveaux de conscience sociale et politique différents, entreprennent d'éliminer physiquement une noblesse désormais inutile. La solution qui consistait à faire renier sa noblesse à Robert de Lorris était plus élégante, mais beaucoup trop lente! Étienne Marcel, aux abois, se laissa emporter. Ecrivant le 11 juillet aux échevins d'Ypres, il dénonce le régent «voullans la destruction universele de nous, les gens des bonnes villes et de tout le plat pays» et les nobles : «Combien que les nobles, depuis la prise du roy notre sire, ne se soient volu armer contre les ennemis du royaume [...] toutes voies contre nous se sont armés et contre le commun, et pour la très grant hayne qu'ils ont a nous, a tous le commun et les grant pilles et roberies qu'ils font au peuple...»

La haine de la noblesse pour cimenter l'union des bonnes villes et des paysans sous la houlette de Paris? Est-ce crédible quand on a offert, le 14 juin précédent, le poste de capitaine de Paris au roi de Navarre? La bourgeoisie parisienne, surtout, sait bien que sa prospérité reste liée à un ordre social où la noblesse tient une place éminente. Elle rejette alors le prévôt.

La mort d'Étienne Marcel.

Une partie de la noblesse refuse les ambiguïtés du parti navarrais et rejoint le camp du dauphin, établi à Vincennes. Pourtant le dauphin est pessimiste et, alors que des discussions s'engagent avec l'adversaire navarrais, il aurait songé «à partir pour le Dauphiné comme un proscrit en exil» (*Chronique* de Richard Lescot). A Paris, les incidents se multiplient avec les mercenaires anglo-navarrais qu'Étienne Marcel a fait entrer dans la ville et la popularité du roi de Navarre, qui négocie avec les Anglais, s'effondre. La bourgeoisie parisienne — jamais unanime au demeurant — abandonne son prévôt qui est assassiné à la suite d'un vif incident, le 31 juillet.

Le 2 août, le dauphin entre dans une ville qui est loin de

lui être acquise : le 30 octobre, les Parisiens manifestent contre la répression. C'est au tour du roi de Navarre de bloquer Paris et de contrôler les voies navigables. On ne s'est pas bousculé aux États d'Amiens réunis en mai 1359 pour rejeter le second traité de Londres, « parce que les chemins estoient moult empeschiez des Anglais et Navarrais qui tenoient forteresses en toutes les parties par lesquelles l'en povoit aler a Paris » (*Chronique de Jean II et de Charles V*). Heureusement pour Paris, les chemins de la Beauce et de la Brie restent ouverts.

Le régent agit avec prudence. Il attend le 28 mai 1359 pour rappeler les officiers révoqués deux ans plus tôt et il renonce à une mutation monétaire devant l'hostilité des États d'Amiens.

Étienne Marcel, la noblesse et le roi.

L'historiographie a été sévère pour Étienne Marcel : ambitieux pour les uns, héros pour les autres, on l'a jugé, et c'est une erreur, à l'aune de 1789, comme si la bourgeoisie du milieu du XIVe siècle avait été une classe révolutionnaire. Cela ne diminue en rien la qualité et l'importance du programme de réforme proposé par les États et c'est dans ce contexte qu'il faut situer Étienne Marcel. Je vois deux raisons majeures à son échec.

Sa rupture avec la noblesse d'abord. Étienne Marcel a oublié qu'elle reste la principale force soutenant le programme de réforme. Les États de Champagne réunis en avril 1358 par le dauphin ont condamné sans réserve l'assassinat des maréchaux, mais ont également décidé que le subside qu'ils accordaient serait levé « par leurs mains » et dépensé « par leurs mains en gens d'armes ».

Ensuite, le Parisien Étienne Marcel a ignoré plus de la moitié de la France. Il défend les intérêts de la capitale et de sa région ; les villes de l'Yonne, de la Seine, de l'Oise l'ont suivi ; au-delà, le soutien est plus épisodique. En Languedoc, le discrédit de la noblesse fut aussi vif qu'au nord ; il y eut des révoltes contre l'impôt en mars 1357, à Toulouse, à Lavaur... Les États du Languedoc, tout aussi sourcilleux que ceux de Languedoïl, s'accordent, à la suite du premier traité de Londres et de la demande d'argent du roi pour sa rançon, pour « que ladite somme d'argent soit utilisée pour la cause susdite et en aucune manière pour d'autres usages, que les sommes soient levées par lesdites universités [les villes] et par leurs mains ou des députés désignés par elles... » (*Ordonnances des rois de France*). Les Languedociens obtiennent alors, en juin 1358, ce que les Parisiens viennent de perdre : la maîtrise de l'impôt. C'est incontestable, « deux Français sur trois » au moins veulent la réforme ! Mais le Languedoc est resté fidèle au roi prisonnier (une ambassade des villes lui a rendu visite à Londres) et au dauphin ; et il n'y a pas de fossé entre villes et noblesse ; d'ailleurs aucune ville ne domine les autres.

R. Cazelles, avec quelque exagération, fait d'Étienne Marcel le continuateur de l'œuvre centralisatrice des derniers Capétiens, œuvre que le dauphin Charles aurait sacrifiée. Je crois au contraire que la crise révèle les limites de cette œuvre et son inadéquation aux problèmes de l'heure. Le pouvoir royal doit décentraliser et s'appuyer sur les pouvoirs locaux, la noblesse et les villes. Étienne Marcel ne fait pas autre chose, qui n'agit que dans l'espace économique et politique du bassin de la Seine.

La France est diverse. C'est le roi, pas Étienne Marcel, qui incarne l'unité.

Épilogue : la création du franc.

Étienne Marcel n'est ni un ambitieux sans scrupules, ni un démagogue ; il n'est pas non plus un révolutionnaire, pas même un démocrate. C'est un grand bourgeois autoritaire, intègre, capable, soucieux d'ordre et de bonne gestion. Comme tant d'autres de sa classe, il aurait pu faire une belle carrière dans la bureaucratie royale et entrer dans la noblesse. Il ne l'a pas fait. Fut-ce naïveté ou plutôt une haute conscience de ses responsabilités et de sa mission ?

De retour de captivité, le roi Jean prenait, le 5 décembre 1360, sa première décision importante : la création du franc d'or qui marquait sa libération et le retour à la stabilité monétaire. Étienne Marcel était mort ; Robert le Coq, l'intrigant navarrais, vivait en exil à Avignon. Mais, dans le Conseil royal qui prépara cette décision, on trouvait les figures de proue de la noblesse réformatrice : Jean de Craon, Guillaume de Melun, Jean de Meulan. Le théoricien de la monnaie, le clerc Nicole Oresme, avait rallié ce camp. Celui de la réforme sans les États. En contrepartie, pour payer la rançon, les États votèrent l'impôt ; mais c'est l'administration royale qui en assura la levée.

4. Le traité de Calais

Alors que le dauphin affronte les Parisiens, les Navarrais et les Anglais, le roi Jean, transféré à Londres en mai 1357, négocie sa libération. La diplomatie française ne peut qu'être désordonnée ! Un exemple : en mai 1358, le roi demande 600 000 florins comme premier acompte de sa rançon alors qu'au même moment le dauphin promet 400 000 florins au roi de Navarre : il est bien évident que le pays ne peut supporter une telle pression fiscale.

Les traités de Londres.

L'objet des négociations qui s'engagent sous l'égide des légats du pape est double : fixer la rançon du roi et « faire bonne et durable paix ». Les négociateurs français ne peuvent discuter que du montant de la rançon et de l'ampleur des concessions territoriales. Il n'est plus question, comme à Guines en 1354, de conserver la souveraineté du roi de France sur les territoires cédés.

En janvier 1358, le premier traité de Londres fixe la rançon à 4 millions d'écus d'or et abandonne au roi d'Angleterre une « grande Aquitaine » (avec Poitou, Limousin, Quercy, Rouergue et Bigorre), ainsi que Calais et le Ponthieu. Les négociateurs français ont évité le pire. Mais Édouard III se ravise car il pense pouvoir tirer davantage de profit de la crise politique française.

Les discussions reprennent donc, sous la menace d'une nouvelle intervention anglaise. Pour être libéré, Jean le Bon fait des concessions : le deuxième traité de Londres, le

24 mars 1359, donne à l'Angleterre toute la façade occidentale du royaume, de Calais à Bayonne, avec l'hommage de la Bretagne. Mais en mai, le dauphin fait rejeter le traité par les États généraux. Édouard III a été trop gourmand ; son prisonnier ne lui sert plus à rien !

Il riposte par une chevauchée qui part de Calais le 28 octobre 1359, mais qui s'enlise car le dauphin fait le vide devant elle. En vain les Anglais assiègent-ils Reims ; ils vont ensuite en Bourgogne, puis sous les murs de Paris, enfin en Beauce où, près de Chartres, ils sont accablés par une tornade qui détruit leurs bagages. Au même moment des marins normands ravagent les côtes méridionales de l'Angleterre ! Il est temps de traiter sérieusement, avec le dauphin cette fois.

Le traité de Brétigny-Calais.

Les envoyés du pape ont maintenu le contact. Ils ménagent la rencontre qui aboutit aux préliminaires de paix conclus à Brétigny, près de Chartres, le 8 mai 1360 ; après leur ratification à Londres le 14 juin, Jean le Bon est conduit à Calais le 8 juillet. Édouard III l'y rejoint après le versement de la première tranche de la rançon. Le 24 octobre, le traité définitif est signé. Le roi de France est libre.

On en revient pratiquement au premier traité de Londres ; simplement, la rançon a été ramenée à 3 millions d'écus ; son versement, par tranches annuelles de 400 000 écus, est garanti par l'envoi d'otages — des princes du sang, des seigneurs et des gens des villes — à Londres. La « grande Aquitaine » (s'y ajoute le Périgord) est cédée en toute souveraineté. Édouard III renonce à la couronne de France. Deux articles des préliminaires furent séparés du traité définitif pour constituer la convention des « *Renunciationes cum clausula* : c'est assavoir... », la fameuse clause des renonciations. Les deux rois échangeront leurs renonciations, l'un à la souveraineté sur l'Aquitaine, l'autre à la couronne de France, après la remise des terres et droits cédés, au plus tard le 1er novembre 1361, oralement, et le 30 novembre, par écrit, à Bruges ; en attendant, ils s'engagent à ne point se servir de leurs droits ou titres. Or les renonciations ne furent jamais échangées.

On a vu dans la convention séparée la patte de l'astucieux

dauphin qui aurait dupé les Anglais. Mais chacun des deux protagonistes pouvait tirer avantage à retarder l'échange des renonciations et conserver ainsi un moyen de pression sur l'autre. Gardons-nous d'expliquer ce qui se passe en 1360 par ce qui est survenu après, en 1368 ! En réalité, personne n'imaginait, en 1360, que le transfert des territoires prendrait tant de temps !

L'application du traité.

Les Anglais devaient évacuer les châteaux qu'ils tenaient dans les territoires qui restaient français, avant le 2 février 1361. Ils se contentèrent de « casser », c'est-à-dire de ne plus payer, les garnisons. Au roi de France de se débrouiller avec ces « routes » et « compagnies » qui vont vivre sur le pays. Comme le délai fixé ne fut pas respecté, la remise du Ponthieu aux Anglais n'eut pas lieu avant le 18 mai. Du reste, partout il y eut du retard.

On possède le procès-verbal de la remise des places du Sud-Ouest à l'envoyé anglais Jean Chandos : celui-ci, accompagné de commissaires français, se présentait devant une ville ; le maire remettait les clés aux commissaires français, qui les donnaient à Chandos, qui les rendait au maire ; l'inspection de l'enceinte suivait ; et le lendemain, les habitants prêtaient serment au nouveau maître. Ainsi faisait-on pour chaque ville, chaque château, chaque droit ! La cession du Poitou s'échelonna de septembre 1361 à mars 1362. Certaines villes, La Rochelle, Périgueux, protestèrent et firent traîner les choses. Bref, les délais fixés ne furent pas tenus. Novembre 1361 arriva : le roi d'Angleterre refusa de renoncer à la couronne et le roi de France à sa souveraineté. Le débat s'enlisa sur des questions territoriales secondaires.

Édouard III disposait d'un atout : les otages français. Parmi eux les deux jeunes fils du roi, les ducs d'Anjou et de Berry. Sur la promesse d'une libération rapide (ils furent d'ailleurs transférés à Calais), ils signèrent le 21 novembre 1362 le « traité des otages » par lequel ils s'engageaient — ou plutôt ils engageaient le roi — à céder les terres encore contestées ; en outre, ils promettaient les châteaux du Berry. Bon père, Jean le Bon aurait peut-être accepté, mais le roi d'Angleterre exigeait la ratification des États. Ceux-ci refusèrent. Louis d'Anjou n'y tient plus et s'évade pour rejoindre sa tendre épouse; ce ne sont point là manières chevaleresques! Pourtant ne faisons pas Jean le Bon plus sot qu'il n'est : il y a du chevaleresque en lui, et l'opinion de son temps l'a compris. Toutefois, il ne retourne pas en Angleterre réparer l'honneur perdu de la maison France; il y va pour négocier les questions pendantes, dont celle des otages. N'avait-il pas obtenu des Anglais un sauf-conduit qui lui assurait le retour? Il n'est pas mort prisonnier le 8 avril 1364; il est mort à la tâche.

Ne rions pas du roi Jean. Ne cachons pas ses médiocres qualités politiques et militaires, mais sachons écouter ses contemporains qui l'ont aimé : les Languedociens ont pris le deuil à l'annonce de sa capture. R. Cazelles, le grand historien de cette période, a souligné ses qualités de cœur, sa sensibilité aux misères du temps. Il a du goût pour les lettres et les arts (Pétrarque l'a reconnu); il fut l'ami de Pierre Bersuire, l'un des tout premiers humanistes français, et la bibliothèque du Louvre, dite de Charles V, lui doit beaucoup. Mais il n'est pas nécessaire, pour redresser un peu l'image négative du roi Jean, de rabaisser outre mesure celle de Charles V. D'ailleurs, n'opposons pas trop le père et le fils car ils ont, chacun à sa façon, mené la même politique.

5. Un art de gouverner

Charles V a porté au plus haut niveau l'art d'être roi au Moyen Age et très vite il devint un modèle, qu'une femme de lettres, Christine de Pisan, fit connaître dans son *Livre des fais et bonne mœurs du sage roy Charles V.*

Construction d'une image : Charles le Sage.

«... Et aussi ce qui est écrit en notre cœur sans délaisser comment notre très saint aïeul et prédecesseur, notre patron, defenseur et singulier seigneur, le benoît saint Louis, la fleur, l'honneur, la lumière et le miroir non mie seulement de la lignée royale mais de tous les Français, duquel la mémoire est en benediction et ne sera pas guerpie mais demeurera es siècles... » Ainsi commence la célèbre ordonnance sur la majorité des rois de France d'août 1374; ainsi Charles V dispute-t-il à la noblesse réformatrice le souvenir du saint roi, que, depuis les ligues, la royauté avait semblé lui abandonner. On parlait alors du « bon temps monseigneur saint Louis »; on parlera plus tard du « bon temps de Charles V ».

Depuis longtemps les « miroirs aux princes » — le livre de Christine de Pisan en est un — ont façonné le portrait du prince idéal. Ils se réfèrent à l'Aristote de la *Politique* et des « Éthiques », réinterprété par saint Thomas d'Aquin : le prince doit assurer à ses sujets un bon gouvernement; il doit faire preuve de qualités et de vertus dont la première est la sagesse. Pour Gilles de Rome le roi sage est prévoyant; il a de l'entendement, de la mémoire des choses du passé, de la prudence qui est la sagesse appliquée aux choses. Au cours du siècle la sagesse s'ouvre à la « sapience », la connaissance : « Ne dirons-nous encore de la sagece du roy Charles, la grant amour qu'il avoit à l'estude et à la science » (C. de Pisan). La sagesse est aussi savoir technique : Charles V s'enthousiasma pour les horloges mécaniques et en fit installer une, parmi les premières, au palais de la Cité, siège des principales institutions du royaume; le temps mécanique, rigoureusement divisé, était ainsi mis au service de l'art de gouvernement.

Le prince et ses officiers, ses hommes d'armes aussi, doivent être compétents; ce souci devient primordial dans l'opinion qui veut que le roi soit conseillé par de « bonnes et sages personnes ». Ce que fit Charles V qui sut s'entourer des meilleurs intellectuels de son temps : Nicole Oresme, auteur du *De moneta*, le carme Jean Golein, Raoul de Presles, bien d'autres encore, que le roi engagea d'abord pour traduire en français Aristote et saint Augustin, la Bible, Jean de Salisbury et les œuvres de l'Antiquité païenne, Tite-Live (commandé par Jean le Bon), Végèce, Valère Maxime et d'autres. Il leur commanda aussi des traités politiques originaux, comme le *Songe du verger*, resté anonyme, qui est une véritable somme politique du règne. Ce sont ces hommes qui imposèrent l'idée que le roi Charles était la sagesse même.

Ces livres furent déposés dans la librairie (la bibliothèque) du Louvre, que Jean le Bon avait commencé d'installer dans la tour de l'angle nord-ouest. Le roi en confia la garde à Gilles Mallet en 1368, lequel établit un inventaire en 1373 (917 volumes), régulièrement tenu à jour par la suite. Le roi, ses proches, ses officiers peuvent consulter et emprunter les livres : en juillet 1382 on relève que le jeune Charles VI n'a toujours pas rendu la *Queste du saint Graal*, qu'il avait empruntée en janvier. C'est une bibliothèque de travail spécialisée dans la science politique, mais qui ne néglige ni le roman ni l'Histoire. Charles V lisait parfaitement le latin, mais il a voulu, par son programme de traduction, instruire ses successeurs et travailler « pour le bien commun », comme l'écrit Nicole Oresme dans sa préface à la traduction d'Aristote. Cette bibliothèque, mise à mal pendant la guerre civile, fut rachetée par le duc de Bedford et dispersée par la suite en Angleterre, où les princes des fleurs de lys, prisonniers après Azincourt, en retrouvèrent quelques épaves.

Charles V veilla personnellement à l'illustration des manuscrits. Il se fit représenter familièrement, en roi clerc, en roi sage, lisant ou recevant des livres, coiffé du célèbre béguin. Le réalisme du portrait renforce l'identification de Charles V à l'idéal du roi sage. Pour autant il ne négligea pas les pompes et le cérémonial de la représentation du roi en majesté ; il sut être le « grand prêtre » de la religion royale.

La religion royale.

Dans l'élaboration de l'imaginaire royal, le règne de Charles V est déterminant. Légendes, histoires, symboles ont été rassemblés par les intellectuels de l'entourage du roi pour exalter, selon la formule de Jean Golein, « la grant dignité de l'estat royal de France ».

Le sacre ne fait plus le roi, mais il garde un prestige incomparable et les rois Valois, contestés, ont su s'en servir. Par le sacre, le roi accède à une dignité quasi sacerdotale et il devient, sans intermédiaire, « vicaire du Christ en sa temporalité » (Golein). Charles V fit rédiger, vers 1365, un nouvel « ordo » du sacre qui servit pour son fils Charles VI. Le sacre, qui a lieu à Reims, associe onction et couronnement. Le roi est oint par un chrême, mélange d'un baume et de l'huile sacrée de la Sainte Ampoule, recueillie précieusement après le baptême de Clovis ; la légende en a été magnifiée au temps de Charles V. Pour Golein, le roi de France n'est pas, comme les autres rois, « oint de huile ou de balme confit de main d'évesque ou d'apothicaire, mais de la sainte liqueur celestiele qui est en la Sainte Ampoule ».

De même exalte-t-on le pouvoir thaumaturgique du roi qui guérit des écrouelles (une maladie inflammatoire, l'adénite tuberculeuse). Charles V reste prudent : dans une charte de 1380, il lie le miracle royal à l'onction du sacre « par laquelle, sous l'influence de la clémence divine, une telle vertu et une telle grâce sont répandues dans les rois de France... » ; mais il calme l'ardeur d'un Raoul de Presles qui affirmait que le roi faisait miracle ; c'est Dieu seul qui, à travers la personne royale, l'accomplit. D'ailleurs l'intercession d'un saint semble nécessaire : Jean le Bon, le premier, se rendit le lendemain de son sacre à Corbeny pour se recueillir sur la châsse de Marcoul, un saint guérisseur, avant de toucher et bénir pour la première fois les malades.

Charles V fut très attentif à la symbolique des insignes du sacre. Il ne chercha pas à imiter (grande différence avec les princes territoriaux) par exemple la couronne impériale, mais il magnifia les nombreuses couronnes royales qu'il fit fabriquer. Toutefois, le sceptre de 1364 porte au sommet une fleur de lys sur laquelle trône Charlemagne portant un sceptre et un globe : discrète appropriation d'un insigne impérial, en même temps que l'on « récupère » le grand empereur. La valeur symbolique de ces objets et insignes plonge au plus profond des légendes de la monarchie française, organisées en un cycle cohérent au temps de Charles V, pour démontrer l'excellence de la royauté française et hisser le roi au niveau du pape et de l'empereur.

On attribue à Charlemagne l'origine de l'oriflamme, la bannière de couleur rouge que le roi lève à Saint-Denis lorsqu'il part à la guerre ou en croisade. Quant au « souverain enseigne royal » (Golein), la bannière d'azur aux trois lys d'or qui symbolisent l'élection divine, il fut donné par Dieu à Clovis avant une bataille qui se serait déroulée près de l'abbaye de Joyenval, près de Conflans. Le lys est le Père, l'oriflamme, rouge comme le sang de la Passion, est le Fils ; l'onction de la Sainte Ampoule procède du Saint-Esprit ; et donc « il appert que les roys de France ne sont pas oints seulement par ordonnance humaine, mais sont oints et couronnés par l'ordonnance du Père, du Fils et du Saint-Esprit » (*Songe du verger*).

Déjà le roi de France est le « Très Chrétien » bien que cette formule n'entre dans la titulature des rois que sous Louis XI. Unique dans le monde, il est, au temporel, « empereur en son royaume » et ne reconnaît « nul souverain temporel estre sur lui » (J. Golein). Le Très Chrétien règne sur le nouveau peuple élu ; il gouverne la nouvelle terre promise, comme le *Songe du verger* le démontre de façon parfois simpliste : la foi y est plus fervente qu'ailleurs, on y communie plus fréquemment ; l'hérésie n'y a point cours ; les reliques y sont plus saintes et l'université de Paris y forme les clercs de toute la Chrétienté. Le royaume enfin a toujours protégé et accueilli les papes, et celui qui occupe le trône de saint Pierre actuellement aurait bien tort de le quitter. Tout converge donc pour sacraliser la royauté française, dont la loi de succession, la fameuse loi salique, vient renforcer l'originalité.

Personne ne l'invoqua lors des choix successoraux de 1316 et 1328 ; elle ne fut « inventée » qu'à l'époque de Charles V. La loi des Francs saliens, ceux de Clovis, ne traite pas de la succession royale. En 1316 et 1328, l'exclusion des femmes de la succession au trône de France fut une innovation. Ce choix fut ensuite contesté et l'on chercha à le justifier par un texte prestigieux. Le chroniqueur Richard Lescot découvrit le texte de la loi salique dans la bibliothèque de Saint-Denis en 1358 et il adapta aux besoins du moment un article anodin qui excluait les femmes de la succession à la *terra salica*, pour en faire la règle de succession à la couronne. La paternité de ce texte fut attribuée à Pharamond, le premier roi franc, ancêtre de Clovis. Lorsque l'abbaye de Saint-Denis tomba aux mains des Anglais, Charles VII fit rechercher les manuscrits de la loi subsistant dans le royaume afin d'en fixer le texte. Alors l'historien Jean Jouvenel des Ursins pourra affirmer qu'en 1316 et 1328, déjà, on avait appliqué la loi salique.

Le culte royal.

Familier et «bénin» sur certaines miniatures, Charles V sait aussi se montrer «en représentation». Il dépense beaucoup d'argent pour le «paraître» et le mécénat, suivant en cela un avis d'Aristote. Le culte royal se pratique en certains lieux, en certaines manifestations, par l'image et le cérémonial.

A Reims d'abord, dans les fastes du sacre. Comme son père, Charles V éprouva le besoin de raviver le souvenir de ce moment unique en renouvelant sa visite à la ville du baptême de Clovis.

Les saintes chapelles sont le lieu privilégié du culte de Saint Louis. Ce dernier éleva celle de Paris pour abriter les reliques de la passion du Christ. Ce bâtiment à nef unique sur deux niveaux, élancé vers le ciel et inondé de lumière, devint le modèle sur lequel Charles V fit construire, étant dauphin, la sainte chapelle du Vivier-en-Brie, et entreprendre celle du château de Vincennes. Charles V fit comme Saint Louis : il donna en cadeau des épines de la couronne du Christ aux princes ses parents, qui, à leur tour, fondèrent des saintes chapelles.

Dans la nécropole royale de l'abbaye de Saint-Denis (seul Louis XI fait exception : il est inhumé à Cléry-Saint-André, près d'Orléans), la disposition des tombeaux démontrait la filiation des Capétiens et des Carolingiens ; les premiers Valois prirent la suite des Capétiens. Charles V innova en faisant aménager, en 1373, la chapelle Saint-Jean-Baptiste, destinée à recevoir les dépouilles de tous les membres du «sang de France», roi, reine, fils et filles. Cela peut sembler en contradiction avec les principes de la loi salique, mais n'est-ce pas la mise en image de l'idée, qui perdure jusque vers 1430, que le roi gouverne avec ses parents ? Au Louvre, à l'entrée de l'escalier qui donne accès à la librairie, Jean de Liège sculpta un groupe représentant le roi et la reine (qui n'avaient pas encore d'héritier mâle), les trois frères du roi et son oncle Philippe d'Orléans. Comme quoi loi salique et parentèle peuvent faire bon ménage.

Charles V a peu voyagé et on a vu là un signe de faiblesse.

En fait, ses déplacements sont dictés par la géographie des résidences royales. De plus, là où se trouve le roi, là est la cour, nombreuse et qu'on ne peut héberger qu'à Paris. Un voyage du roi est toujours l'occasion d'un véritable spectacle politique qui trouve son achèvement dans l'entrée dans les villes. Mais c'est au temps de Charles VII que le rituel de l'entrée royale sera définitivement fixé.

Lorsqu'il reçoit, à la cour, au palais de la Cité ou dans les résidences qu'il affectionne (Saint-Paul, Vincennes), Charles V a le souci d'un protocole minutieux qui sera copié par la cour bourguignonne au XVe siècle. Son cousin Louis d'Étampes et le premier chambellan Bureau de La Rivière réglèrent une «étiquette» destinée à éviter tout conflit de préséance et à affirmer sans ambiguïté la souveraineté du roi de France. On le vit bien quand l'empereur Charles IV vint rendre visite à son neveu (fils de sa sœur Bonne, femme de Jean le Bon), dans l'hiver 1377-1378.

On sait les liens chaleureux qui unissaient la maison de Luxembourg, installée sur le trône de Bohême, et élue à l'Empire, et les Valois : Jean l'aveugle était mort à Crécy et son fils Wenceslas, devenu Charles IV, en l'honneur de son parrain de confirmation Charles IV le Bel, fut le mentor du dauphin Charles au plus fort de la crise de 1356-1358. Il n'empêche. Venu se recueillir devant les reliques de saint Denis et de saint Maur, mais aussi venu traiter différentes affaires internationales, l'empereur fut accueilli avec faste et chaleur; mais tout au long de son séjour, le protocole français veilla à ce que jamais la souveraineté et la complète indépendance du roi de France ne puissent être contestées. A l'entrée de Paris, le roi, monté sur un cheval blanc, vint au-devant de son oncle à qui il avait fait donner un cheval noir, «parce que, es coutumes de l'Empire, les empereurs ont acoustumé de entrer es bonnes villes sur cheval blanc [...]. Si ne vouloit pas le Roy que en son royaume le feist ainsi, afin que il n'y peust estre noté aucun signe de domination» (*Chronique de Jean II et de Charles V*). Le banquet donné ensuite, qu'une très belle miniature des *Grandes Chroniques de France* a immortalisé, fut réglé avec le même soin jaloux.

Mais l'étiquette avait aussi pour fonction d'ordonner et

de hiérarchiser ; ou plutôt d'harmoniser différentes hiérarchies possibles (parenté, titres, état) de la « société politique ». En ce sens elle participe à un système de gouvernement.

Un système de gouvernement.

Revenu de captivité, Jean le Bon instaure un « régime nouveau » (R. Cazelles) qu'il lègue à son fils. Ce régime repose sur une définition plus claire des rapports entre le roi-personne et la couronne, symbole de la fonction royale ; ce sont les prémices du concept des « deux corps du roi » qui ne se développera en France qu'à la fin du XVe siècle. On peut en voir les premiers signes dans l'exaltation de la royauté française par l'entourage lettré de Charles V, mais aussi dans la séparation entre le palais de la Cité, siège des instances gouvernementales et administratives et cadre des grands événements politiques, et la résidence royale. Charles V fut un roi mécène ; il fit édifier de nombreux châteaux de plaisance pour y prendre ses « esbattements » : Vincennes, Beauté-sur-Marne, Melun et, à Paris, l'hôtel Saint-Paul. Ce dernier et le palais de la Cité sont « deux projections de la couronne » (R. Cazelles), la manifestation visible de la séparation entre fonction et personne du roi. Ne poussons pas trop loin encore la distinction : la destruction des résidences royales par l'ennemi est vivement ressentie par le roi et l'ennemi le sait. Là où réside le roi réside le pouvoir. Toujours !

L'idée abstraite de couronne progresse aussi dans le domaine des finances. Le collège des « généraux sur le fait des aides » répartit les dépenses entre « l'état du roi », alimenté par la surtaxe sur la gabelle du sel et les aides indirectes sur les transactions, et les dépenses publiques de l'État, dont celles de guerre. La rupture est nette avec les conceptions patrimoniales de la monarchie qui ont prévalu jusqu'alors.

On pourrait qualifier de « réformisme éclairé » le système de gouvernement mis en place sur ces bases, en ce sens que le roi a mis en application le programme réformateur, mais sans les États, qui ne sont plus réunis qu'épisodiquement et sur un plan local ; et cela dans un contexte de guerre et de misère qu'il ne faut jamais perdre de vue.

Le roi doit d'abord vivre du sien et, de fait, on note un accroissement des revenus du domaine. Jean le Bon proclame solennellement l'inaliénabilité du domaine en novembre 1361 et, le premier, il introduit cette promesse dans le serment du sacre. La stabilité monétaire, grâce à la création du franc, constitue le deuxième élément de ce réformisme, et l'on sait qu'elle fut assurée jusqu'en 1385. Enfin, l'inaliénabilité du domaine et la bonne monnaie étant garanties, le roi put lever l'impôt et mettre en place un système fiscal qui fonctionna des années 1360 à 1380, pour ne s'imposer, après bien des vicissitudes, qu'au XVe siècle. L'ordonnance du 29 décembre 1369 en confia la gestion à un collège de douze généraux-conseillers.

Ceux-ci se recrutent entre autres parmi les membres du Grand Conseil, un organisme souple, à « géométrie variable », chargé aussi bien de la routine administrative que des grandes décisions politiques et diplomatiques. Il y eut, sous Charles V, une remarquable continuité dans la composition du Conseil, au moins dans son noyau dirigeant. L'archevêque de Sens, Guillaume de Melun, son frère Jean, comte de Tancarville, souverain maître des Eaux et Forêts, Guillaume et Jean de Dormans, tous deux chanceliers du royaume, Bureau de La Rivière, qui règne sur l'Hôtel du roi, bien d'autres encore sont restés en place de longues années et certains d'entre eux donneront à l'équipe gouvernementale des marmousets, sous Charles VI, ses principaux chefs. Tous ces conseillers, faut-il le dire, sont d'anciens réformateurs, parfois d'anciens Navarrais.

La pratique de l'élection pour désigner les responsables, qui s'inspire d'Aristote et du programme de réforme, date aussi de ce temps. Je l'analyserai dans un chapitre ultérieur ; disons simplement ici qu'elle a contribué à l'homogénéité et à la stabilité de l'équipe gouvernementale de Charles V. Y a contribué aussi la forte présence de la noblesse. Jean le Bon et Charles V ont fondé leur politique sur l'alliance de la royauté et de cette dernière. Charles V lui a redonné son honneur perdu ; il lui a confié le soin de la reconquête du royaume et même celui de la gestion financière de la guerre, puisque neuf sur douze des généraux-conseillers sont nobles. Mais à charge de réussite. Charles V sait ce qu'il veut : la noblesse doit servir l'État[1].

6. La reconquête du royaume

Routes et compagnies.

Les forts effectifs des armées de Crécy et Poitiers (peut-être 50 000 hommes) furent recrutés au moyen du ban et de l'arrière-ban qui mobilisaient tous les hommes âgés de dix-huit à soixante ans, nobles ou non ; les uns étaient retenus et soldés ; les autres payaient une taxe. Les inconvénients du système furent tels — une cohue de soldats sans expérience — qu'on l'abandonna après Poitiers. On le réutilisa entre 1411 et 1418, et même à la fin du XVe siècle, mais localement.

La « semonce des nobles » ne concerne que les possesseurs de fiefs et fournit des contingents plus efficaces. S'y ajoutent ceux des villes et des volontaires recrutés par contrat, des gens de trait, archers et arbalétriers notamment.

La charge frontale de la cavalerie a fait faillite à Crécy. A Poitiers, les cavaliers ont combattu démontés et Jean le Bon se battait à l'épée lorsqu'il fut pris. Une cavalerie légère apparaît, sur le modèle des « hobelars » anglais. On note l'importance croissante des gens de trait qui tiennent la place

1. Ce paragraphe doit beaucoup au livre du regretté Raymond Cazelles *Société politique, noblesse et couronne sous Jean le Bon et Charles V*. Pour autant je ne partage pas du tout les conclusions de cet auteur sur Charles V, roi élu, roi-potiche, prisonnier de la noblesse et manipulé par ses conseillers, n'accédant au pouvoir personnel qu'à partir de 1375. Tout ce que R. Cazelles dit sur les déplacements du roi, la séparation palais de gouvernement-résidence, la fiscalité, la stabilité du conseil, la politique des apanages, est interprété par lui comme un échec ; un échec par rapport au « modèle » de développement de l'État centralisé propre aux derniers Capétiens. On fait fausse route. A mon sens, il faut interpréter ces faits dans l'optique d'un État — en crise certes, mais dans un contexte de crise — qui a son originalité (« Y a-t-il un État du XIVe-XVe s. ? » se demandait B. Guenée, qui répondait par l'affirmative) et une logique de développement différente. J'y reviendrai au chapitre quatre, « Les difficultés de l'État moderne ».

d'une artillerie dans la bataille. Le rôle des piétons reste subordonné.

Les hommes d'armes sont regroupés en « bannières », sous le drapeau carré et armorié d'un chevalier banneret ; ces bannières, d'importance très variable, sont à leur tour réunies en « batailles », sous le commandement de grands officiers, de princes du sang ou de grands feudataires ; à Poitiers, il y en avait quatre. Les combattants indépendants forment des « compagnies » ou « routes » sous les ordres d'un chevalier qui a rang de banneret. Après Poitiers, des compagnies, commandées par un capitaine nommé et gagé par le roi, furent formées pour rassembler les bannières les moins fournies ; on rompait ainsi avec la pratique féodale. Quant aux contingents urbains et aux volontaires, ils sont rassemblés dans des « connétablies ». Enfin, châteaux et villes fortes reçoivent des garnisons commandées par des capitaines et châtelains royaux sous la coupe de lieutenants ou capitaines généraux provinciaux. Telle était l'armée de Poitiers.

Cette armée se décompose après la défaite. Les soldats, qui ne sont plus payés, se rassemblent en compagnies de routiers qui ravagent le pays. La reconstruction d'une armée et le rétablissement de la sécurité furent le préalable à toute reconquête.

Jean le Bon puis son fils s'y sont employés. Ils ont encouragé l'autodéfense paysanne, comme en témoigne l'histoire exemplaire du Grand Ferré, qui, avec les habitants de son village, mit à mal les bandes anglo-navarraises en 1359. Les villes, autour desquelles s'articule la mise en défense du royaume, prennent des initiatives avec la noblesse locale, qui redore ainsi son blason, pour chasser les routiers. La royauté institue de vastes commandements régionaux (Centre, Languedoc, Normandie, où déjà s'illustre Du Guesclin) pour venir à bout du fléau.

Les résultats sont mitigés. En Lyonnais les bandes de Seguin de Badefol, les « tard venus », battent les troupes royales du comte de Tancarville à Brignais le 23 juillet 1362 et s'installent solidement dans la région. Les Toulousains doivent négocier à prix d'or le retrait d'Arnaud de Cervolles, le fameux « Archiprêtre ».

Les rébellions continuelles de Charles le Mauvais aggravent la situation. Le roi réagit en 1364 : Mantes, Vétheuil et Meulan sont repris ; puis, le 16 mai 1364, le roi de Navarre est battu à Cocherel par Du Guesclin ; il doit se retirer dans son petit royaume. A Cocherel l'intervention de 200 routiers bretons fut décisive, mais ils pillèrent ensuite l'abbaye du Bec ! Bref, les compagnies dispersées ici se reconstituent ailleurs.

En 1366, la guerre civile castillane est l'occasion de les réunir (ce sont les « grandes compagnies ») et de les envoyer en Espagne sous le commandement de Du Guesclin. Le soulagement est partiel, certains routiers comme l'Archiprêtre ayant refusé de suivre, et dure peu. Du Guesclin a été battu et fait prisonnier à Najera par le roi de Castille et son allié, le Prince noir. Dès la fin de 1367, les routiers reviennent en France ; grossis des bandes anglo-gasconnes que le Prince noir ne paie plus, ils se remettent à sillonner le pays. La guerre contre l'Angleterre ne constituerait-elle pas la solution au problème des routiers ?

L'armée de la reconquête.

En 1363, les États d'Amiens accordent un subside pour entretenir 6 000 hommes d'armes ; son renouvellement permet de constituer une petite armée permanente d'hommes d'armes et de gens de trait, montés et à pied ; ils sont recrutés par contrat de retenue, essentiellement dans la noblesse. Le connétable, les deux maréchaux et le maître des arbalétriers les contrôlent régulièrement au cours de « montres » et « revues ». Les soldes sont à peu près régulièrement versées, ce qui assure une discipline relative.

La compagnie, composée de chambres, devient l'unité de base ; un capitaine nommé par le roi la dirige. Les ordonnances des 16 décembre 1373 et 14 janvier 1374 systématisèrent cette organisation en fixant à 100 hommes l'effectif d'une compagnie. Cela demeura théorique. La création de cette armée ne dut rien au hasard, si l'on sait que Robert de Juilly, prieur des hospitaliers en France en 1362 et futur grand maître de l'ordre, fut l'un de ses organisateurs ; l'Ordre militaire, qui combat les Turcs à partir de sa base de Rhodes, offre son éthique à une chevalerie française régénérée en même temps que le modèle d'une armée permanente.

Cette armée, complétée s'il le faut par la semonce des nobles, va appliquer un schéma tactique défensif, fondé sur le refus de la bataille rangée ; c'est le retour, après les échecs de Crécy et Poitiers, à une tactique traditionnelle. « Les plus sages de la guerre disoient que ce serait folie de l'assaillir car il estoit en trop forte place » (*Chronique des quatre premiers Valois*) ; ce conseil, donné au connétable Moreau de Fiennes engagé contre les Navarrais à Mont-Saint-Éloy en 1359, est le plus souvent écouté. Deux missions sont assignées à cette armée : harceler les chevauchées anglaises ; s'emparer rapidement du plus grand nombre possible de places et de châteaux. Bertrand du Guesclin, un petit noble breton, la commanda. Découvert par Jean le Bon, formé au combat contre — et avec ! — les routiers, à la frontière bretonne ou en Castille, il fut le meneur d'hommes qu'il fallait pour cette guerre de coups de main et d'embûches. Élu connétable, « pour sa vaillance », le 22 octobre 1370, il acquit une renommée considérable : de son vivant on en fit le quatrième preux médiéval, aux côtés de Charlemagne, du roi Arthur et de Godefroi de Bouillon ; et longtemps après sa mort, on se vantait d'avoir servi « sous le bon connétable ».

Pour réussir, cette armée devait pouvoir s'appuyer sur un solide réseau défensif ; la mise en défense du royaume fut le complément indispensable à la mise sur pied de l'armée permanente.

La mise en défense du royaume.

Le plat pays fut sacrifié ; en revanche, et tous les comptes urbains en portent témoignage, les murailles des villes et des châteaux furent remises en état. A Paris, à Toulouse, à Poitiers, on cure les fossés, on détruit maisons et églises accrochées aux remparts. Partout on inspecte et on recense les ouvrages défensifs : dans le bailliage de Melun on relève ainsi, en 1367, 27 forts, 39 églises fortifiées, 3 villes fortes, 10 châteaux pouvant servir au « retrait » des habitants, etc.

Le guet et le retrait sont organisés par les villes et par les seigneurs, ce qui ne va pas sans abus et litiges. A Nesle-en-Tardenois le seigneur n'accueille les paysans que s'ils ont loué leur place à l'année, à raison de 40 sous pour un lit. Mais à Montmirail, Raoul de Coucy s'arrange pour ne pas imposer le guet aux gens du plat pays. Les forteresses les plus importantes reçoivent une garnison ; les villes les plus peuplées mettent sur pied des confréries d'arbalétriers et d'archers, comme à Arras, Rouen, Paris.

Rares sont les villes prises ; les boulets de pierre d'une artillerie encore rudimentaire n'ont guère d'effets sur les murailles ; c'est par la sape (à Limoges en 1370) ou par l'attaque-surprise menée par de hardis « eschielleurs » qu'on peut espérer s'emparer d'une forteresse. Mais si la surprise échoue, les attaquants sont rejetés dans le fossé, comme à Bricquebec en 1372.

La diplomatie de Charles V.

Le roi a su rompre l'isolement du royaume.

Les intérêts économiques du comté de Flandre le portaient vers l'Angleterre, qui fournissait la laine indispensable aux métiers d'Ypres et de Gand. La crise de la grande draperie attisait les conflits sociaux ainsi que les rivalités entre villes. Dans cette situation complexe, le comte de Flandre Louis de Mâle s'efforçait de rester neutre entre Français et Anglais. Mais en voulant marier sa fille et unique héritière Marguerite à un fils d'Édouard III, il prenait nettement parti pour l'Angleterre. Marguerite est la veuve de Philippe de Rouvres, duc de Bourgogne, mort en 1361, et elle est également l'héritière de sa grand-mère, Marguerite, comtesse d'Artois et de Bourgogne (la Franche-Comté actuelle). Le mariage anglais est inacceptable pour Charles V ; avec l'appui de Marguerite d'Artois et du pape Urbain V, et en cédant au bon moment au comte de Flandre les villes de Lille, Douai et Orchies, il fait échouer la manœuvre anglaise : c'est son frère Philippe, déjà duc de Bourgogne, qui épouse Marguerite de Flandre le 13 juin 1369. La Flandre reste dans l'orbite française. Ne faisons pas l'Histoire à l'envers, c'est un maître coup diplomatique.

Avec la Castille Charles V renforce une alliance précieuse sur le plan militaire. Les bonnes relations, traditionnelles entre les deux pays, s'étaient détériorées pendant le règne de Pierre le Cruel (1350-1369). Mais son demi-frère (bâtard) Henri de

Trastamare se souleva contre lui et, soutenu par Du Guesclin et les « grandes compagnies », l'emporta finalement à Montiel en 1369. Dès le 20 novembre 1368, le traité de Tolède avait scellé l'alliance qui, en échange d'avantages commerciaux consentis aux Castillans dans les ports français, mettait à la disposition du roi de France vingt navires de guerre espagnols.

Grâce à l'équipement d'une petite flotte au Clos des galées de Rouen, une attaque avait pu être lancée sur Portsmouth en 1369, puis une autre sur Guernesey en 1372. L'entrée en lice de la flotte castillane fut décisive : les 23 et 24 juin 1372, au large de La Rochelle, la flotte anglaise fut détruite. Désormais, les Anglais n'ont plus la maîtrise de la mer et leurs arrières ne sont plus assurés en cas d'opérations sur le continent.

Enfin, sûr de la compréhension de son oncle, l'empereur Charles IV, le roi de France parvient à détourner les princes allemands du Rhin de la cause anglaise.

L'appui de la papauté d'Avignon fut la pièce maîtresse du dispositif diplomatique français. L'on comprend pourquoi le roi s'opposa si fortement à la réinstallation du pape à Rome.

Ajoutons qu'après la malheureuse bataille d'Auray, le premier traité de Guérande, conclu le 12 avril 1365, avait mis fin à la guerre de succession de Bretagne; la neutralité du duché était assurée.

La guerre de reconquête a été préparée et soutenue par une bonne diplomatie. Un signe : en 1378 ou 1379, Charles V fait rédiger un *Recueil des traités de la France*. De là à dire que dès le traité de Brétigny l'astucieux dauphin avait préparé le coup... Certainement pas : il a laissé au temps le soin d'offrir une opportunité.

Les appels gascons.

Le 19 juillet 1362, le roi d'Angleterre a nommé son fils aîné prince d'Aquitaine. Cependant, comme les clauses de renonciations n'ont pas encore été échangées, la principauté reste en droit dans la souveraineté du roi de France. Dans l'ensemble, la noblesse gasconne est fidèle aux Anglais ; mais certains puissants seigneurs entendent jouer sur les deux tableaux.

Jean Ier d'Armagnac est de ceux-ci ; une ancienne rivalité l'oppose au comte de Foix Gaston Fébus et il est vaincu par lui à Launac le 5 décembre 1362 : le Prince noir paie sa rançon. Pourtant il se rapproche de la cour de France en mariant sa fille, Jeanne, au duc Jean de Berry. Il est vrai que les agents français, le duc d'Anjou, lieutenant du roi en Languedoc, le sénéchal de Toulouse, Pierre-Raymond de Rabastens, « travaillent » l'Aquitaine ; ils savent bien que la noblesse est avant tout attachée à ses droits et libertés.

A son retour d'Espagne en 1367, le Prince noir, qui doit régler les frais de son expédition, obtient des États d'Angoulême un impôt pour cinq ans. Le comte d'Armagnac et quelques autres seigneurs refusent de s'y soumettre. Après une démarche infructueuse à Londres, ils se tournent vers le roi de France pour faire appel, le 2 mai 1368, au Parlement de Paris. C'est reconnaître et surtout solliciter la souveraineté du roi de France sur l'Aquitaine, alors qu'il ne peut, en vertu des clauses de renonciations, en faire usage.

Charles V avait rallié d'autres seigneurs aquitains : les Albret ; le comte de Périgord qui, « comme nous avons entendu, a en propos d'en appeller à nous » (il reçoit 40 000 francs d'or) ; des villes aussi, comme Millau ; au bout du compte, il y aura plus de 900 appels. Le 30 juin 1368, le Conseil royal accepte l'appel du comte d'Armagnac, ce qui engage le processus de rupture avec l'Angleterre. Par précaution, Charles V consulte les juristes des universités d'Orléans, de Montpellier, de Bologne, qui lui donnent raison. Il va alors de l'avant tout en préparant son opinion publique à la reprise inévitable de la guerre : la lettre circulaire du 3 décembre 1368, adressée aux bonnes-villes, présente les arguments du roi et démontre que le souverain juste et « droiturier », c'est Charles V.

La machine judiciaire s'est mise en route : le 16 novembre 1368, la citation à comparaître du Prince noir devant le Parlement de Paris est prête ; deux officiers royaux, qui vont le payer de leur vie, la lui présentent vers le 15 janvier 1369 ; les recours des appelants sont enregistrés, en leur présence, le 2 mai ; les 9 et 11 mai 1369, le roi fait approuver sa démarche et reçoit solennellement les plaintes de ses sujets gascons. Le 3 juin, Édouard III reprend le titre de roi de France et, le 30 novembre, Charles V prononce la confiscation de l'Aquitaine. Déjà les escarmouches ont repris, surtout au nord où presque tout le Ponthieu est reconquis. Le roi de Navarre quitta son royaume, prit la mer à Bayonne et gagna Cherbourg ; les hostilités reprenant, il y avait à nouveau place pour ses intrigues, du moins le croyait-il !

En décembre, les États votaient un subside pour la guerre.

Les étapes de la reconquête.

C'est une guerre de coups de main et de sièges qui se déroule dans trois secteurs principaux : le Sud-Ouest, confié au duc d'Anjou ; le Centre et le Poitou, avec le duc de Berry ; le Nord-Ouest, avec Du Guesclin.

Dès 1369, de nombreuses villes du Rouergue, du Périgord, du Quercy et de l'Agenais sont revenues dans l'obédience française. Durant l'été 1369, une première chevauchée anglaise échoue en Normandie. En juillet de l'année suivante, Robert Knolles, débarqué à Calais, s'enfonce en Vermandois, passe devant Reims, poursuit en Gâtinais, campe sous les murs de Paris. Partout les murailles ont tenu ; Du Guesclin harcèle les arrières anglais jusqu'aux lisières de la Bretagne : en décembre, il ne reste quasiment plus rien de la chevauchée anglaise.

Dans le Centre, la guerre est tragique pour Limoges reprise et durement châtiée par les Anglais le 19 septembre 1370. La reconquête intervient en 1372 : Limoges et le Limousin, puis Poitiers, enfin La Rochelle, le 8 septembre, après le succès de la flotte castillane. En 1373, « se rendirent français bien jusques à 400 forteresses tant en Poitou comme en Saintonge » (*Chronique des quatre premiers Valois*). A Soubise, ou le captal de Buch fut pris, la victoire « ne fut pas faicte par les haulz et nobles hommes, maiz [...] par petite gent et povres hommes. Et pour ce ne doit on pas avoir povre homme d'onneur en despit ne le vil tenir ».

En Normandie les Anglais ne tiennent que la forteresse de Saint-Sauveur-le-Vicomte. Toutefois, en concluant avec le duc de Bretagne, le 29 juillet 1372, le traité de Westminster, Édouard III peut faire débarquer des troupes à Saint-Malo et espérer une diversion. Cela échoue car Du Guesclin bloque les Anglais à Brest ; et la pression française sur l'Aquitaine ne s'est pas relâchée.

Pour la troisième fois, une grande chevauchée anglaise traverse le royaume en 1373. Une nouvelle fois elle s'achève piteusement à cause du harcèlement constant de la petite armée royale. Les fronts se stabilisent après la prise de La Réole par Louis d'Anjou, le 21 août 1374. Les armées s'essoufflent et, sur l'intervention du pape, une trêve est conclue à Bruges le 1er juillet 1375 ; elle va durer deux ans, sans déboucher sur la paix : quel statut pour la Guyenne ? On en revient toujours là.

Le Prince noir en 1376, Édouard III en 1377 meurent. Les combats reprennent ; les côtes anglaises sont ravagées par les marins franco-castillans ; 134 places fortes tombent aux mains des Français aux frontières de Guyenne. Un complot navarrais, découvert en 1378, permet de régler son compte définitivement au roi de Navarre : toutes ses forteresses normandes sont saisies (sauf Cherbourg, qu'il livre aux Anglais) ; Montpellier est annexé au royaume. La guerre s'enlise. Une dernière chevauchée anglaise, conduite par Buckingham, connaît en 1380 un sort identique aux précédentes.

A la mort de Charles V, le 16 septembre 1380, les Anglais ne tiennent plus qu'une Guyenne réduite, Calais et Cherbourg ; c'est la situation d'avant Poitiers. La reconquête reste donc inachevée. En outre, Charles V a commis la lourde faute de confisquer le duché de Bretagne et de le rattacher au domaine, le 28 décembre 1378, provoquant une révolte générale et la réconciliation des deux partis antagonistes, Montfort et Penthièvre. Le traité de Guérande dut être renégocié le 4 avril 1381 et cela assura pour longtemps l'autonomie du fief breton.

Autre problème en suspens, celui des routiers qui tiennent en particulier le Massif central. C'est en les combattant que Du Guesclin meurt, le 17 juillet 1380, devant Châteauneuf-de-Randon. Il se rendait en Espagne et ne semblait plus être en grâce auprès de Charles V.

7. Le coût de la reconquête

Charles V a réussi : Brétigny est effacé. Mais à quel prix !

Guerres et mortalité.

Durant l'été, un peu avant les moissons, la chevauchée anglaise s'ébranle et, sur son passage, récoltes sur pied et maisons sont incendiées, arbres et ceps de vigne arrachés sous le regard impuissant des hommes réfugiés dans un château ou une ville forte. Quand il ne détruit pas, l'ennemi — ou l'ami ! — pille. Assiégeant Montpont en 1370, le duc de Lancastre « du pais d'entour fit admener les vivres à son host et si fit demie journée du pais d'entour vuidier et essarter pour la doubte du nouvel connétable Bertran du Clacquin et des Français » (*Chronique de Jean II et Charles V*).

Un témoin répondait aux enquêteurs de l'évêque de Cahors, qui s'inquiétait de la baisse des revenus de son diocèse, que « de tout le temps de sa vie il n'a vu que la guerre dans le pays » ; et un autre précisait que dans sa ville « l'on n'entendait plus le chant du coq ou de la poule ». Les garnisons comme les compagnies sont redoutables : dans le Poitou reconquis dès 1372, les Anglais qui se maintinrent à Lusignan jusqu'en 1374-1375 ravagèrent 52 paroisses et 10 monastères.

Joignons à cela la peste, dont on a remarqué dès ce temps-là qu'elle « voyageait » avec les armées et qui revient frapper les populations, régulièrement mais inégalement. Notre témoin de Cahors signale une « si grande épidémie dans le diocèse qu'il restait à peine homme vivant ». La deuxième peste, en 1360-1362, fut sans doute la plus terrible des épidémies récurrentes. Elle progressa lentement de l'est du royaume (la Comté est touchée à la fin de 1359) jusqu'au rivage atlantique atteint en 1362 ; elle a fauché la jeune génération, nombreuse, de l'après-peste noire, compromettant sans appel le repeuplement amorcé. La peste frappe encore en 1373-1374, puis en août 1379 où la grande mortalité qui touche Paris oblige le roi et ses conseillers à partir pour Montargis. L'année suivante, au moment de la mort du roi, ses deux fils furent consignés à Melun « tant pour ce qu'ilz estoient joenes, comme pour la mortalité qui lors estoit à Paris et environs » (*Chronique de Jean II et Charles V*).

Ajoutons les catastrophes naturelles et les famines comme celle qui frappe durement le Midi dans l'hiver 1374-1375. Les prix du blé s'envolent alors et les capitouls de Toulouse doivent se résigner à fixer un prix maximal du grain, puis à vendre le blé à prix coûtant.

Le plat pays se vide; les villes se gonflent d'une population misérable et instable; leur courbe démographique connaît des mouvements en dents de scie comme à Périgueux. Les cultivateurs de Cahors ont vendu leurs biens et sont partis en grand nombre habiter à Montauban, Toulouse et Montpellier. Bref, on ne se trompe guère en disant que, au temps de Charles V, la population de la France a diminué de moitié par rapport à 1328.

Le poids de la guerre.

Une lourde fiscalité pèse sur ce royaume anémié. Peu nombreuses, les troupes de Charles V coûtent cher : 40 sous pour un chevalier banneret, 20 pour un bachelier, 10 pour un écuyer, 3 pour un piéton; il faut y ajouter les indemnités versées aux capitaines « pour soutenir leur état ». Les soldes sont payées régulièrement, à l'issue des montres et revues faites une fois par mois. Les trésoriers des guerres parviennent ainsi à verser plus de 80 % de la solde avant le terme du contrat de retenue. Au total, le gouvernement consacre de 600 000 à 800 000 francs à son armée permanente. Mais il faut tenir compte aussi des sommes considérables destinées à l'achat du départ de routiers ou à la reddition d'une place.

L'impôt procure environ 1 500 000 livres de recettes (alors que le domaine ne rapporte que 300 000 livres). Le système mis en place en 1360 reposait uniquement sur les impôts indirects (12 deniers par livre, soit 5 %, sur les transactions et un treizième des vins) et la gabelle du sel. En 1363, le clergé est soumis à la décime; puis les États d'Amiens accordent un fouage, un impôt direct, prélevé sur les villes et le plat pays. Ce système est d'abord justifié par la rançon du roi et la lutte contre les compagnies, puis, à partir de 1368-1369, par la guerre. Des États locaux, puis, en décembre 1369, les États de Languedoïl et de Languedoc renouvellent les impositions antérieures et fixent le fouage à 6 francs par feu en ville et à 2 francs dans le plat pays ; en outre le pouvoir royal peut, sans autre consultation, accroître le fouage (le tiercement le porte à 9 francs) et ajouter une surtaxe à la gabelle du sel.

Le début de la guerre fut financé par le trésor du roi, évalué à 400 000 francs, entassé dans les coffres de Melun et du Louvre et constitué par la part des recettes fiscales que l'on appelait l'« État du roi ». L'impôt prit lentement le relais, ce qui expliquerait le ralentissement des opérations militaires en 1371 et les difficultés de 1372 : Moncontour, assiégé par les Anglais, dut se rendre car « les conseulx furent longs pour avoir finance. Et ne poult promptement le connestable avoir deniers pour paier souldoiers ». Puis la machine fiscale retrouva son rythme et le roi put à nouveau remplir ses coffres.

Une partie des recettes est reversée aux villes et aux seigneurs pour leur permettre d'entretenir les murailles. C'est aussi le moyen d'amadouer ces derniers pour qu'ils laissent les percepteurs royaux lever l'impôt sur leurs tenanciers et sujets. Charles V se souvient du refus jadis opposé par le comte d'Harcourt.

Aux villes, le roi abandonne le plus souvent le sixième de l'impôt sur les transactions (parfois le tiers, comme ce fut le cas à Rouen en 1373). Pontoise, place essentielle sur la route de la Normandie, reçut presque chaque année la disposition de ce sixième, auquel le roi ajoutait parfois d'autres sommes : 300 francs d'or, pris sur les fouages, « pour convertir es reparacions de la porte et du pont », le 22 novembre 1372 ; ce don est renouvelé le 6 juin 1376.

On le voit, l'effort de mise en défense a reposé largement sur les communautés locales (en témoigne aussi l'organisation du guet). Les notables des villes en furent flattés mais leurs administrés trouvèrent la charge trop lourde.

L'insupportable pression fiscale.

On utilise encore, pour répartir l'impôt, la liste de 1328; comme la population a diminué de moitié, il en résulte une fiscalité écrasante pour ceux qui restent. Pour fuir l'impôt, on quitte le pays; à Lyon, le roi constate que « pour la charge des fouaiges et non par puissance ou pouvreté s'en sont jà partiz plusieurs habitans d'icelle ville [...] et vont demourer ès lieux prouchains de l'empire, tant du comté de Savoie comme d'ailleurs ou l'on ne paie aucunes teles charges ». A la fin de son règne, le roi a davantage écouté les plaintes de ses sujets et, de 1375 à 1380, il a accordé 56 réductions locales des fouages; sous la forme, le plus souvent, d'une diminution, ou « réparation », du nombre des feux d'une communauté.

Ces mesures fragmentaires furent trop tardives et avant même la mort de Charles V des révoltes ont éclaté. Le mouvement des Tuchins a déjà une longue histoire : depuis 1363, dans les villes et les campagnes de haute Auvergne, des bandes de paysans dans la misère, d'artisans sans travail, mais aussi de nobles en rupture de ban pillent le pays, puis s'évanouissent dans la « touche », c'est-à-dire le bois, la lande, ou bien trouvent refuge dans les villes et leurs faubourgs, assurées de la complicité des petites gens et de certains milieux de la bourgeoisie. Le Tuchinat ne sera réduit qu'en 1384.

Au Puy-en-Velay, les gens se lamentent : « Bienheureuse Vierge Marie, secours-nous! Comment vivrons-nous, comment pourrons-nous nourrir nos enfants, puisque nous ne pourrons pas supporter les très lourds impôts établis à notre préjudice sous l'influence des riches et pour leur dégrèvement? » La révolte éclate à Pâques 1378, contre la fiscalité mais aussi contre les bourgeois et consuls de la ville. Nîmes, Clermont-l'Hérault, Alès connaissent des révoltes semblables. A Montpellier, où le duc d'Anjou, lieutenant du roi, a ignoré la décision de Charles V de réduire le nombre de feux, l'émeute se déchaîne le 25 octobre 1379 et des collecteurs d'impôt sont tués. L'intervention du roi et du pape freina la répression, mais une énorme amende frappa la ville.

Ces révoltes n'éclatent pas en Languedoc par hasard. D'une

part, le pays est victime de la rapacité du duc d'Anjou; d'autre part, les villes, nombreuses, sont des centres commerciaux plus qu'industriels; une portion importante de leur population (le quart à Toulouse) vit de l'agriculture, en particulier de la vigne; la fiscalité pénalise doublement les habitants, comme consommateurs et comme producteurs.

Charles V quant à lui a compris le message. Il accorde des réparations de feux plus nombreuses et des aménagements à la levée de l'impôt pour la rendre plus juste. Il accepte certaines revendications sociales et politiques des révoltés : les conditions d'accès au consulat sont élargies au Puy et plus tard à Béziers. Enfin, à la fin de l'année 1379, il rappelle le duc d'Anjou. Mais il va plus loin : le 21 novembre 1379, il décide la réduction générale des fouages; le jour même de sa mort, le 16 septembre 1380, une ordonnance les abolit.

Que n'a-t-on écrit au sujet de ce dernier acte de Charles V! A l'article de la mort, le roi sage ne songeait plus qu'à son salut (comme c'est médiéval!) et privait son successeur des moyens de gouverner! Quelle faute! Or s'il abolissait les fouages, il maintenait les impôts indirects. En 1380, la guerre s'est assoupie; le Trésor est plein; le royaume est misérable. L'acte du 16 septembre est l'aboutissement d'une politique engagée en 1375 : la réduction des prélèvements obligatoires. Pas plus, pas moins.

Les révoltes antifiscales du début du règne de Charles VI.

Le nouveau roi n'a que douze ans. Ses oncles dirigent le gouvernement. Louis, duc d'Anjou, qui vient d'être adopté comme héritier du royaume de Naples, veut obtenir les moyens nécessaires à la conquête de son héritage. Philippe, duc de Bourgogne et prochain comte de Flandre, souhaite s'appuyer sur le royaume pour rétablir l'ordre en Flandre. Bien que rivaux, les deux frères s'entendent pour écarter les gêneurs : leur frère Jean, duc de Berry, qu'ils nomment lieutenant général en Languedoc le 19 novembre 1380; et surtout les conseillers du défunt roi : sous la menace, Anjou se fait remettre le Trésor accumulé par Charles V; Bureau de La Rivière, qui en avait la garde, est contraint de s'enfuir.

La mort de Charles V a été accueillie avec soulagement et la suppression des fouages, loin de calmer l'opinion, l'encourage à demander davantage : l'abolition de tous les impôts. Dès octobre on refuse de payer les taxes indirectes à Compiègne, Laon, Saint-Quentin ; Chartres, Rouen, Senlis s'agitent ; l'émeute gronde à Paris où l'on s'attaque aux agents du fisc et aux Juifs du quartier du Temple.

Le 16 novembre, le pouvoir cède et abolit tous les impôts en cours. Cela ne vaut pas engagement pour l'avenir ; d'ailleurs, les États sont réunis en décembre pour voter un nouveau subside. Ils se dérobent une première fois, puis finissent par accepter un fouage en février 1381. Le pays réagit avec vigueur : l'impôt ne rentre pas ; des émeutes éclatent, à Saint-Quentin par exemple. Le Languedoc refuse l'impôt mais aussi le nouveau lieutenant général, le duc de Berry. Pour couper court au désordre, le gouvernement opte pour la manière forte et, le 17 janvier 1382, annonce la levée d'une aide (indirecte) et de la gabelle du sel.

L'apparition des premiers collecteurs sur les marchés déclenche la révolte : Harelle de Rouen le 24 février ; révolte des Maillotins (du nom des maillets de plomb entreposés pour la défense de la ville et saisis par les émeutiers) à Paris le 1er mars. Laon, Reims, Orléans, le Midi s'enflamment. Les fermiers de l'impôt (il y a des volontaires tant le profit est grand !) sont molestés par « merdaille comme de dignans [dinandiers], drapiers et gens de povre estoffe ». Puis cela dégénère avec l'entrée en action des « caïmans » et autres « gens d'etrange besogne », les casseurs en somme ! Ils pillent, tuent, vident les prisons. La bourgeoisie tente alors de canaliser le mouvement à son profit. A Paris, Jean des Mares, avocat du roi au Parlement, devient le porte-parole, modéré, de sa ville. La géographie du mouvement, au moins dans le Nord, est celle de 1358 ; mais force est de constater que les revendications de la bourgeoisie ont perdu toute audace et se limitent à des problèmes locaux.

Le duc d'Anjou étant parti en Italie, c'est le duc de Bourgogne qui fait face à la rue. Il choisit de réprimer les révoltes les unes après les autres. On commence par Rouen où les meneurs de la Harelle sont décapités, avant que le roi et ses troupes, en ordre de combat, ne fassent une entrée menaçante dans la ville. La commune est supprimée et une forte amende imposée aux habitants. Alors le roi consent à accorder son pardon. Pourtant, l'hostilité à l'impôt ne désarme pas : le 1er août 1382, une nouvelle tentative de lever le subside déclenche immédiatement une nouvelle Harelle qui est étouffée dans l'œuf.

Le gouvernement royal change de tactique et comprend qu'il lui faut d'abord frapper la tête. La tête, c'est Gand, qui vient de s'emparer de Bruges et d'en chasser le vieux comte, Louis de Mâle; Gand, que tous les émeutiers de France du Nord invoquent, criant : « Vive Gand, vive Paris ! » Les intérêts du roi et ceux de son oncle Philippe coïncident. Les Flamands sont vaincus dans la boue de Roosebeke le 27 novembre 1382. Mais, bien que battue et désormais isolée, Gand ne se soumet pas.

Le roi revient alors à Paris. Le 11 janvier 1383, la sinistre mise en scène de Rouen se renouvelle : le roi entre avec ses troupes « comme s'ilz deussent combattre, les glaives es poings »; une quarantaine d'exécutions ont lieu en janvier et février : Jean des Mares paie de sa vie sa modération et l'on envoie au supplice Nicolas le Flament, un vieillard qui avait été aux côtés d'Étienne Marcel lors du meurtre des maréchaux. La prévôté des marchands est supprimée; l'organisation des métiers cassée. Enfin le roi pardonne, moyennant finances. Partout ailleurs, des généraux-réformateurs procéderont de la sorte. Le Languedoc, où les derniers soubresauts du Tuchinat sont brisés en 1384, se voit infliger l'énorme amende de 800 000 francs. Tout est fini; bon gré mal gré, l'impôt rentre.

Pourtant le gouvernement royal, sous l'influence du duc de Bourgogne, jette un peu de lest; en avril 1385, il dévalue, légèrement, la monnaie et paie un peu plus cher le métal précieux livré aux ateliers monétaires. Cela suffit à la reprise de la frappe et de la circulation de la monnaie, donc à relancer un peu les affaires. Mais dans un pays exsangue.

Le sentiment de libération, le soulagement ressenti par la population à l'annonce de la mort de Charles V doivent tempérer l'admiration généralement éprouvée pour le roi sage. Les « fastes » du gothique ne doivent pas occulter la misère du pays. Des années 1330-1340 aux années 1450, la France et l'Europe sont plongées dans une phase séculaire de dépression, une « phase B ». On ne ruse pas avec la conjoncture ; on ne redresse pas un pays en phase B. La peste noire a bel et bien existé !

2
Le règne de Charles VI : la pause (1380-1407)

1. Ni paix ni guerre

Les trêves de Leulinghen.

Au printemps 1381, la chevauchée du comte de Buckingham s'achève, sans autre résultat que quelques ruines de plus. Désormais, et durant trente-cinq ans, la guerre est comme suspendue.

Charles VI comme Richard II souhaitent la paix. L'un et l'autre doivent faire face à des révoltes et des problèmes financiers qui interdisent tout affrontement direct. Le conflit se déplace sur d'autres terrains. En Flandre par exemple où l'évêque de Norwich, qui a prêché la croisade pour réunir des fonds, vient au secours des Gantois en avril 1383, ce qui oblige Charles VI à mener une courte campagne dans le comté. En Castille où le roi Jean Ier, allié de la France, subit le 14 août 1385 à Aljubarrota une défaite sans appel devant les Portugais. Du coup, le duc de Lancastre, oncle de Richard II, qui estime avoir des droits sur le trône de Castille, en profite : allié au Portugal, il débarque à La Corogne pour combattre les Castillans ; ceux-ci reçoivent l'aide d'un contingent français avant que la paix ne soit rétablie par le traité de Bayonne durant l'été 1388.

Avec la flotte castillane qui domine alors l'océan, les Français peuvent effectuer quelques raids sur les côtes anglaises. Paradoxalement, dans cette période où les esprits sont plutôt tournés vers la paix, deux tentatives sérieuses d'invasion de l'Angleterre sont préparées. En 1385, le 1er juin, une petite troupe, commandée par l'amiral Jean de Vienne, débarque en Écosse, alliée de la France, tandis qu'une armée imposante se prépare à envahir le sud de l'Angleterre. Le dernier soubresaut de la révolte de Gand fit ajourner le projet d'un an. Mais alors, l'importante flotte rassemblée à L'Écluse, l'avant-port de Bruges, ne prit pas la mer : les vents déchaînés et le retard du duc de Berry l'en empêchèrent. Le jeune Charles VI en fut dépité.

Tout cela n'empêche pas de causer ! Diplomates français et anglais se rencontrent à Leulinghen, petite bourgade située à mi-chemin de Calais et Boulogne, en 1381, 1382, 1384-1385. Pourtant la paix ne se fait pas car, avant même d'aborder le fond du problème — la question de la souveraineté sur la Guyenne —, on bute sur les conflits annexes : Flandre, Bretagne, Castille et Écosse. En outre, le schisme de l'Eglise constitue un autre obstacle entre les deux pays. On ne peut plus faire la guerre mais on ne sait pas faire la paix ! Alors on signe des trêves, comme en 1384 ou le 18 juin 1389.

En 1393-1394 pourtant, on semblait près d'aboutir : le roi d'Angleterre acceptait de rendre Cherbourg et une solution avait été trouvée pour la Guyenne. Le mariage de Richard II avec Isabelle, fille de Charles VI, une enfant, devait sceller la réconciliation. Les crises de démence de Charles VI retardèrent la rencontre des deux rois ; l'arrangement définitif sur le mariage ne put intervenir que le 27 octobre 1396. Mais on ne signe toujours pas la paix, les Anglais voulant maintenir une situation de « guerre froide » qui réserve l'avenir. On se contente de renouveler les trêves pour vingt-huit ans et l'on tente sérieusement de mettre fin aux nombreux incidents provoqués par les routiers anglais ou gascons en France. Au fait ! Seize ans après la chevauchée de Buckingham, la guerre était-elle vraiment finie ?

Les routiers de Chalusset.

Deux zones demeuraient sensibles : Calais et la Guyenne. Lors de la conclusion d'une trêve, on instituait des conservateurs des trêves chargés de veiller à leur application sur le terrain. Telle est la théorie ! La pratique est tout autre. Mérigot Marchès, chef de bande au service des Anglais qui tient le château de Roc de Vendas en Limousin, raconte ce qui se passa en 1389 : « Au mois d'août passé, Richard Scosse, écuyer, commissaire de par le roi d'Angleterre à faire tenir les trêves au pays de Limousin, vint me voir [...]. Il me fit commandement de par le roi d'Angleterre de quitter ce fort et de le désemparer, et de tenir et garder les trêves, sur peine d'être banni et réputé et tenu pour rebelle, désobeissant et traître au roi d'Angleterre [...]. Mais, à part, tout seul, il me pria de tenir le fort et de me défendre tout le mieux que je pourrais... »

La France du Centre eut à souffrir longtemps des routiers. Les Anglais avaient conservé Jarnac et Taillebourg, en Charente, et des places en Poitou et Limousin. Ces régions, ainsi que l'Auvergne, le Forez, le Berry et le Bourbonnais (en partie) sont le terrain d'action favori des bandes rassemblées par Perrot le Béarnais. Installé solidement dans le château de Chalusset, au sud de Limoges, il tient le pays sous la menace, extorquant les vivres et l'argent nécessaires pour mener la « vie bonne et belle » que l'un d'entre eux, ce Mérigot Marchès déjà cité, évoque avec nostalgie dans une conversation avec Froissart. Terrorisées et impuissantes, les populations achètent leur tranquillité en versant régulièrement un tribut, un « pâtis », comme on dit alors. A une centaine de kilomètres à la ronde, des dizaines de localités de ces régions ont payé pâtis à la garnison de Chalusset. Les routiers imposent ainsi dans les campagnes un nouveau pouvoir, fondé sur la rapine, qui n'est pas sans rappeler les temps anciens de la mise en place du pouvoir seigneurial et féodal.

Leurs coups sont parfois audacieux : en 1388, Perrot occupe et pille trois jours durant la ville de Montferrand. Sous la conduite de Louis de Sancerre et de Boucicaut, les deux maréchaux de France, l'armée royale doit reprendre place par place, par la force ou par l'argent, le contrôle du centre du pays. Mérigot Marchès est capturé en 1390 et jugé à Paris : traître, larron, meurtrier, « on lui trancha la tête et puis fut écartelé et chacun des quartiers mis et levé sur un estache aux quatre souveraines portes de Paris », raconte Froissart. Quant au château de Chalusset, il ne tomba qu'en 1392.

Les Anglais ne sont pas les seuls fauteurs de troubles. Le comte de Périgord, « seigneur injuste et cruel, s'était mis à la tête d'une bande nombreuse de brigands et de bâtards issus de nobles familles, et accablait Périgueux [...]. Il faisait chaque année des incursions dans le pays, le parcourait sans obstacle, et emmenait prisonniers tous ceux qu'il rencontrait, afin de les contraindre à payer rançon [...] il incendiait les moissons entassées dans les granges, [...], faisait conduire dans ses places fortes le gros et le menu bétail». Boucicaut assiégea Montignac, força le comte à se rendre, avant de s'emparer de ses autres châteaux : Bourdeille, Auberoche, Sarlat. Le comte fut condamné à mort par le Parlement; le roi lui fit grâce mais confisqua tous ses biens. Nous sommes alors en 1396!

Ne noircissons pas le tableau outre mesure : avant de raconter les méfaits du comte de Périgord, le Religieux de Saint-Denis écrit : «Le fléau de la guerre avait cessé d'affliger le royaume.» Celui-ci connaît alors une première tentative de reconstruction.

2. La première reconstruction

Les années 1380-1410 furent un peu moins tragiques, mais on hésite à parler de reprise. Pourtant l'accalmie est mise à profit pour remettre en état ici une maison, là une vigne; pour nettoyer la friche et semer à nouveau. A la suite de Robert Boutruche, les historiens ont souligné l'importance de cette première reconstruction tout en en reconnaissant les limites.

Les agents : État, seigneurs et paysans.

Toutes les régions du royaume n'ont pas été frappées également par la crise. Les épidémies n'ont épargné aucune province, mais elles ont touché les hommes, non les biens, du moins pas directement; la guerre détruit maisons et outils de travail, moissons, arbres et bétail, mais pas partout, et pas tout le temps. Ce sont les opérations militaires donc, ou plutôt leur absence, qui vont déterminer la chronologie de la reconstruction.

Trois situations se présentent. Certaines régions vont connaître une trentaine d'années de calme, entre les dernières chevauchées anglaises et la guerre civile des Armagnacs et des Bourguignons, vers 1410, ou la reprise de la guerre anglaise, en 1415. Tel est le cas de la région parisienne, de la Picardie, de la Normandie. L'Anjou et le Maine ont subi les contrecoups de la guerre de succession de Bretagne et du conflit privé qui oppose Pierre de Craon à Olivier de Clisson, mais la période de restauration et de calme se prolonge jusqu'en 1420; alors, les liens étroits de la principauté angevine avec le dauphin Charles attirent à nouveau les gens de guerre. Le Lyonnais est peu concerné par les guerres de Charles V et les méfaits des routiers de la vallée du Rhône s'atténuent après 1368; en revanche, la guerre civile l'affecte dès 1411-1412 : tandis que Lyon est fidèle aux Armagnacs, puis au dauphin, Mâcon demeure un avant-poste bourguignon.

En Bordelais, la chronologie est différente; le rythme est haché et les périodes d'accalmie sont plus courtes. Bastion de la résistance anglaise, il est le premier objectif des offensives françaises de 1404-1405; et durant les trêves, les incidents frontaliers y sont nombreux. Le Poitou au nord, le Toulousain au sud demeurent sous la menace des routiers jusqu'en 1392 et subissent les premiers les effets de la reprise du conflit : c'est dire que la période de reconstruction y fut courte. Le Berry, rançonné par la garnison de Chalusset jusqu'en 1392, est impliqué dans la guerre civile (siège de Bourges en 1412). Des routiers opèrent encore en Limousin vers 1400 et la rébellion du comte de Périgord affecte la région en 1396.

En Auvergne et dans le Centre la guerre a été permanente jusqu'en 1392. Mais ensuite ces régions sont à l'abri de la guerre étrangère comme de la guerre civile, la duchesse de Bourbon ayant sauvegardé la neutralité de ses États d'Auvergne et de Bourbonnais. Décalée, la reconstruction se poursuit tout au long du XVe siècle.

Les « pouvoirs publics » ont rarement amorcé le processus mais ils ont pu le favoriser : la stabilité monétaire et le retour à la sécurité permettent aux seigneurs et aux paysans d'agir à moyen terme. De même, la fiscalité a eu des effets contradictoires : en épongeant l'essentiel des profits des paysans, elle incite ceux-ci à produire, mais contribue à freiner les investissements. Par l'exemption temporaire de taille et la suppression des arriérés d'impôts, le gouvernement a incité les habitants qui avaient fui, ou les héritiers qui ne s'étaient jamais manifestés, à revenir : « Pais sans gens est inutile », écrit le roi dans un acte concernant le Languedoc en 1394. Ailleurs on relève quelques exemptions de péages en Guyenne anglaise, des dons aux établissements religieux d'Anjou qui restaurent leurs biens-fonds. En Flandre, les campagnes gantoises avaient été systématiquement ravagées pour affamer la ville ; le « Franc » de Bruges (le plat pays) a été mis à feu et à sang ; les polders sont inondés ; les ports détruits. Philippe le Hardi, le 30 mars 1389, prend des mesures incitatives pour ramener les paysans sur les domaines comtaux ; mais ses commissaires ont également mission d'agir auprès des seigneurs laïcs et ecclésiastiques pour qu'ils fassent de même.

L'initiative seigneuriale en effet est primordiale. Bien sûr, la documentation nous renseigne surtout sur les grandes seigneuries ecclésiastiques, les chapitres cathédraux de Bordeaux et de Lyon, le chapitre Saint-Martin d'Angers, l'abbaye de Saint-Denis, Saint-Nizier de Lyon, l'hôpital de Pontvieux en Auvergne. Pourtant, quoi qu'on en ait dit, les seigneurs laïcs de ce temps restent attachés à leurs terres, à leurs vignes ; le déracinement provoqué par la guerre n'est jamais complet. Certes, en Bordelais, les seigneurs, partagés entre les obédiences anglaise et française, furent souvent des « oiseaux de passage » (R. Boutruche) : les aléas des combats et des trêves, les confiscations firent passer la seigneurie de Blanquefort par les mains de dix familles. Mais partout, dès qu'ils le purent, les seigneurs remirent en état leurs domaines.

Ils attirèrent des paysans ; mais il y eut aussi les mouvements spontanés de ceux-ci : en Bordelais, dans l'Entre-deux-Mers ; en Auvergne, où des paysans, réfugiés à Clermont et dans la plaine, revinrent dans leurs villages, rejoints bientôt par des immigrants du Limousin : ce pays, pauvre mais surpeuplé (relativement), a alimenté, tout au long du siècle, des courants migratoires vers l'Auvergne, Périgueux et, plus tard, la Saintonge.

La seigneurie a constitué le cadre de ces reconstructions partielles. Ni les malheurs du temps, ni le recul des cultures, ni la disparition des tenanciers ne l'ont effacée. Lorsqu'une tenure était abandonnée depuis longtemps, les nouveaux venus pouvaient craindre le retour au pays des anciens usufruitiers ou les réclamations de leurs héritiers. Le cas se présenta en Auvergne, et il y eut des bagarres et parfois des meurtres. Mais la forte emprise des seigneurs auvergnats sur le sol permit le plus souvent de résoudre les difficultés ; grâce au droit de « mortaille », ils purent récupérer sans problème les terres tombées en déshérence. Une seigneurie forte favorise donc la reconstruction. En revanche, les seigneurs de la région parisienne ne parvinrent pas à régler ces problèmes rapidement et durent se résoudre à louer les terres à court terme ou à solliciter l'intervention royale pour libérer le sol de l'emprise du passé.

Une reconstruction conservatrice.

Ce maintien des structures seigneuriales explique les modalités de la première reconstruction : à la différence de ce qui se produira après 1450, les concessions des seigneurs sont exceptionnelles et limitées.

En Flandre, le comte renonce aux arriérés et consent d'importantes réductions du cens, c'est-à-dire du loyer de la terre. A l'inverse, les seigneurs auvergnats se montrent souvent intransigeants et réclament aux nouveaux tenanciers le cens accoutumé, celui qui prévalait avant l'abandon de la tenure. Ils parviennent ainsi à maintenir, en valeur, leurs cens au niveau du début du XIVe siècle. De même, ils imposent encore la taille à merci qui est signe de servitude. Guillaume de Murol laisse durant deux ans une tenure vide pour ne la concéder qu'à un paysan acceptant de se soumettre à la taille à merci.

Cette première reconstruction a un caractère conservateur, voire réactionnaire. On s'efforce de maintenir les redevances à leur niveau et dans leurs structures d'avant la crise. Les seigneurs lyonnais, durant cette période 1380-1420, ne réduisent guère le cens ; mais ils doivent se résoudre à diminuer la « tâche », une redevance à part de fruit fort lourde car les paysans disposent d'un moyen de pression efficace : ils cultivent les censives mais négligent les terres soumise à la tâche. Le seigneur la diminue, la transforme en cens, fixe, payé en nature, puis, après 1420, en argent. Les taxes de mutation sont légèrement diminuées, seule l'« introge », ou droit d'entrée sur une nouvelle tenure, recule sensiblement.

En Ile-de-France, les paysans ne peuvent rien sur les cens ; ils refusent parfois les tailles, mais le seigneur s'accroche : à Sucy-en-Brie, en 1390, il envoie les huissiers ; l'affaire monte au Parlement et traîne jusqu'en 1413 : les paysans sont alors déboutés.

Les concessions sont limitées parce que les structures seigneuriales sont solides et que les archives subsistent qui font prévaloir la coutume. Pourtant la conjoncture est moins favorable et la crise des revenus seigneuriaux bien réelle : la réserve seigneuriale rapporte moins, à cause de la stagnation des prix céréaliers, de l'augmentation des prix industriels et de celle des salaires des ouvriers agricoles. Les dépenses ne font que croître avec la guerre et les rançons. On comprend donc l'âpreté des seigneurs. Il est remarquable que les paysans aient pu faire face aux exigences seigneuriales malgré la pression de la fiscalité royale. En Normandie orientale, la diminution de la population agricole a été plus forte que celle de l'espace cultivé ; les exploitants ont donc davantage de terres et des meilleures. L'accroissement de la productivité du travail qui en a résulté a permis à la paysannerie de satisfaire les exigences du roi et du seigneur.

Le bilan de cette reconstruction est contrasté. Y a-t-il même eu reconstruction dans certaines campagnes comme celle du Poitou par exemple ? Dans le Bassin parisien, le bilan est décevant et les recettes des grandes seigneuries sont loin d'atteindre le niveau d'avant la crise ; la reprise, assez vive, s'est rapidement essoufflée. On connaît les « aveux et dénombrements de fiefs » faits en 1397 par Guillaume Le Bouteiller, sénéchal royal et homme de confiance du duc d'Orléans, pour ses possessions de Brie : les tenures vacantes et de « nul rapport » y abondent. En Lyonnais, on a relevé une crise de recrutement des tenanciers, une diminution des exploitations et des superficies cultivées jusque vers 1395-1400 ; puis, et de façon durable, la population s'accroît ; les accensements de parcelles reprennent et les bonnes terres sont progressivement réoccupées. En Anjou, les terres en friche ont reculé ; les revenus tirés des redevances ont été rétablis et parfois augmentés. De même peut-on parler de récupération réussie en

Normandie. Pourtant, entendons-nous bien : même réussie, cette récupération se fait partout à un niveau inférieur à celui d'avant la peste noire.

De toute façon l'approfondissement de la crise au XVe siècle en a annihilé les résultats ; il n'y a guère qu'en Auvergne que le processus, commencé plus tardivement, s'est poursuivi tout au long du siècle. Le principal intérêt de cette reconstruction est ailleurs : en permettant le renforcement de la seigneurie pendant les années 1380-1410, elle a assuré la survie de celle-ci, presque partout en France, lors de la deuxième phase de la guerre et de la crise. Elle a permis du même coup le succès complet de la reconstruction de la seconde moitié du siècle.

3. La France face au grand schisme

Au moment où les belligérants, épuisés, cessaient de combattre, l'Eglise, qui n'avait pas ménagé ses efforts pour qu'il en fût ainsi, se déchirait.

Avignon et Rome.

Installés à Avignon depuis le début du siècle, les papes avaient gardé l'espoir de revenir à Rome. En 1367, Urbain V avait failli réussir ; son successeur, Grégoire XI, plus heureux, réinstallait la papauté dans la Ville éternelle le 17 janvier 1377, tout en laissant un quart des cardinaux à Avignon pour assurer la continuité du gouvernement de l'Eglise. Il y meurt le 27 mars de l'année suivante. Le 8 avril 1378, sous la pression de la foule qui réclame un pape italien, le Sacré Collège, incomplet, choisit à l'unanimité l'archevêque de Bari Barthélemy Prignano. Élection légitime donc, car si Prignano — Urbain VI — a été élu dans la crainte, il ne l'a pas été par l'effet de la crainte.

Mais, autoritaire et maladroit, le pape fait vite l'unanimité contre lui. Le 25 avril, il a une entrevue orageuse avec Jean de la Grange, cardinal d'Amiens, arrivé d'Avignon. Autour de ce dernier les cardinaux mécontents se regroupent peu à peu. Le mouvement est lancé qui aboutit à la déposition d'Urbain VI, dont la totalité du Sacré Collège dit maintenant qu'il a été élu sous la contrainte, donc irrégulièrement, puis, le 20 septembre, à l'élection du cardinal Robert de Genève. Celui-ci est couronné le 31 octobre sous le nom de Clément VII. Il échoue à prendre Rome par la force et doit se replier, le 20 juin 1379, sur Avignon ; il y dispose des services de la Curie qui n'avait pas encore été transférée à Rome. Moins favorisé, Urbain VI procède à des fournées de nominations de cardinaux, surtout italiens. Deux papes, deux collèges cardinalices et bientôt deux obédiences : le schisme est consommé.

Pourquoi ? A qui la faute ? Très vite, Charles V a été mis en cause. N'avait-il pas tenté de convaincre les papes de ne pas aller à Rome ? Les avantages obtenus par le Roi Très Chrétien d'un pape français, installé à proximité du royaume, étaient connus de tous : appui diplomatique dans le conflit franco-anglais ; autorisation libéralement donnée au roi de taxer le clergé du royaume ; droit de regard tacite sur les nominations aux bénéfices. En échange, le roi laissait se développer la centralisation pontificale et fermait les yeux sur les interventions du pape dans les affaires du clergé de France.

Bien que meilleures, les relations entre la papauté et le roi restent fondées sur les idées qui avaient cours au début du siècle. En témoigne l'intérêt porté à l'ordre des Célestins par Charles V. Cet ordre avait été fondé par Célestin V, le pieux ermite qui abandonna la tiare pontificale à l'instigation, disait-on, de Boniface VIII. Le sens politique est clair : en soutenant cet ordre, on continue à flétrir la mémoire de l'adversaire de Philippe le Bel. Tout cela fait de leur église un haut lieu de la religion royale : la confrérie des notaires et secrétaires du roi a établi son siège dans leur couvent parisien.

Un traité théorique comme le *Songe du verger* affirme la totale indépendance de la royauté par rapport à l'Église et dénonce les abus des juridictions ecclésiastiques qu'au même moment le Parlement de Paris sanctionne dans ses arrêts. Telles sont les premières affirmations d'un gallicanisme encore modéré que le schisme va contribuer à développer.

On voit donc bien ce que le roi de France perd au retour de la papauté à Rome; mais on comprend mal ce qu'il gagnerait à prendre la responsabilité d'un schisme pour la garder à Avignon. Les dates des courriers échangés entre Paris et Rome montrent que Charles V a été tenu régulièrement informé par les adversaires d'Urbain VI du déroulement des événements, mais que, du fait des délais de transmission, il a été non moins régulièrement placé devant le fait accompli.

La responsabilité directe du schisme incombe aux cardinaux Jean de la Grange et Pierre de Cros. Le premier, influent conseiller de Charles V, est le chef de file de la plus importante faction cardinalice de la Curie, celle de feu le cardinal Guy de Boulogne, à laquelle appartient aussi Robert de Genève; le second, archevêque d'Arles et camérier du pape, fut l'informateur de la cour de France; il mobilisa les routiers contre Urbain VI dès juillet 1378; il transféra à Avignon le trésor du pape.

Bien sûr, tout ne se réduit pas à des oppositions de caractère. Derrière ces hommes agissent des parentèles, des clans aux ramifications multiples. Urbain VI, isolé, fit comme les autres : népotisme, corruption, constitution d'un clan napolitain qui finit par mettre la papauté romaine en tutelle. L'enjeu en effet était de taille, car le pape disposait des bénéfices, c'est-à-dire des charges ecclésiastiques et des biens et revenus qui y étaient attachés. A Rome, l'influence des cardinaux français ne pouvait que s'affaiblir; et donc se tarir le flot des riches prébendes obtenues du pape pour les parents, amis et alliés. Les conflits de clans existaient à Avignon mais ils ne sortaient pas du palais des Papes. Le schisme les fit éclater au grand jour.

L'égalité des forces en présence figea le conflit; les alliances familiales et politiques le firent durer. Charles V prit son temps mais reconnut, en conscience, Clément VII le 16 novembre 1378. Une assemblée du clergé réunie le 7 mai 1379 à Vincennes l'approuva : « Les prelas tindrent l'opinion du roy affin qu'ilz ne perdissent leurs bénéfices » (*Chronique des quatre premiers Valois*). On ne saurait être plus clair ! A la suite de la France, la Savoie, l'Écosse, la Castille, puis la Navarre et l'Aragon reconnurent le pape d'Avignon et constituèrent l'obédience clémentiste.

Les pratiques religieuses.

Les clercs et les élites pieuses ont vivement ressenti la rupture. La masse des fidèles fut peut-être plus sensible à la continuité car finalement les 32 000 paroisses de France n'ont pas manqué de curés !

La paroisse constitue le cadre premier de la vie quotidienne des Français. L'église s'intègre parfaitement à l'espace social : elle est lieu de culte, maison commune et parfois réduit défensif. Elle est gérée conjointement par le curé (ou son vicaire) et la « fabrique », qui émane de la communauté des paroissiens et à qui incombent l'entretien matériel de l'église et l'assistance aux pauvres. Les confréries, liées à un métier ou à une dévotion (les confréries du Saint-Esprit par exemple), agissent dans ce cadre : elles entretiennent des chapelles, organisent les funérailles, récitent les prières pour les morts. Ces associations sont dominées par les notables locaux (Étienne Marcel à Paris par exemple).

L'évêque nomme le curé, mais dans les faits les « patrons » de l'église, seigneurs laïcs, chapitres cathédraux ou abbayes, qui jouissent du droit de présentation, installent leurs protégés, qui ne font pas forcément les plus mauvais curés. La moitié des cures de l'évêché de Narbonne, les neuf dixièmes de celles de Flandre échappent ainsi à l'évêque. Pour vivre, le curé dispose de quelques terres, des dîmes et des revenus du casuel (quêtes, célébration des sacrements...). Ces revenus sont souvent insuffisants, ce qui explique les cumuls. Mais, paradoxalement, beaucoup de curés n'ont pas de paroisse ; ils trouvent en fait à s'employer à cause de la multiplication des messes anniversaires fondées par les fidèles, les nobles notamment. Telles sont, en Rouergue notamment, ces communautés nombreuses de prêtres-filleuls regroupées dans certaines paroisses.

Le thème de la « désolation » des églises à la fin du XIVe siècle a longtemps été de mode. La réalité semble moins sombre : dans la paroisse de Roubia, qu'il visite en 1404, le vicaire général du diocèse de Narbonne ordonne seulement de faire recouvrir les fonts baptismaux et relier un missel. Certes, les visites pastorales des évêques et de leurs représentants sont rares (un peu moins en cette fin de siècle peut-être) ; mais les assemblées diocésaines, auxquelles les curés doivent assister deux fois l'an, donnent l'occasion à l'évêque de juger de l'état des paroisses, d'enseigner quelques articles de foi aux prêtres tout en veillant à leur situation morale et intellectuelle.

Cette situation n'est pas si mauvaise : le célibat est respecté à 90% ; les curés savent lire et écrire ; beaucoup ont fréquenté les écoles cathédrales et quelques-uns l'Université (Gerson est curé d'une paroisse parisienne). Les écoles paroissiales sont nombreuses. Le prêtre assure la formation religieuse des adultes par la confession, qui permet d'informer et d'aider le fidèle à évaluer sa faute, et par le sermon. Mais tous les curés ne sont pas Gerson, et beaucoup sont mal préparés à cette tâche. Aussi préfère-t-on faire appel aux prédicateurs réputés que sont les mendiants. On connaît bien les périples du dominicain aragonais Vincent Ferrier, qui parcourut le midi et l'ouest de la France de 1400 à 1419 ; il multipliait les anecdotes et n'hésitait pas, pour être compris du public, à recourir à l'expression théâtrale. Cet enseignement moral a apporté à la majorité des fidèles une connaissance correcte des vérités essentielles de la foi et du dogme chrétiens ainsi que des thèmes nouveaux de la spiritualité de l'époque.

Les pratiques religieuses restent routinières : la messe hebdomadaire, la communion annuelle, la confession (facilitée par l'apparition du confessionnal et, pour le prêtre, de manuels du confesseur). Tous les sacrements qui marquent un rite de passage (baptême, mariage, extrême-onction) sont pratiqués alors que ceux qui mettent le chrétien au contact du divin, l'Eucharistie, la pénitence, sont redoutés. Les fidèles préfèrent leur substituer des formes de dévotion plus accessibles, les processions par exemple.

Une nouvelle religiosité.

De nouvelles formes de religiosité capables de réunir les clercs, les « savants » et la masse des fidèles apparaissent au XIVe siècle. Tous les chrétiens ont connu, concrètement, les malheurs des temps (et le schisme n'en est qu'un de plus) et ont cherché dans des pratiques religieuses plus proches de leur expérience comme dans le mysticisme des réponses à leur angoisse. Le temps du schisme est, aussi, le temps d'un réveil de la foi.

Le succès du nominalisme dans l'enseignement universitaire aboutit à séparer radicalement foi et raison. L'approche de Dieu en est renouvelée : elle devient plus intuitive, davantage fondée sur le sentiment et l'émotion, plus individuelle aussi. C'est la *devotio moderna*. Une véritable « invasion mystique » (M. Mollat) déferle sur les laïcs, chez les femmes notamment : Brigitte de Suède, Catherine de Sienne, la Provençale Dauphine de Sabran. Le vieux duc Louis de Bourbon voulut se retirer au couvent des célestins de Vichy ; le comte de Savoie Amédée VIII fit retraite chez les chartreux de Ripaille en 1428. La recluse (volontaire) devient un personnage familier des villes. L'Église du schisme a été sauvée par ses laïcs et par ses femmes ! Ce mysticisme ne touche qu'une élite mais la masse des chrétiens y a été sensible et cela explique le succès populaire d'autres formes de religiosité.

Le culte de la Vierge n'est pas nouveau au XIVe siècle, mais des fêtes comme l'Annonciation ou l'Assomption ont un succès croissant tandis que d'autres sont introduites : Philippe de Mézières, un chevalier qui a servi le roi de Chypre, fait connaître le culte de la purification de la Vierge, très répandu dans les chrétientés d'Orient, et célébré pour la première fois en Avignon en 1372. Pourtant la grande affaire est le développement du culte de l'Immaculée Conception ; pour certains, la conception de la Vierge restait une souillure et la plaçait dans la postérité d'Adam ; mais lorsque le dominicain Juan de Monzon soutint cette opinion devant l'université de Paris, en 1387, il s'attira les foudres de d'Ailly, Gerson, Petit ; sa condamnation, en 1389, marqua la victoire définitive d'un culte appelé à devenir très populaire.

L'essor du culte de la passion du Christ paraît plus significatif encore. Philippe de Mézières — encore lui ! — rapporta de Constantinople, en 1369, un morceau de la vraie Croix qu'il donna au couvent vénitien de saint Jean l'Évangéliste, ce dont un tableau du célèbre cycle du *Miracle de la Croix* conserve le souvenir. En France, il voulut fonder un ordre de la Passion. Les artistes ont multiplié les représentations du Christ en croix, du Christ flagellé, et il n'y a pas de procession sans les reliques des instruments de la Passion, le bois de la Croix, les clous, la couronne d'épines. Charles VI a placé son règne sous le signe de la Passion et lorsqu'il fut devenu fou, le public assimila ses souffrances à celles du Christ en croix : des foules nombreuses se pressaient le vendredi aux processions organisées pour sa guérison. Plus avant dans le XVe siècle, la Passion devient le thème le plus prisé du public des mystères en même temps que se multiplient les chemins de croix. Ce n'est pas qu'un thème morbide, résultat de la dureté des temps; c'est aussi le fruit d'un enseignement de l'Église qui associe la souffrance (la Passion) et la consolation (la Vierge).

Les déviances sont marginales par rapport aux siècles précédents. Le mouvement des flagellants n'a touché que le nord du royaume au lendemain de la peste noire; il y eut aussi des flagellants parmi les foules qui suivaient les prédications de Vincent Ferrier en Toulousain, en 1415-1416. L'Église les condamnait car ils mettaient en cause l'indispensable médiation du prêtre dans la pénitence. D'une manière générale, le millénarisme révolutionnaire n'eut aucun succès en France.

Les cas d'hérésie sont limités. A Rouen, en 1372, on brûle « un hérétique qui se faisait appeller Jehan Dieu ». La même année à Paris, la secte des Turlupins « autrement nommez la compaignie de povreté » fut démantelée. Ce groupe, bien que peu important, est intéressant car il se situe dans la mouvance des « frères du Libre Esprit », assez bien implantés en Flandre et en Artois; en 1418, une quarantaine d'entre eux, les « pikharts », partirent pour la Bohême prêter main-forte aux hussites.

En revanche, le temps de la sorcellerie, que l'Église assimile maintenant à l'hérésie, commence. La folie du roi donne des arguments : celui-ci n'est-il pas victime des sorciers et autres jeteurs de sorts? On accuse son frère Louis dont l'épouse, Valentine Visconti, est lombarde; or les Lombards sont réputés sorciers. Pourtant, lorsque le Saint-Esprit semble avoir échoué à guérir le roi, on fait venir des sorciers : en 1397, deux Gascons, des frères augustins défroqués, prirent du bon temps à la cour avant de monter sur le bûcher. L'accusation fut utilisée à nouveau, on le sait, contre Jeanne d'Arc.

Tout compte fait, la situation religieuse du royaume ne

semble pas si mauvaise. Certes, il y a beaucoup d'excommuniés dans certaines paroisses : de pauvres diables incapables de payer leur dîme, d'autres qui n'ont pas été à confesse depuis dix ans (malgré l'apparition du confessionnal à cette époque !), des ivrognes qui blasphèment, quelques esprits forts qui renient Dieu, comme le prévôt de Paris Hugues Aubriot que l'Université fit condamner en 1381. Mais on trouvait que certains clercs abusaient par trop de l'excommunication.

Résumons : un dogme connu dans ses grandes lignes ; une pratique limitée à certains rites, mais régulière ; une assez large réception à des dévotions et des formes de religiosité nouvelles. La religion de Jeanne d'Arc, en somme !

Comment résoudre le schisme ?

S'il ne trouble pas la France profonde, le schisme finit par lasser. Un vague sentiment de culpabilité se répand dans le royaume : la France n'est-elle pas à l'origine du schisme ? La folie du roi n'est-elle pas un avertissement du ciel ?

Charles V avait pris le parti de Clément VII, mais il écoutait les universitaires qui, tels les Allemands Henri de Langenstein ou Conrad de Gelnhausen, demandaient la réunion d'un concile universel pour rétablir l'unité. Sous Charles VI en revanche, le gouvernement favorisa résolument le pape d'Avignon. Les oncles, Louis d'Anjou et Jean de Berry surtout, puis les marmousets (certains de ceux-ci, formés à la cour d'Avignon, appartenaient à l'entourage du cardinal de la Grange) épurèrent le clergé français de ses éléments urbanistes et mirent au pas l'Université en février 1383. Ils voulurent résoudre le schisme par la force (c'est la « voie de fait »), mais ce fut un échec. Après l'annulation, en mars 1391, de la grande expédition sur Rome que le roi devait conduire, il fallut trouver autre chose.

Or justement, les choses bougeaient. Des fidèles français purent se rendre à Rome pour le jubilé de 1390 ; en 1392, deux ambassadeurs du pontife romain Boniface IX furent cordialement reçus à la cour de France. L'Université osa reprendre la parole pour inciter le roi à agir. Maître du pouvoir en 1392, après la première crise de folie de celui-ci, le duc de Bourgogne sut développer une politique cohérente dont l'objectif, la croisade contre les Turcs, ne pouvait être atteint qu'avec le rétablissement de l'unité de l'Église et la conclusion de la paix avec l'Angleterre.

La révision de la politique française s'amorce en janvier 1394. L'Université, avec l'autorisation du roi, organise une vaste consultation de ses membres et, sentant que la solution conciliaire soulève encore trop de problèmes, propose une solution réaliste : la « voie de cession », c'est-à-dire la démission volontaire des deux papes. Les clémentistes trouvent dans le frère du roi, Louis, leur dernier défenseur. Mais le ralliement, après quelques tergiversations, du duc de Berry (chapitré par son chancelier, Simon de Cramaud) à la voie de cession et, surtout, l'élection précipitée de Benoît XIII, le 28 septembre 1394, en remplacement de Clément VII — contre l'avis de la cour de France —, ont fait basculer les choses. Restait la mise en œuvre !

Trois assemblées du clergé du royaume, en 1395, 1396 et 1398, furent nécessaires pour aboutir à la soustraction d'obédience, le 27 juillet 1398. La France ne reconnaissait plus Benoît XIII et invitait les pays de son obédience comme ceux de l'obédience rivale à faire comme elle ; en les isolant, on espérait contraindre les deux papes à se démettre. Qu'en fut-il ?

En France, les évêques du Midi restèrent fidèles à Benoît XIII et l'université de Toulouse critiqua violemment la soustraction d'obédience. Surtout le schisme devint un enjeu de politique intérieure : face aux ducs de Bourgogne et de Berry favorables à la voie de cession, le duc d'Orléans continua à soutenir le pape d'Avignon, au point qu'on s'est demandé s'il ne poursuivait pas le but de faire proclamer par Benoît XIII la déchéance du roi fou afin de prendre sa place. Sur le plan religieux enfin, l'expérience d'autonomie de l'Église de France laissa un souvenir amer. La majorité du clergé en attendait la garantie durable des « libertés de l'Église gallicane », avant tout le rétablissement de la liberté des élections pour les bénéfices majeurs. Le gouvernement royal entendait au contraire s'en servir pour accroître sa mainmise sur le clergé. Déjà en 1389, le roi avait obtenu du pape le droit de nommer à 750 bénéfices. La soustraction lui permit d'aller au-delà : en 1399, malgré l'opposition des clercs, il imposa une décime; et le Religieux de Saint-Denis d'écrire : «Ainsi le premier fruit de la soustraction fut d'exposer l'Église aux persécutions du bras séculier.»

Mais aucun État ne suivit l'exemple de la France et les deux papes ne démissionnèrent pas. Les partisans de Benoît XIII en profitèrent. Sans prendre l'avis des autres princes, Louis d'Orléans obtint du roi, le 28 mai 1403 la restitution d'obédience. Benoît XIII fit — avec quelle réticence — quelques tentatives pour traiter directement avec l'«intrus» de Rome, mais cette «voie de compromis» échoua à son tour. Comme du côté «urbaniste» les cardinaux semblaient favorables à la réunion d'un concile général pour régler le problème, une nouvelle soustraction d'obédience fut décidée le 18 février 1407. L'ordonnance ne fut cependant publiée que le 11 août 1408, après l'assassinat du duc d'Orléans et après d'ultimes et vaines démarches auprès de Benoît XIII. L'Église gallicane prit soin, cette fois, de faire confirmer ses libertés.

La solution du schisme était en vue. Certes, le concile de Pise, réuni en 1409 à l'initiative des cardinaux des deux obédiences, fut un fiasco (il y eut désormais trois papes!); il fallut attendre 1417 et l'élection de Martin V par le concile de Constance pour que l'unité fût rétablie. Mais la politique française, à partir de 1409, ne changea plus : soutien aux conciles et reconnaissance des papes issus des conciles de Pise, puis de Constance. Les prélats et universitaires français jouèrent un grand rôle à Constance dans la définition d'un conciliarisme modéré. Mais le temps d'Avignon était bien fini : la France ne régentait plus l'Église universelle.

4. Le roi fou

L'ordonnance de 1374 fixait la majorité des rois à quatorze ans et Charles VI n'en avait que douze. Mais parce que l'on craignait que «le royaume ne se divisât contre lui-même» (Religieux de Saint-Denis), les oncles du roi le firent sacrer dès le 4 novembre 1380. Ainsi la question de la régence ne se posait-elle plus.

Les oncles et les marmousets.

On a vu comment les oncles firent face aux émeutes antifiscales; d'une certaine façon, en faisant écran entre l'opinion et le roi, ils préservèrent la capacité de celui-ci à reconquérir le cœur de ses sujets. Puis intérêts et ambitions les séparèrent. Louis d'Anjou ne parvint pas à prendre possession du royaume de Naples; il mourut en 1384, laissant ses droits à son fils Louis et la défense de ses intérêts à sa veuve, l'énergique Marie de Blois. Du moins, au passage, installa-t-il une nouvelle dynastie angevine en Provence. Jean, duc de Berry, fut envoyé en Languedoc comme lieutenant général. Il dut batailler contre le comte de Foix et une population hostile pour se faire admettre.

Le duc de Bourgogne, Philippe le Hardi, reste donc seul maître du pouvoir en 1382. Il en use au mieux de ses intérêts qui, soulignons-le, ne sont pas trop différents de ceux du royaume : tenter de faire la paix avec l'Angleterre et soumettre Gand et la Flandre. Il entraîne ainsi le roi et l'armée royale dans des expéditions victorieuses et point trop dangereuses, mais coûteuses, en 1382, 1383 et 1385. Le mariage du roi avec Isabeau (en fait Élisabeth) de Bavière le 17 juillet 1385 à Amiens est son œuvre. Il renforce ainsi ses liens — et ceux de la France — avec les Wittelsbach de Bavière, dont une branche est installée en Hainaut et Hollande ainsi que sur le siège épiscopal de Liège, au détriment de l'alliance traditionnelle avec les Luxembourg, rois de Bohême et empereurs.

Mais à l'issue d'une expédition menée contre le duc de Gueldre, qui ne présentait quant à elle aucun avantage pour le royaume, Charles VI, qui a alors atteint, comme on dit, son « âge parfait » (vingt ans), décide de gouverner seul. Le 3 novembre 1388, à Reims, la ville du sacre, il réunit un conseil et congédie « ses chers oncles ». Arrivent alors sur le devant de la scène ceux que Michelet, reprenant une expression de Froissart, a rendus célèbres sous le nom de « marmousets ». Qui sont-ils et que veulent-ils?

Ce sont d'abord six hommes, qui « firent entre eux un pacte

d'alliance et d'amitié, et s'engagèrent par serment à se soutenir mutuellement de tout leur pouvoir... » : Olivier de Clisson, le connétable, d'un grand lignage de Bretagne ; Bureau de La Rivière, de noblesse nivernaise, à qui Charles V avait confié la garde du jeune Charles VI ; Jean Le Mercier, anobli en 1374, spécialiste des finances ; Jean de Montaigu, anobli lui aussi, souverain maître de l'Hôtel du roi ; le Normand Nicole du Bosc, évêque de Bayeux et président de la Chambre des comptes ; enfin Pierre dit « le Bègue » de Villaines, un homme de guerre de petite noblesse qui fit une belle carrière en Castille où il fut fait comte de Ribadeo. Avec eux une quarantaine d'hommes recrutés principalement dans la noblesse de Normandie et du nord-est de la région parisienne ; citons Arnaud de Corbie, président du Parlement, puis chancelier, Guillaume de Melun, Jean d'Estouteville, Jean de Vienne, amiral de France, etc. Beaucoup ont servi Charles V (Jean Le Mercier et Bureau de La Rivière furent à ses côtés dès 1358). Mais on trouve aussi des hommes nouveaux, liés au jeune frère du roi, un Guillaume Le Bouteiller par exemple. Pour l'essentiel, c'est la tradition du service de l'État qui les réunit, plus qu'une hostilité envers les ducs de Bourgogne et de Berry : beaucoup continueront leur carrière après 1392.

Les oncles avaient donné au pays une politique extérieure ; « exilés », ils considéraient toujours la guerre et la paix comme leur domaine exclusif et, en 1392, « regardèrent comme une insulte personnelle qu'on eût décidé l'expédition [de Bretagne] sans les consulter » (Religieux de Saint-Denis). Les marmousets, eux, vont donner une politique intérieure au royaume.

Ils incarnent le changement et commencent donc par changer les hommes : Arnaud de Corbie remplace à la Chancellerie un fidèle du duc de Berry ; de nouveaux venus entrent au Parlement ; des baillis et des sénéchaux sont remplacés. Au cours du voyage de Charles VI en Languedoc, de septembre 1389 à février 1390, des enquêteurs-réformateurs vérifient la gestion du duc de Berry, suspendent les officiers, révisent les procès. Jean Bétisac, le bras droit de Berry, est envoyé au bûcher, non pas pour ses malversations, mais, selon un procédé déjà éprouvé, pour hérésie et sodomie ! Finalement, pour satisfaire l'opinion, le duc lui-même est relevé de sa lieutenance générale.

Les marmousets entendent réduire le train de vie de l'État : ils diminuent les pensions, le nombre des officiers, améliorent la gestion du domaine afin d'en accroître les revenus. Ils reprennent ainsi la politique de Charles V et renouent avec le programme de réforme : l'ordonnance du 5 février 1389 entreprend de réviser tous les rouages du système administratif de la monarchie. Par la pratique de l'élection, ils donnent aux officiers un esprit de corps que renforce encore l'octroi de privilèges et de garanties. On les accusa, avec raison, de népotisme, mais ils insufflèrent à l'administration royale un esprit nouveau qui faisait du service de l'État un idéal, voire une mystique.

La nouvelle équipe conserva les aides sur la consommation et la gabelle, mais renonça aux tailles (l'impôt direct créé par les oncles en 1384) car — relevons l'analogie avec la politique de Charles V à la fin de son règne — le Trésor était plein. Ils effacèrent enfin les dernières conséquences des émeutes de 1382 en rétablissant la prévôté des marchands à Paris (à la nomination du roi, il est vrai).

Les marmousets ne dédaignèrent pas l'action idéologique et célébrèrent les rites de la religion royale. A Reims ils avaient pris le pouvoir ; à Paris ils organisèrent en l'honneur de la reine une entrée royale, le 22 août 1389, suivie de son couronnement et de son sacre à Notre-Dame. Ils exaltent la noblesse, soutien naturel de la monarchie. Ils comptent sur des princes d'un type nouveau, soucieux avant tout du service de l'État : le jeune duc d'Orléans ou l'oncle maternel du roi, Louis de Bourbon, ce prince « officier de carrière » dont on fait volontiers un modèle. La chevalerie est honorée lors des splendides fêtes de mai 1389 à l'abbaye de Saint-Denis : le roi y adoube les deux jeunes princes d'Anjou et célèbre la mémoire de Du Guesclin, modèle de chevalier car modèle de serviteur.

Des grincheux trouvèrent à redire, reprochèrent à Charles VI de jouter comme un fou. Certaines innovations — il serait mieux de dire provocations — des organisateurs des réjouissances ne furent guère appréciées. Les marmousets ont voulu casser systématiquement les hiérarchies internes à la noblesse et plier celle-ci aux nouvelles hiérarchies d'une société politique dont le maître mot est servir : lorsque l'on forma les couples pour les cortèges, ne vit-on pas quelques dames « marmousettes » parader dans les premiers rangs aux bras de princes du sang ? Cela fit jaser.

La forêt du Mans.

Le connétable Olivier de Clisson avait rallié le roi de France en 1370. Le duc de Bretagne Jean IV ne le lui pardonna jamais. Il l'avait déjà attiré dans un guet-apens et emprisonné durant l'été 1387. Le roi en avait été furieux, mais les oncles, qui le jalousaient, avaient ricané : « Je vous croyais plus subtil que vous n'êtes », avait dit le duc de Bourgogne. Vient le 13 juin 1392. Clisson sortant de chez le roi est attaqué et blessé par Pierre de Craon, un homme que le duc d'Orléans a tout juste chassé de son hôtel à cause de ses indiscrétions. Comme Craon se réfugie en Bretagne, le duc est immédiatement accusé d'avoir commandité l'attentat.

Au début de l'année, le roi a rencontré le duc à Tours pour tenter de régler les problèmes de souveraineté entre les deux « nations ». Vainement. Or en s'attaquant au connétable on s'attaque au roi ; il y a lèse-majesté. Il faut punir le coupable et son protecteur, donc faire la guerre au duc. Telle est l'opinion des marmousets comme du duc d'Orléans. Les princes, non consultés, y sont hostiles ; les nobles renâclent et ne se précipitent pas pour rejoindre l'armée. Jean de Vienne, un marmouset, chargé de saisir les biens de Craon, s'est rendu odieux en chassant sans ménagements de La Ferté-Bernard la femme et la fille du coupable : « Cette conduite inhumaine fut réprouvée par toute la noblesse. »

C'est dans ces conditions que, le 5 août 1392, le roi, qui relevait de maladie, quitte Le Mans à la tête de son armée. S'enchaînent alors les événements bien connus de cette journée tragique : l'ermite qui, au seuil de la forêt, tente de convaincre le roi, « trahi », dit-il, de rebrousser chemin ; le soleil de plomb ; l'écuyer qui s'endort et le choc de la lance sur un casque ; le roi qui tressaille, éperonne et, en pleine crise, tue quatre combattants et menace son frère Louis, avant d'être maîtrisé ; puis le retour lugubre de l'armée et de son chef hébété au Mans. L'expédition de Bretagne n'aura pas lieu.

Historiens et médecins ont tenté, à distance, un diagnostic : le roi aurait été atteint d'une des formes de la schizophrénie. Jusqu'en 1415, des crises violentes alterneront avec des moments de lucidité. Le Religieux de Saint-Denis décrit ainsi une de ces crises : «... il ne reconnaissait pas la reine ou ses enfants[...]. S'il apercevait ses armes et celles de la reine gravées ou peintes sur les vitraux ou sur les murs, il les effaçait en dansant d'une façon burlesque et inconvenante ; il prétendait qu'il s'appelait Georges et que ses armoiries étaient un lion traversé d'une épée. » Après 1415 le roi sera plus calme mais totalement « absent ».

La sacralisation de la royauté avait fait son œuvre : rares furent les Français qui désavouèrent leur roi. Au contraire, « tous les vrais Français pleurèrent comme pour la mort d'un fils unique, tant le salut de la France était attaché à celui de son roi ». On accusa les sorciers (quitte à faire appel à eux lorsque messes et processions se révélaient vaines) ; on mit en cause le frère du roi et Valentine Visconti sa femme, la Lombarde. Dieu châtiait les Français de leurs péchés. Enfin, à quoi bon prier si l'on ne purifiait pas d'abord le royaume ? On s'en prit donc aux Juifs.

L'expulsion des Juifs.

Les communautés juives, alors nombreuses en France, avaient été expulsées une première fois par Philippe le Bel en juillet 1306. Exclus des campagnes et de la plupart des métiers urbains, les Juifs s'étaient spécialisés dans le prêt à intérêt (ou à usure, comme le disent les textes) et le prêt sur gages. Ils exerçaient ainsi auprès des petites gens une fonction impopulaire mais nécessaire, et interdite aux chrétiens. Ils étaient astreints au port de la rouelle. Expulsés en 1306, ils avaient trouvé refuge dans les principautés d'empire voisines du royaume. Louis X les rappela en 1315 ; ils furent victimes du mouvement des Pastoureaux (massacres à Chinon, à Castelsarrasin en 1320-1321) et furent de nouveau expulsés en 1321.

En 1359, contre une somme de 3 000 livres, Jean le Bon

accorda à une centaine de familles juives une autorisation de séjour qui fut renouvelée à deux reprises. Seuls quelques riches Juifs revinrent, tel ce Manessier de Vesoul, d'une famille de banquiers de la comté de Bourgogne, qui fut receveur des Juifs de tout le royaume de 1359 à 1371 ; c'est le seul exemple en France de ces Juifs de cour si nombreux en Provence et dans la péninsule Ibérique. A Paris, où ils ne furent jamais plus de 600, ils étaient installés dans quatre rues du quartier du Temple ; c'est là qu'en 1377 un envoyé du duc de Berry vint négocier un emprunt à la Juive Précieuse.

Ils furent victimes des émeutes de 1380 et 1382, malgré la protection d'Hugues Aubriot, le prévôt de Paris. Lorsque celui-ci fut poursuivi par l'Université (il fut lourdement condamné), on lui reprocha, entre autres crimes, cette protection des Juifs parisiens. En 1391, lorsque furent connus les pogroms d'Espagne, « les Juifs de Paris [...] par finence furent mis en la sauvegarde du roy de France ; et fut criée la sauvegarde à la trompette, sur peine de mort » (*Chronique des quatre premiers Valois*).

Mais, le 17 septembre 1394, une ordonnance royale mit fin à leur « autorisation de séjour » en France ; ils purent vendre leurs biens et emporter leurs avoirs. Ils se replièrent sur leurs refuges habituels de Lorraine, Alsace, Provence et Comtat. On ne retrouva de communautés juives dans le royaume qu'au XVIe siècle.

Orléans et Bourgogne.

La folie du roi fut fatale aux marmousets. Les oncles revinrent à la cour et les chassèrent. Cela sanctionne l'échec d'une politique, mais on n'en revient pas pour autant à la situation d'avant 1388. Louis d'Orléans demeure présent et il ne renie pas les options des marmousets. Deux camps se forment, animés par Orléans et Bourgogne. Le duc de Bourbon se sent proche de son neveu d'Orléans ; la reine et Berry commencent par suivre le duc de Bourgogne, jusque vers 1402-1403 ; ensuite ils se rapprocheront de Louis.

Deux politiques s'affrontent. Sur la solution du schisme, sur la façon de gouverner le royaume, sur la fiscalité, sur les relations avec l'Angleterre, surtout après la victoire lancastrienne de 1399-1400, les vues et les ambitions de l'oncle et du neveu divergent.

Philippe ménage les intérêts de sa principauté flamande et veut étendre son influence dans les Pays-Bas. Il lui faut mettre fin au schisme qui divise ses États et maintenir des relations correctes avec l'Angleterre. Sur le plan intérieur, c'est un prince traditionnel. Bien installé dans ses principautés, il est attaché à un programme de réformes qui ne comporterait plus les dangereuses innovations introduites par les marmousets et qui respecterait ces « libertés » auxquelles la noblesse et les bourgeoisies marchandes des « bonnes villes » du nord du royaume tiennent tant.

Louis avait reçu en apanage le duché d'Orléans en juin 1392 et le comté de Valois en 1393 ; auparavant, il avait acheté le comté de Blois et le Dunois. Puis le roi lui donna les comtés d'Angoulême, de Périgord et de Dreux tandis qu'il achetait en Ile-de-France et Champagne, Luzarches, Fère en Tardenois, Château-Thierry, les comtés de Porcien et de Soissons et la seigneurie de Coucy. Enfin il acquiert des droits en Luxembourg en 1402, au beau milieu des possessions de son oncle. Il cherche moins à constituer une principauté homogène qu'à quadriller l'ensemble du royaume. Lui aussi est réformateur. Héritier des marmousets, Louis est davantage attaché aux progrès de l'État. Mais il traite les problèmes de façon autoritaire et solitaire ; l'impôt, par exemple, est levé sans ménagements. Les sujets doivent obéir. Telle est la « manière d'Orléans ».

Chacun des deux camps cherche à s'assurer les moyens du pouvoir : la personne du roi, l'administration, les finances.

La folie du roi pose un double problème : que faire pendant ses « absences » (ses crises), qui durent de quelques semaines à plusieurs mois ; et qu'adviendra-t-il s'il meurt avant que son héritier n'atteigne sa majorité ? En janvier 1393, on en revient aux dispositions de l'ordonnance de 1374 : majorité à quatorze ans ; régence du duc d'Orléans, les oncles et la reine ayant la tutelle du jeune dauphin. Or cet arrangement, voulu par le roi, est remis en cause le 26 avril 1403 : le dauphin serait couronné quel que soit son âge et la reine exercerait le pouvoir avec les ducs et le Conseil. Même solution pendant les « absences » de Charles VI. Ni Louis d'Orléans, ni Philippe le Hardi ne trouvent leur compte dans ces ordonnances que le roi a voulues (il a donc changé d'avis en toute lucidité) parce qu'il s'inquiète des querelles de son « sang et lignage ».

Les princes placent leurs hommes de confiance dans les structures du pouvoir. En contrôlant le Conseil et l'Hôtel du roi, le parti dominant peut nommer aux offices. Dans les bailliages et sénéchaussées, les princes protègent ou gagnent des positions : Berry en Languedoc ; Bourgogne près de ses États ; Orléans, plus éclectique, installant ses partisans à Agen, Lyon, Sens, Senlis ou Rouen. Le Parlement, dont les membres sont cooptés, résiste mieux aux pressions politiques. En revanche, la lutte est vive pour tous les offices qui touchent au domaine et aux finances.

Louis d'Orléans a pu placer le seigneur de Coucy et l'archevêque de Sens, Jean de Montaigu (dont le frère, l'ancien marmouset, est à la tête de l'Hôtel du roi), comme présidents de la Chambre des comptes. De même domine-t-il largement ses rivaux à la Cour des aides, créée par les marmousets en 1390. Mais il passe la mesure lorsqu'il se fait nommer, en 1402, souverain gouverneur des aides ; Philippe de Bourgogne réagit vivement et obtient le même titre peu après. Par ces institutions, en effet, les princes accèdent aux largesses royales, dons, pensions et concessions des impôts levés dans leurs principautés, sans lesquelles ils ne pourraient tenir leur rang. Les dons et pensions du roi représentaient 43% des ressources de Philippe le Hardi en 1403 et 90% des revenus de Louis en 1404-1405.

La nuit de la Saint-Clément (23 novembre 1407).

Philippe et Louis, l'oncle et le neveu, s'étaient ménagés, encore que, après 1400, le premier, jusque-là tout-puissant, eût dû composer, voire céder devant les ambitions du second. Mais l'accession de Jean sans Peur au duché de Bourgogne en 1404 précipite le conflit.

En décembre 1401, Philippe, mécontent de la vague de nominations d'officiers opérée par son neveu, critique le mauvais gouvernement et se présente à Paris à la tête d'une armée. La reine et Berry calment vite le jeu. En 1403, les deux rivaux se querellent sur la régence et s'opposent sur la politique à suivre à l'égard de l'Angleterre : alors que Philippe veut protéger sa principauté flamande en négociant une « paix marchande » avec Londres, Louis impose en Conseil une politique de rupture; et il se fait nommer capitaine général en Normandie et Picardie.

Philippe meurt le 27 avril 1404. Son successeur, Jean, malgré le prestige acquis lors de la croisade de Nicopolis, n'a pas les qualités de son père et ne sait pas conserver de bons rapports avec la reine et Berry. C'est ainsi que durant l'été 1405 il s'empare de la personne du dauphin alors que celui-ci rejoignait sa mère, à Melun, où se trouvait également le duc d'Orléans. Jean réclame la convocation des États et dénonce le gouvernement arbitraire du duc d'Orléans; il trouve des soutiens dans les milieux sensibles à sa conception de la réforme : le sermon *Vivat Rex* que le théologien Jean Gerson prononce le 7 novembre devant la cour va dans ce sens. Orléans riposte en défendant les prérogatives du pouvoir monarchique.

Les choses en restent là. Jean, cependant, s'est isolé : le 1er décembre, la reine, Orléans, Berry et Jean IV de Bretagne font alliance. Les campagnes militaires de l'hiver et de l'année 1406 enveniment le conflit. Louis échoue en Guyenne et Jean se plaint de n'avoir pas obtenu les fonds nécessaires à la conduite de ses opérations contre Calais. D'ailleurs, il ne reçoit plus ni dons ni pensions du roi en 1406 et 1407. Ajoutons que le duc d'Orléans empêche la publication de l'ordonnance de soustraction d'obédience et qu'il réussit à vider de son contenu l'ordonnance de réforme qu'il a dû concéder à l'opinion publique : on diminue bien de moitié le nombre des conseillers, mais sur les 26, 20 sont de son parti. On conçoit la fureur de Jean sans Peur qui se voit totalement exclu des affaires du royaume.

Dès juin 1407, Jean a pensé à l'assassinat (le commando de Raoul d'Anquetonville est formé alors), mais il hésite encore. Pourtant, lorsque le duc d'Orléans soutient la ville de Liège contre le prince-archevêque ou lorsque les vaisseaux de l'amiral Clignet de Bréban, une créature du parti d'Orléans, attaquent les nefs anglaises au large des côtes flamandes, Jean sans Peur n'hésite plus. Dans la nuit du

23 novembre, le duc d'Orléans, qui sort de chez la reine, tombe sous les coups d'Anquetonville, embusqué au coin de la rue Barbette. Peu de Parisiens le pleurèrent tant il était impopulaire. La « classe politique », elle, fut profondément et durablement choquée.

3

Armagnacs et Bourguignons (1407-1436)

1. Le gouvernement des partis

L'impossible justification.

La piste des assassins conduisit rapidement Guillaume de Tignonville, le prévôt de Paris, à l'hôtel d'Artois, la résidence de Jean sans Peur. Celui-ci, se sentant découvert, avoua à ses oncles de Berry et d'Anjou que, « poussé par le diable », il avait ordonné le crime. Rejeté du Conseil, il quitta Paris le 26 novembre.

Pourtant, pendant qu'à la cour on écoute poliment Valentine Visconti qui vient réclamer vengeance, le duc de Berry rencontre Jean sans Peur à Amiens. Ce dernier ne cède rien et se vante de son acte. Poussant l'audace, il revient en triomphe à Paris et, le 8 mars 1408, devant un Conseil élargi, il fait prononcer sa justification par le théologien Jean Petit : Louis était un sorcier, un tyran coupable d'avoir tenté d'empoisonner le roi; or tuer un tyran est licite; Jean avait donc agi pour le bien du roi et du royaume. Charles VI venait à peine de se remettre d'une crise; il pardonna.

Dans l'immédiat, Jean sans Peur ne peut tirer parti de ce succès à cause de la révolte de Liège. Ses adversaires en profitent et le 11 septembre, toujours en présence du roi, il font réfuter la justification de Jean Petit par l'abbé de Cerisy. Mais le 23 septembre 1408, Jean, qui y gagne son surnom de « sans Peur », écrase les Liégeois à la bataille d'Othée. Il a les mains libres. Craignant une capitale gagnée à la cause bourguignonne, la reine et les ducs se retirent à Tours, avec le roi.

Jean, de retour à Paris le 27 novembre, est accueilli « par des acclamations qui n'étaient dues qu'à la royauté » (Religieux de Saint-Denis). A Tours, on s'en offusqua. Pourtant, les discussions reprennent, facilitées qu'elles sont par la mort de Valentine Visconti le 4 décembre. Minutieusement préparée sous la houlette du duc de Berry, la réconciliation des enfants d'Orléans (l'aîné, Charles, a quatorze ans) et de l'assassin de leur père est scellée solennellement dans la cathédrale de Chartres le 9 mars 1409, en présence de Charles VI. Personne n'est dupe, c'est la première des « paix fourrées » ! Les troupes rassemblées par les deux camps sont licenciées. Mais les soldats de Jean « ne retournèrent pas chez eux. Les Picards se jetèrent sur le Beauvaisis, les Savoyards sur le Gâtinais et la Beauce [...]. Sauf les massacres et les incendies, ils exercèrent toutes les cruautés auxquelles auraient pu se livrer les ennemis du royaume ».

La pause est bien finie !

La paix de Chartres était un leurre mais elle servait Jean sans Peur. Il ramène la famille royale à Paris et gagne l'alliance, décisive, de la reine ; soucieux d'isoler les jeunes princes d'Orléans, il ménage les « vieux », Berry et Bourbon. Puis, le 7 octobre 1409, il attaque : le tout-puissant Montaigu, qui dirigeait l'Hôtel du roi, est arrêté ; il est exécuté dix jours plus tard. C'est le départ d'une vaste épuration de l'appareil d'État. En obtenant de l'accommodant duc de Berry qu'il lui confie la garde du dauphin, il s'assure la caution d'une autorité légitime.

Mais la radicalisation de la politique bourguignonne inquiète Berry et les modérés qui se rapprochent du jeune Charles d'Orléans et de son parti, qu'on commence alors à appeler le parti armagnac. Ils concluent, le 15 avril 1410, la ligue de Gien. Les ligueurs lancent le manifeste de Tours et marchent sur Paris. Le roi ne s'en laisse pas imposer et mobilise l'armée royale contre eux, les forçant à composer : le 2 novembre 1410 est signée la paix de Bicêtre, qui ne dure que le temps d'un hiver.

Au printemps 1411, les armées sont à nouveau aux champs ; en été on se défie ; en automne on s'affronte sous les murs de Paris au moment où les vendanges de l'important vignoble parisien vont commencer ! Les Armagnacs échouent au pont de Saint-Cloud. Puis vient l'hiver. Les caisses sont vides. Les deux camps négocient... avec les Anglais. Les offres des

Armagnacs sont les meilleures ; par le traité de Bourges du 18 mai 1412, Orléans et Berry obtiennent le concours d'un contingent anglais. Le roi, le dauphin et Bourgogne vont assiéger Bourges, la capitale du duc de Berry devenue celle des Armagnacs. Les armées ne supportent pas mieux l'été torride que le rude hiver ; l'épidémie s'en mêle ; le siège traîne et coûte de plus en plus cher. Le dauphin Louis impose alors ses vues et négocie. A Auxerre, le 22 août, la paix est faite ; la joie éclate et l'on voit Orléans et Bourgogne monter le même cheval. Restent les troupes anglaises, imprudemment appelées par les Armagnacs ; l'accord de Buzançais, le 14 novembre, achète, chèrement, leur départ.

Les partis.

Avant de poursuivre le récit des événements, arrêtons-nous un moment sur les protagonistes, les partis en présence. On peut en effet utiliser ce mot pour désigner les Bourguignons et les Armagnacs (expression apparue vers 1410 et qui marque l'influence croissante du comte Bernard d'Armagnac, beau-père de Charles d'Orléans).

Le conflit est d'abord une « vendetta » : les Armagnacs sont les vengeurs des enfants d'Orléans, Charles, duc d'Orléans, le futur poète, Philippe, comte de Vertus, et Jean, comte d'Angoulême. Mais au-delà de cette « querelle », deux projets politiques s'opposent.

Jean sans Peur s'appuie sur la bourgeoisie commerçante de Paris et des villes du nord du royaume, qui vit du trafic de la Seine et de ses affluents et exploite les axes Bourgogne-Normandie et Bourgogne-Flandre (les routes du vin de Bourgogne). Un partie de la noblesse de ces régions le soutient aussi. Il a repris les thèmes du programme maintenant séculaire de réforme du royaume : moins d'officiers, et des officiers honnêtes ; moins (ou même pas) d'impôts ; une justice plus rapide ; la paix à l'intérieur comme à l'extérieur.

Les Armagnacs puisaient leurs principales forces dans la noblesse du centre et du sud du royaume mais aussi dans le monde des financiers et des monétaires de la capitale. Louis d'Orléans, poursuivant une autre tradition réformatrice, celle des marmousets, défendait l'idée d'un État fort, fondé sur l'efficacité et la compétence; mais, autoritaire, il ne s'embarrassait guère de l'opinion des sujets dès lors qu'il s'agissait de disposer des moyens de gouverner : finances, armée, fonctionnaires. Après la mort de Louis, toutefois, le « programme » dit armagnac apparaît moins cohérent; le parti est composite et semble plus souvent fauteur de désordres que garant d'une ligne politique.

Entre ces deux partis « extrémistes » s'est peu à peu formé un parti modéré, un « tiers parti », dont le programme est « concorde et stabilité ». Le dauphin Louis en fut l'âme; il sut faire preuve d'indépendance et de ténacité et attira à lui des princes (Berry, le roi de Sicile) et des modérés venus des deux camps.

Les hôtels princiers forment le noyau des partis. Du groupe de ses chambellans Louis d'Orléans tire ses capitaines de gens d'armes ou les administrateurs de ses domaines; tous sont rétribués pour les missions qu'ils accomplissent; les plus fidèles reçoivent des pensions régulières, comme Guillaume Le Bouteiller, cheville ouvrière du parti d'Orléans, qui se déplace sans cesse, dans les années 1408-1411, pour négocier avec le roi, la reine, les ducs de Berry ou de Bourbon, ou pour recruter des troupes.

Au-delà du cercle des familiers, les chefs de parti recrutent par contrat des « alliés » dans la petite et moyenne noblesse, qui trouvent dans les dons et pensions versés par le roi comme par les princes les moyens de « maintenir leur état ». Pierre de Mornay a perdu la faveur du duc de Berry en 1403; il ne peut vivre « privé d'office et sans maître » et entre au service du duc d'Orléans. La protection des ducs est efficace : Jean sans Peur n'abandonnera jamais les assassins de Louis d'Orléans, ni les émeutiers cabochiens.

La cohésion du parti est renforcée par des alliances matrimoniales : sur les vingt-quatre capitaines qui signent, le 9 octobre 1411, le manifeste du parti d'Orléans, quatre, Roucy, Craon, Chaumont, Le Baudrain de La Heuze, ont des liens familiaux avec feu Jean de Montaigu, le souverain maître de l'Hôtel du roi exécuté en 1409. Le désir de vengeance renforce les convictions de ce groupe de parents et d'alliés.

La propagande élargit l'influence des partis dans le peuple aux « bienveillans », « favorisants » ou « adhérents ». Le manifeste du parti d'Orléans cité plus haut en est un exemple. Jean sans Peur adresse à ses « bienveillans » et aux bonnes villes du royaume des lettres circulaires pour justifier ses actes. Sa propagande est d'ailleurs la plus efficace. Louis d'Orléans a eu des problèmes de communication ! Il exigeait d'être obéi sans expliquer pourquoi il fallait obéir ! Et puis, il est plus facile de populariser la suppression des impôts que son contraire !

Le parti au pouvoir doit s'assurer le contrôle de la famille royale, du Conseil et des rouages de l'État. Le roi, le dauphin Louis et la reine Isabeau représentent la légitimité. Pour exercer le pouvoir, il faut obtenir leur soutien ou s'imposer à eux. Le roi, lorsqu'il est lucide, la reine et le dauphin ont tenté d'apaiser les conflits et d'imposer aux princes l'autorité de la couronne. C'est en contrôlant les hôtels qu'un parti peut espérer s'imposer. Les chambellans de Jean sans Peur ou de Charles d'Orléans sont en même temps chambellans du roi ou du dauphin. Ce dernier se rebiffe parfois : en mars 1413, il révoque le chancelier que lui a imposé le duc de Bourgogne et, en 1414-1415, il parvient à éviter la colonisation de son hôtel par les Armagnacs vainqueurs.

La mainmise sur le Conseil est essentielle, car elle donne le pouvoir de nommer aux offices. En 1407, les partisans de Louis d'Orléans le dominent ; de 1409 à 1413, c'est au tour des Bourguignons. Mais il faut parfois composer : la conduite politique de Jean de Berry, par exemple, est largement tributaire de la place que Bourgogne veut bien lui laisser au Conseil. Le contrôle des grands corps de l'État est plus délicat ; ils ont leurs habitudes, leurs règles de recrutement, et le souci de la compétence l'emporte parfois sur la passion partisane. La lutte est sévère pour mettre la main sur les offices de finance (trésoriers, administration des aides, monnaies), et l'esprit partisan y triomphe souvent. Mais le Parlement, quoique de tendance bourguignonne modérée, se laisse beaucoup moins manipuler dans la mesure où le recrutement s'y fait par cooptation.

Les purges politiques sont spectaculaires dans l'administration provinciale. Les baillis et sénéchaux sont devenus les agents politiques des partis au pouvoir et ils sont révoqués en masse à chaque changement de gouvernement. Entre septembre 1411 et janvier 1412, quinze d'entre eux (sur trente-cinq) sont évincés par Jean sans Peur. L'épuration à laquelle procèdent les Armagnacs en septembre 1413 est plus radicale encore. Un Conseil royal entièrement dominé par les princes de ce parti révoque vingt-quatre baillis et sénéchaux. Le *Journal d'un bourgeois de Paris* note qu'il « ne demoura oncques nul officier du roy que le duc de Bourgogne eust ordonné, qui ne fust osté ne depposé, sans leur faire aucun bien ». Unis en 1413, Armagnacs et modérés se disputent les places durant les deux années suivantes.

Dans ce domaine, les préoccupations des partis sont diverses : les ducs de Berry, de Bourbon, d'Anjou cherchent à protéger leurs principautés et leurs intérêts régionaux en plaçant leurs hommes dans les circonscriptions voisines. Le duc de Bourgogne poursuit une politique de glacis autour de ses territoires de Bourgogne et des Pays-Bas ; il s'intéresse beaucoup aux bailliages d'Amiens et de Vermandois ou de Mâcon. En revanche, les ducs d'Orléans, Louis et Charles, placent leurs partisans un peu partout. Louis, d'ailleurs, avait acquis par des moyens très divers des territoires dispersés dans tout le royaume ; il n'agit pas comme un prince territorial ; il quadrille le royaume afin de le diriger. L'objectif de Jean sans Peur est identique mais il use d'autres procédés.

2. L'heure du dauphin Louis

Les cabochiens.

La paix d'Auxerre ne résolvait rien. Jean sans Peur comme ses rivaux manquaient d'argent. Pour la première fois depuis 1382, les États généraux furent réunis à Paris le 30 janvier 1413, dans une atmosphère lourde de menaces. D'ailleurs les États, d'entrée de jeu, refusèrent l'impôt et demandèrent une épuration et la réforme ; une commission se mit immédiatement au travail.

La situation est confuse. Jean sans Peur s'appuie sur trois groupes : ses fidèles, membres de son hôtel ; le « commun » de Paris, rassemblé autour des puissants métiers des bouchers et des écorcheurs (l'un d'eux, Simon Caboche, a donné son nom au mouvement) ; les réformateurs, nombreux au sein de l'Université. Mais le duc de Bourgogne est tenu de respecter la paix d'Auxerre : le duc de Berry est à Paris et assiste au Conseil pendant toute cette période, et les chefs armagnacs ne sont pas, théoriquement, exclus de la ville ; il lui faut maintenant tenir compte du dauphin Louis, qui joue sa partie et se révèle, comme son entourage, de plus en plus indépendant de Bourgogne.

Aussi Jean sans Peur mène-t-il double jeu ; modérateur et conciliateur en apparence, il pousse en sous-main les cabochiens. Manifestations et émeutes se succèdent, de plus en plus violentes et déterminées. Des officiers royaux sont arrêtés en février ; on s'en prend au dauphin le 28 avril, à la reine le 22 mai. C'est dans ce contexte que, les 26 et 27 mai, au cours d'un lit de justice tenu par le roi au Parlement, est lue, puis enregistrée l'ordonnance dite cabochienne, le texte le plus achevé (258 articles) qu'ait jamais produit le programme de réforme.

Mais la roue tourne. Les excès et les crimes déconsidèrent et isolent les émeutiers. L'Université ne les soutient plus ; le Parlement, qui s'en est toujours méfié, non plus. Une importante fraction de la bourgeoisie parisienne, dont Jean Jouvenel, avocat du roi, est le porte-parole, complote et s'arme contre eux. Les cabochiens commettent alors deux fautes : d'une part ils imposent un emprunt forcé aux universitaires et aux bourgeois riches, ce qui élargit le fossé ; d'autre part ils s'en prennent violemment au dauphin, le 9 juillet ; cabochiens et Bourguignons reprochent à Louis de Guyenne ses contacts avec les Armagnacs, à Ivry-la-Chaussée et à Pontoise. Jean sans Peur est pris au piège et doit participer à l'élaboration d'une nouvelle paix fourrée, la paix de Pontoise du 22 juillet 1413. Les cabochiens la rejettent, mais ils ne parviennent pas à empêcher sa ratification par le Parlement.

Le dauphin a gagné : le 4 août, conduit par Jouvenel et escorté de bourgeois en armes, il traverse triomphalement Paris. Impuissants, les cabochiens se dispersent. Le 23 août, le duc Jean quitte à son tour la ville. Charles d'Orléans, Jean de Bourbon et Louis d'Anjou y font leur entrée le 31 août. A cette occasion, le dauphin a fait distribuer des vêtements à sa couleur, le violet, empêchant ainsi Orléans et les siens de paraître en habit de deuil. Le message est clair : les princes viennent pour gouverner, non pour se venger. Le 5 septembre, l'ordonnance cabochienne est solennellement déchirée et toutes les mesures antérieures prises contre les Armagnacs sont annulées.

Le dauphin Louis, duc de Guyenne.

L'Histoire n'a pas été tendre avec ce prince, mêlé très jeune aux affaires et mort à dix-neuf ans, ne l'oublions pas. Il mérite pourtant mieux que sa réputation !

Louis avait gagné en août 1413 ; mais dès octobre il était dépossédé de cette victoire. Il ne représente l'autorité légitime que durant les « absences » du roi. Or, à la fin de 1413, le roi est lucide et c'est vers lui que les Armagnacs se tournent pour obtenir ce qu'ils veulent, y compris, le 24 février 1414, la condamnation, par l'Université, de la justification de Jean Petit.

Dès décembre 1413, le dauphin avait écrit au duc de Bourgogne pour le prier de revenir. Il ne pratique pas pour autant une simple politique de bascule. Son but, proclamé ouvertement en avril 1415, a toujours été de gouverner seul, sans être soumis aux partis. Pour l'heure, les Armagnacs le surveillent de près et le duc de Bourgogne, venu sous les murs de Paris en février 1414, ne peut que se retirer.

Les Armagnacs poussent leur avantage et entraînent le roi, qui lève l'oriflamme à Saint-Denis, dans une démonstration de force devant Arras. Le siège, commencé le 28 juillet 1414, piétine. Le dauphin reprend l'initiative et engage des négociations avec Jean sans Peur ; elles aboutissent à l'armistice du 4 septembre 1414, puis à la paix d'Arras du 13 mars 1415. Le dauphin s'en tient à une ligne de conduite claire : imposer la paix aux princes sans transiger sur les prérogatives de la couronne. Il discute donc avec Jean sans Peur, mais il refuse de gracier les bannis de la révolte cabochienne ; il exige que les villes rebelles ouvrent leurs portes au roi ; il oblige enfin le duc de Bourgogne à rompre les négociations qu'il a entamées avec les Anglais l'été précédent. La même cohérence apparaît dans la politique administrative du dauphin.

La réforme sans ordonnance.

A la fin de l'année 1414, Louis s'appuie sur les fidèles de la cause royale et fait alliance avec les modérés comme le duc de Berry. Pourtant, en novembre 1414, le dauphin est «enlevé» par les Armagnacs et «transporté» dans les États du duc de Berry ; ne s'agirait-il pas d'une ruse de guerre imaginée par Berry et le dauphin et «maquillée» ensuite par la propagande bourguignonne ? Car le dauphin étant absent, les négociations avec Jean sans Peur sont bien évidemment suspendues, mais elles sont soustraites du même coup à la vive pression des Armagnacs qui veulent les saboter (hypothèse de R. Famiglietti).

Le dauphin étoffe alors considérablement son hôtel : on a relevé 536 noms pour les deux années 1414 et 1415 ; parmi eux il n'y a que deux familiers du duc d'Orléans. C'est l'indication qu'un parti du dauphin est en voie de formation. Par ailleurs, Louis, par délégation du roi, peut nommer aux offices. Avec Berry, il dispute aux Armagnacs les places dans les bailliages et sénéchaussées ; à Paris il installe comme prévôt son maréchal, Tanguy du Châtel ; il renouvelle l'échevinat de la ville (en avril 1415) et s'assure le contrôle des trois forteresses de la Bastille, du Louvre et du Palais.

Louis de Guyenne utilise en somme les procédés de ses rivaux. A la différence des Bourguignons en 1411, mais comme les Armagnacs l'avaient fait en 1413, il applique les règles d'un fonctionnement normal des institutions : tous les offices sont pourvus par élection. Le Parlement est au cœur de cette politique de stabilisation et de réforme : les élections s'y déroulent ; il veille à la régularité des procédures ; il tance les officiers qui ne respectent pas leurs obligations (de résidence, par exemple) ; il examine la compétence des candidats et révoque parfois des incapables. Mais, en même temps, il donne aux officiers une certaine garantie de carrière.

Après le désastre d'Azincourt, de nombreux offices sont vacants (40% des baillis et sénéchaux ont trouvé la mort ou sont prisonniers). Le dauphin et Berry s'enhardissent et font nommer des officiers choisis dans tous les partis. La réforme est mise au service de la paix. L'ordonnance cabochienne n'a donc pas été oubliée et le paradoxe veut que certaines des mesures qu'elle proposait aient été mises en œuvre par ceux qui la firent annuler.

Louis de Guyenne meurt le 18 décembre 1415. Sa politique conciliatrice et réformatrice est poursuivie par le duc de Berry, mais il s'éteint à son tour le 13 juin 1416. Le roi de Sicile, le dernier des modérés, se retire en Anjou pour y mourir en 1417. La pression des Armagnacs reprend le dessus ; la mauvaise volonté de Jean sans Peur et l'irrésolution de la reine achèvent d'enterrer cette politique de modération et d'union. Mais à supposer même que Louis de Guyenne eût vécu, aurait-il pu la maintenir dans la situation créée par la défaite et l'invasion ?

3. L'invasion anglaise

Azincourt.

Le succès des Lancastre marque, en Angleterre, la victoire du parti de la guerre. Mais les complots et révoltes d'une opposition aristocratique puissante empêchent Henri IV d'agir. Hormis les opérations de l'année 1405 en Guyenne, provoquées d'ailleurs par Louis d'Orléans, il ne se passa rien jusqu'en 1412, date à laquelle les Anglais furent imprudemment « invités » par les Armagnacs.

Henri V, devenu roi le 20 mars 1413, trouve une situation assainie. Sûr d'obtenir du Parlement les subsides indispensables à toute opération militaire sur le continent, il engage une vigoureuse et agressive action diplomatique. En 1414, pendant le siège d'Arras, une alliance avec le duc de Bourgogne est près d'être conclue, mais le duc, s'il accepte de faire d'importantes concessions de territoires, se refuse encore à une alliance militaire dirigée contre le roi de France et le royaume. Au même moment, à Paris, le duc de Berry écoute les demandes exorbitantes d'une ambassade anglaise : Henri V veut la couronne de France et la main de Catherine, la fille de Charles VI, avec une dot de 2 millions de livres ; il exige aussi l'achèvement du paiement de la rançon du roi

Jean; enfin il demande la cession en toute souveraineté de toute la façade occidentale du royaume. Ces négociations ne sont qu'un paravent : Henri V a choisi la guerre.

La rupture officielle intervient le 30 juin 1415, mais les préparatifs militaires ont commencé au printemps. Henri V débarque le 14 août au Chef de Caux avec 13 000 hommes qui vont aussitôt assiéger Harfleur. Charles VI prend l'oriflamme et, pour la première fois depuis longtemps, il convoque le ban et l'arrière-ban, c'est-à-dire tous les sujets. Il s'installe à Rouen avec son fils. Mais le rassemblement de l'armée est ralenti par la mauvaise volonté de Jean sans Peur. Harfleur, laissé sans secours, doit se rendre le 22 septembre. Henri V y établit aussitôt une solide garnison.

Son objectif est bel et bien de conquérir la Normandie, mais comme il se fait tard et que son armée est décimée par la dysenterie, il décide de rentrer en Angleterre. C'est en gagnant Calais qu'il se heurte à l'armée française commandée par le connétable d'Albret et les jeunes princes d'Orléans, de Bourbon et d'Alençon.

Nous sommes le 25 octobre 1415, près d'Azincourt, en Picardie. En quelques heures l'armée française est anéantie, perdant des milliers de morts et de prisonniers. Le vieux duc de Berry, qui garde en tête le souvenir de Poitiers, a empêché le roi et le dauphin de participer à la bataille. Pourtant Azincourt ne répète pas Poitiers. La noblesse française s'est ressaisie et est devenue capable de discipline ; le commandement français, qui sait comment combattent les Anglais, a adopté un plan de bataille en conséquence. Mais ce plan n'a pu être appliqué : les effectifs trop nombreux n'ont pu se déployer sur un champ de bataille étroit, et le commandement, trop peu expérimenté, n'a pas su s'adapter à la situation.

Les suites d'Azincourt.

Henri V interprète cet énorme succès comme un jugement de Dieu qui conforte la cause anglaise. Cela ne change rien à son objectif, la conquête de la Normandie ; en 1416, il détruit la flotte génoise qui bloquait Harfleur et contraint le nouveau connétable, Bernard d'Armagnac, à en lever le siège.

En France, celle du Nord et du centre surtout, l'échec a été durement ressenti. Absent d'Azincourt — où cependant ses deux frères ont été tués —, Jean sans Peur n'est pas rendu responsable de la défaite. L'opinion met en cause l'impéritie du gouvernement; le nouveau connétable Bernard d'Armagnac (Albret a été tué), qui n'arrive à Paris qu'à la fin du mois de décembre, doit assumer l'impopularité de la défaite. Il y a plus grave : l'hécatombe d'Azincourt a privé le royaume d'une grande partie de ses cadres administratifs et militaires : princes, capitaines, la quasi-totalité des baillis de la France du Nord sont morts ou prisonniers. Le désastre approfondit la crise politique, surtout après les disparitions du dauphin Louis et de Berry.

Les Armagnacs extrémistes s'imposent par la terreur à Paris, tandis que leurs compagnies de Gascons et de Bretons pillent la région. Le connétable impose des emprunts forcés, qu'il ne pourra jamais rembourser, s'aliénant ainsi la bourgeoisie d'affaires de la capitale, jusque-là proche de son parti. Des complots éclatent dans la ville (août 1416), encouragés par le duc de Bourgogne qui progresse vers Paris. Il dispose d'une bonne carte : le nouveau dauphin, Jean, est son gendre. Las ! celui-ci meurt le 5 avril 1417 et l'héritier du trône, Charles, est dans le camp opposé, puisque, fiancé à Marie d'Anjou, il vit dans sa future belle-famille.

Son père l'investit du Dauphiné le 13 avril et lui donne, le 17 mai, le Berry et le Poitou. La reine Isabeau, alors à Vincennes, voudrait reconstituer autour de son fils un parti royal, à l'image de ce qu'avait réussi à faire Louis de Guyenne. Ni Jean sans Peur, ni le connétable ne veulent de cette entente entre la reine et le dauphin. Mais le comte d'Armagnac commet une grossière erreur en obtenant du roi l'exil de la reine à Tours (prétextant les débauches de sa cour) : Isabeau n'a plus d'autre solution que de s'en remettre à Jean sans Peur.

Le manifeste que ce dernier adresse aux villes le 25 avril 1417 est bien reçu. L'émeute gronde à Rouen au milieu de l'été (le bailli Raoul de Gaucourt est tué); les villes méridionales, Toulouse, Carcassonne, s'ouvrent à la propagande bourguignonne. Durant l'été 1417, la pression bourguignonne se fait plus forte autour de Paris : Troyes, Provins, Poissy, Pontoise, Mantes tombent. Le 2 novembre, une petite troupe bourguignonne fait irruption à Tours et délivre Isabeau. La reine et le duc gagnent Troyes où, le 23 décembre, ils installent un gouvernement parallèle à celui de Paris. Pendant ce temps les Anglais s'emparent de la Normandie.

La conquête de la Normandie.

Henri V a préparé méthodiquement, pendant l'hiver et le printemps 1417, une armée de 10 000 à 12 000 hommes. Elle comprend un nombre très élevé d'archers montés et une artillerie à feu considérable : c'est une guerre de siège en vue d'une occupation durable qu'il entend mener. La destruction de la flotte française au Chef de Caux, le 29 juin 1417, fait désormais de la Manche une mer anglaise.

Le débarquement a lieu à Touques, sur la rive sud de l'estuaire de la Seine, le 1er août 1417. Caen est assiégé, puis pris d'assaut le 4 septembre. De là, Henri V descend vers le sud, le long de l'Orne. Au printemps suivant, son jeune frère Humphrey de Gloucester va assiéger Cherbourg (cela dure cinq mois), tandis qu'il se dirige vers l'est pour s'emparer de Louviers et d'Évreux. En juin 1418, Rouen est investi. Les initiatives anti-Armagnaques de Jean sans Peur, qui, tenant Pontoise et Chartres, interdit tout envoi de secours en Normandie de la part du gouvernement armagnac de Paris, servent Henri V. Une fois maître du pouvoir, le duc de Bourgogne ne fit rien pour aider la ville, qui dut se rendre le 19 janvier 1419, ce qui entraîna la soumission du pays de Caux. Seul, à l'autre extrémité de la Normandie, le Mont-Saint-Michel demeura (et demeurerait durant toute la guerre) aux mains des Français.

Seuls Honfleur et Caen, qui avaient résisté, furent durement châtiés. Sinon le roi d'Angleterre traita modérément la province et sut flatter son particularisme : il confirma la vénérable charte aux Normands de 1315, rétablit l'office de sénéchal et maintint l'Échiquier, devenu cour de justice (dont plus tard, en 1515, le roi de France ferait le Parlement de Rouen).

Henri V tenait la Normandie par droit de conquête. Elle conserva un statut particulier, bien que le traité de Troyes ait stipulé que, une fois Henri V monté sur le trône de France, la Normandie réintégrerait le royaume.

4. Le « honteux traité de Troyes »

Les Bourguignons à Paris.

De Troyes, la reine s'efforce, avec un certain succès, de rallier le pays à son gouvernement. Le 30 janvier 1418, Louis de Chalon part en Languedoc où des sénéchaux bourguignons sont nommés. L'annonce de l'abolition des aides entraîne le ralliement de Toulouse, de Carcassonne et d'autres villes. Le double jeu du très populaire comte de Foix, rival des comtes d'Armagnac dans le pays, qui réussit à obtenir des deux camps la charge de lieutenant général du roi, facilite les choses. Mais l'emprise bourguignonne sur la région reste superficielle; les officiers fidèles au dauphin résistent. Il suffit à celui-ci de paraître en Languedoc, au début de 1420, pour retourner la situation en sa faveur; le comte de Foix intriguera encore quelques années, mais il est officiellement dans le camp du dauphin.

La reine, en ce début d'année 1418, ne rompt pas avec son fils; au contraire, elle parvient à s'entendre avec lui; en maugréant, le comte d'Armagnac comme le duc de Bourgogne doivent accepter. Car le dauphin et la reine représentent, avec le roi, la légitimité; c'est leur seul atout, mais il n'est pas négligeable.

Las! Dans la nuit du 29 mai, les Bourguignons emmenés par Jean Villiers de l'Isle-Adam et Guy de Bar, pénètrent dans Paris avec l'aide d'une population complice. Aussitôt la chasse aux Armagnacs commence. Le connétable est arrêté; plus heureux, Jean Jouvenel, que son adversaire mais néanmoins ami Guy de Bar a prévenu, peut fuir; le prévôt de Paris, Tanguy du Châtel, emmène en toute hâte le dauphin Charles à Melun. Comme la tentative faite par les Armagnacs pour reprendre Paris échoue, le dauphin part s'installer à Bourges. Le schisme royal est consommé.

Fut-ce une erreur? On l'a soutenu, en arguant que Charles laissait le roi et la reine aux mains de ses adversaires. Plus que le dauphin, Tanguy du Châtel aurait sauvé le parti armagnac. Mais Charles avait sa propre légitimité, comme dauphin d'abord, comme lieutenant général ensuite, titres qu'il doit à la nomination du roi ; comme régent enfin, titre qu'il prend le 31 décembre. Il peut s'estimer fondé à diriger le pays au nom du roi « absent ».

Dans Paris livré à lui-même (Jean sans Peur et la reine n'y reviennent que le 14 juillet), rumeurs et fausses nouvelles se répandent et provoquent, le 12 juin, un massacre des prisons : Bernard d'Armagnac, le chancelier Henri de Marle, des officiers en grand nombre sont tués. Pillage et violence se déchaînent. Une nouvelle tuerie, où se signale le bourreau Capeluche, ensanglante encore la ville le 21 août. Les excès provoquent un retournement de la population et Jean sans Peur parvient alors à reprendre la situation en main. Tout l'été, le duc de Bretagne, présent à Paris, a facilité la fuite de nombreux Armagnacs.

Le pont de Montereau.

Maître de Paris, le duc de Bourgogne s'attaque à la réforme du royaume et commence, bien entendu, par une épuration ! Le Parlement, suspendu un temps, est profondément renouvelé, comme les institutions financières. Dans les bailliages, ceux du moins qu'il contrôle, Jean sans Peur innove : les nouveaux baillis sont tous des juristes et sont dépouillés de leurs pouvoirs militaires. C'en est fini, à Paris, de la toute-puissance des prévôts marmousets et armagnacs. C'est le retour aux « libertés ».

De nombreux officiers ont rejoint « Charles, fils du roi de France, régent du royaume, dauphin de Viennois, duc de Berry et de Touraine, comte de Poitou ». Jean de Berry avait doté sa principauté d'institutions en tout point comparables à celles de la monarchie ; il suffit de les réactiver en joignant aux hommes qui, pendant un demi-siècle, avaient servi Berry ceux venus de Paris. En moins de deux mois, un gouvernement est remis sur pied : Chancellerie, Conseil, Hôtel et Chambre des comptes sont installés à Bourges ; puis, le 21 septembre 1418, un Parlement, symbole de la souveraineté royale, est institué à Poitiers ; il siège dans la somptueuse salle du palais des comtes où l'on a pris soin de reconstituer le décor de la salle du Parlement de Paris. Le dauphin n'est donc pas aussi faible qu'on l'a dit.

Jean sans Peur, quant à lui, n'est pas aussi fort qu'il le croit. Il n'a rien fait contre les Anglais ; il a abandonné Rouen la bourguignonne. Il cherche à gagner du temps : accompagné de la reine, il rencontre Henri V à Meulan le 30 mai 1419, puis à Pontoise en juillet. Mais les Anglais accroissent leurs exigences et font monter la pression : le 31 juillet 1419, Pontoise tombe entre leurs mains ; la route de Paris est ouverte.

Personne, pas même Jean sans Peur, n'avait rompu avec le dauphin. Certes, l'entrevue de Saint-Maur, en septembre 1418, n'avait rien donné. Mais l'échec des discussions avec les Anglais contraint Jean sans Peur à rechercher l'accord du dauphin. Un premier pas avait été fait le 8 juillet 1419, à Pouilly-le-Fort, près de Melun. Mais un accord est sans intérêt pour le duc tant que le dauphin se refuse à revenir à Paris. Rendez-vous est pris à Montereau, au moment où, du fait de l'avance anglaise, le roi, la reine et le duc se replient sur Troyes.

Le 10 septembre 1419, le dauphin et le duc, accompagnés chacun de dix hommes, se rencontrent sur un pont au milieu de la Seine. Le ton monte ; il y a des cris : « Tuez ! tuez ! » et très vite la nouvelle se répand : le duc a été assassiné.

Pourquoi ce crime ? N'entrons pas dans le détail. Le meurtre de Jean est une vengeance, perpétrée par les familiers de feu Louis d'Orléans et de feu le connétable d'Armagnac, Tanguy du Châtel, Louvet et Richard de Narbonne. Le crime a été prémédité et décidé en Conseil en présence du dauphin Charles, malgré l'opposition de son chancelier Robert le Maçon. Par la suite, les Armagnacs répandirent un récit qui disculpait le dauphin et reportait sur le duc et ses partisans l'initiative de la bagarre qui conduisit, par hasard, au meurtre.

Le traité de Troyes et la double monarchie.

Le meurtre de Montereau a coupé radicalement la France en deux et laisse les Anglais maîtres du jeu. Plus qu'un crime, une faute ? On l'a dit souvent. Pourtant, sans vouloir refaire l'Histoire avec des si, et sans aller jusqu'à dire, paradoxalement, que le dauphin avait raison, on peut remarquer que, en se plaçant ainsi hors jeu, le dauphin Charles y a gagné une totale liberté d'action. Il n'est pas lié par le traité de Troyes (à la différence de son ancêtre homonyme de 1360, engagé par le traité de Brétigny) et, ayant clairement choisi son camp, il n'a pas à manœuvrer entre deux partis rivaux comme avait dû le faire son aîné le dauphin Louis. Donc la rupture brutale, voulue par le dauphin, ne fut pas la solution la plus mauvaise. Car, que l'on sache, c'est bien la résistance de ce camp delphinal qui a fait échec au traité de Troyes.

Les négociations entre Henri V et le gouvernement de Troyes ont été longues. Les exigences du roi d'Angleterre n'ont pas changé ; tout au plus accepte-t-il de laisser Charles VI achever son règne ; en attendant, il se contentera du titre de régent.

Le duc de Bourgogne veut venger son père et donc il rejette le dauphin. Mais, comme son père, il voudrait tenir la première place en France, ce qu'Henri V lui refuse. Sans enthousiasme, certes, il conclut, le 2 décembre 1419, une alliance avec les Anglais, complétée par le mariage du duc de Bedford, frère d'Henri V, avec Anne, sœur de Philippe.

La reine Isabeau, quant à elle, parvient à sauver la couronne de son époux ; mais elle ne peut empêcher qu'elle ne passe ensuite au roi d'Angleterre. La reine, on le sait, continue à correspondre avec son fils. Cependant elle dépend entièrement, politiquement et financièrement, de Philippe le Bon, qui attend d'elle le déshéritement du dauphin. Elle finit par céder. Ce n'est que jeu d'enfant d'obtenir ensuite du roi qu'il signe l'ordonnance du 17 janvier 1420, par laquelle Charles est déclaré indigne de la succession royale à cause du crime de Montereau.

Philippe le Bon et Isabeau ne sont pas les affreux traîtres qui ont livré la France aux Anglais, soit. Leur marge de manœuvre était quasiment nulle. On voudra bien admettre cependant qu'ils se sont mis eux-mêmes dans la situation de ne pas « pouvoir faire autrement ». Philippe le Bon a d'abord défendu ses intérêts de prince territorial. Il est l'héritier politique d'un père qui — et quels que soient les torts des Armagnacs — n'a jamais recherché sincèrement la paix avec eux et qui, déjà, s'était davantage servi du royaume qu'il ne l'avait servi. Les responsabilités de la reine sont, à tout prendre, bien moindres.

Le traité est solennellement ratifié le 21 mai, en présence d'Henri V. Le dauphin Charles est déshérité. Charles VI, en donnant la main de sa fille Catherine à Henri V, adopte celui-ci comme son fils et en fait son héritier. Le traité fonde la « double monarchie » ; les deux pays restent séparés ; ils gardent leurs coutumes, leurs langues, leurs institutions ; il n'est pas question, par exemple, de transférer des ressources fiscales d'un pays à l'autre. Enfin les contractants « ne traiteront aucunement de paix ou de concorde avec ledit Charles [le dauphin] [...] sinon du conseil et assentement de tous et chascun de nous trois et des trois États des deux royaumes ». Phrase révélatrice ! Le dauphin Charles pourrait bien n'être pas considéré comme politiquement mort par ses adversaires ! Par là même, ceux-ci avouent que le traité ne règle rien ; il n'accorde pas à Henri V l'économie d'une guerre de conquête. Le traité de Troyes prétendait faire la paix. Il fit la guerre. C'est Munich au XVe siècle.

Seul le crime de Montereau fut mis en avant pour justifier l'exhérédation du dauphin Charles ; ni dans les négociations, ni dans le texte du traité, il n'a été question de la prétendue bâtardise du dauphin. Le traité pose en effet des questions de « droit constitutionnel » : peut-on déshériter le successeur légitime ? Le roi peut-il modifier l'ordre de sa succession ? Qu'est-ce qu'un roi légitime ? Les partisans du dauphin se placent immédiatement sur le terrain du droit pour déclarer nul ce traité. Selon eux, le roi-personne ne peut disposer de la couronne à sa guise ; en vertu de la loi salique, le fils aîné du roi, ou le plus proche parent par les mâles, hérite du trône. La légitimité repose donc entièrement sur le sang ; d'ailleurs, dès 1423, Charles VII devenu roi mais non sacré utilisa le grand sceau de majesté. Contre cet argument fort, la propagande anglo-bourguignonne inventa alors la bâtardise. Ni les uns ni les autres ne réussirent à convaincre certaine fillette de Domrémy qui pensait encore que seul un bon sacre pouvait faire d'un « gentil dauphin » un roi !

5. L'équilibre de l'impuissance (1420-1428)

Les trois France.

Les Anglais occupent la Normandie, la région parisienne, Calais et la Guyenne ; les Bourguignons tiennent, outre la Bourgogne et la Flandre, la Champagne et la Picardie ; tous les pays du sud de la Loire, l'Orléanais, l'Anjou, le Maine et une partie du Chartrain reconnaissent le dauphin. Rien n'est figé cependant : le Mont-Saint-Michel a résisté jusqu'au bout aux Anglais ; des bandes delphinales conservent quelques places en Picardie et en Champagne, tandis que le routier Perrinet Gressart pille l'Auxerrois et le Berry pour le compte des Anglais, des Bourguignons ou le sien propre.

La France delphinale, avec ses institutions et son gouvernement rapidement installés, est viable, d'autant que le dauphin n'est pas l'être minable, ballotté par les événements et manipulé par les factions que l'on a souvent décrit. Il n'est pas un homme de guerre ; il est parfois indécis et suit souvent l'avis du dernier qui a parlé. Mais il arrive qu'il parle lui-même le dernier et sait alors être ferme. Habile, il utilise ses faibles moyens et exploite les rivalités de ses adversaires comme de ses partisans. Il doit tenir militairement et ramener à lui le duc de Bourgogne. A quel prix ? A lui d'en décider.

Certains conseillers influents de Philippe le Bon militent en faveur d'un rapprochement avec le dauphin. La perspective n'a rien d'irréaliste car les rapports avec les Anglais sont difficiles. Mais les Anglais savent que sans l'alliance bourguignonne ils ne pourront jamais conquérir leur nouveau royaume. D'autant plus que la mort d'Henri V, le 31 août 1422 (Charles VI mourant, ironie du sort, après son héritier, le 22 octobre !), ouvre une longue période de régence en Angleterre comme en France. Au nom d'Henri VI, âgé d'un an, le duc Jean de Bedford, frère d'Henri V, va assumer, avec beaucoup d'intelligence, une régence que Philippe le Bon, cette fois, ne lui conteste pas.

Dès qu'il apprit la mort de son père, le dauphin se proclama roi de France sous le nom de Charles VII.

Le tournant de Verneuil (1424).

Charles VII n'était encore que le roi des Armagnacs. Grâce à la solide alliance scellée au début de la guerre de Cent Ans avec le royaume d'Écosse, il put recruter, de 1419 à 1423, une armée de 16 000 hommes commandée par Jean Stuart, comte de Buchan, et Archibald Douglas. Le roi fit le premier connétable et le second duc de Touraine. Ces contingents lui permirent d'aller rétablir personnellement son autorité en Languedoc de décembre 1419 à mai 1420. Ils assurèrent surtout, par la victoire de Baugé du 22 mars 1421, la survie du royaume de Bourges. Pourtant ces troupes, irrégulièrement payées et donc indisciplinées, se rendirent vite insupportables aux populations de la vallée de la Loire.

Henri V, puis Bedford protégèrent en priorité la Normandie et Paris et rendirent sûr l'axe vital de la Seine en s'emparant de Sens, Montereau, Melun, Dreux (en 1421) et Meaux (après un long siège, le 10 mars 1422). Les troupes du dauphin ne restèrent pas inactives en pays anglo-bourguignon : Saint-Riquier sur la Somme en 1421, le pont de Meulan sur la Seine en janvier 1423, Compiègne en novembre 1423 sont gagnés.

Anglais et Bourguignons resserrent leur alliance à Amiens au printemps 1423 et prennent l'offensive. Le 31 juillet, à Cravant, sur l'Yonne, ils battent les troupes de Charles VII. Puis le routier Perrinet Gressart s'empare de La Charité-sur-Loire, menaçant dès lors le Berry. Enfin, le 17 août 1424, à Verneuil — un désastre comparable à Azincourt —, l'armée écossaise est quasiment détruite.

La Normandie est désormais à l'abri et connaît jusqu'en 1434 une relative prospérité. Pour Charles VII, la terrible défaite marque l'heure des révisions déchirantes. Tours n'a-t-il pas accueilli avec joie la nouvelle du massacre des Écossais ?

De grandes manœuvres diplomatiques et politiques commencent alors, orchestrées par Yolande d'Aragon, duchesse d'Anjou, reine de Sicile, et surtout belle-mère de Charles VII.

Par la médiation du duc Amédée de Savoie, une trêve est conclue avec la Bourgogne (septembre 1424, Chambéry). Pour rompre l'alliance anglo-bretonne, Yolande approche le frère du duc Jean V, Arthur, comte de Richemont, qui accepte le 7 mars 1425 la charge de connétable, vacante depuis la mort de Buchan à Verneuil; l'alliance formelle du roi de France et du duc suit, le 5 octobre. Enfin, dans le Midi, le comte de Foix, après quelques années de bouderie, se réconcilie avec le roi. Charles VII paie ces nouvelles alliances par l'éviction de ses conseillers armagnacs, Louvet, Frotier, Le Maçon.

Armagnacs et Écossais sont évincés en même temps : c'est la sanction de la défaite de Verneuil.

Le connétable de Richemont.

La tâche s'annonce rude pour le nouveau connétable. Les Anglais conquièrent le Maine en 1425 et 1426. Le duc de Bourgogne, lié par la trêve de Chambéry, ne les a pas aidés; aussi font-ils pression sur lui en encourageant Perrinet Gressart à violer la trêve en Nivernais et en Berry; le routier s'empare de Sancerre et fait prisonnier Georges de La Trémoille, l'homme de confiance, alors, de Richemont.

Le roi, qui n'a abandonné qu'à contrecœur ses conseillers armagnacs, ne s'entend guère avec Richemont et dresse contre lui Pierre de Giac, que les Angevins font disparaître en 1427, puis La Trémoille, qui rompt avec son ancien protecteur. Enfin, beaucoup de capitaines, dont les Écossais survivants, n'ont pas apprécié le tournant politique de 1424-1425. Le royaume de Bourges est bien alors une véritable pétaudière. Tout n'est pas négatif cependant : l'alliance du comte de Foix et du duc de Bretagne permet au roi de recruter des contingents bretons et gascons qui valent largement les Écossais. A tous points de vue!

On a dit Charles VII apathique et manipulé par le parti angevin. D'autres, au contraire, l'ont jugé habile. En fait Charles VII n'a pas alors les moyens de sa politique et il ne se résout pas à faire la politique de ses pauvres moyens! L'objectif de Richemont et des Angevins — la paix avec la Bourgogne —, ne le gêne pas. Mais il n'accepte pas cette coalition princière qui s'empare du pouvoir aux dépens de serviteurs du roi et de capitaines d'une fidélité éprouvée (les Gaucourt, Culan, La Fayette, du Châtel, etc.).

Significativement, la disgrâce de Richemont en septembre 1427 intervient après un succès militaire, la levée du siège de Pontorson. Elle sanctionne en réalité un double échec diplomatique : en mai 1427, le duc de Bretagne revient à l'alliance anglaise, tandis qu'au même moment le règlement de l'affaire du Hainaut ramène le beau fixe dans les relations anglo-bourguignonnes. Les espoirs de « réconciliation nationale » s'évanouissent.

En juillet 1427, les Anglais échouaient devant Montargis, que défendait le bâtard d'Orléans, le futur Dunois. Plus tard, dans une ordonnance, Charles VII datera de cet événement « le commencement de la recouvrance depuis par nous faite de plusieurs de nos pays... ». Ce n'est guère aimable pour Jeanne d'Arc sans doute, mais cela correspondait bien à ce qu'elle pensait : pour « bouter les Anglais hors du royaume », mieux valait compter sur ses propres forces. Les Anglais tirèrent la leçon de l'échec : pour vaincre Charles VII, il fallait forcer le passage de la Loire.

6. Jeanne d'Arc

« Il n'y a personne au monde, ni rois, ni ducs, ni fille du roi d'Écosse, qui puisse recouvrer le royaume de France [...] et il n'aura d'autres secours si ce n'est de moi », déclare Jeanne d'Arc en janvier 1429 au capitaine de Vaucouleurs, Robert de Baudricourt. La situation était grave : Charles VII avait dû déloger de Bourges, le 17 juillet précédent, Richemont qui s'était rebellé. Le 12 octobre, les Anglais mettaient le siège devant Orléans.

Baudricourt, qui, en mai 1428, s'était moqué de la jeune fille, se laisse cette fois convaincre.

La délivrance d'Orléans.

Jeanne est née en janvier 1412 à Domrémy, châtellenie de Vaucouleurs, bailliage de Chaumont, de Jacques d'Arc et d'Isabelle Romée, des paysans aisés. Jeanne n'était pas plus bergère que les autres filles du village, qui, chacune à son tour, conduisaient le troupeau commun. Sa mère lui apprit quelques rudiments d'instruction religieuse qu'elle compléta en écoutant les sermons des frères mendiants ; elle allait parfois à Notre-Dame-de-Bermont, dans le voisinage, rendre grâce à la Vierge. En somme, l'éducation normale d'une fille de paysans qui ne sut jamais « ni A ni B ».

Un jour de 1425, l'année où les Bourguignons attaquèrent Domrémy, elle entendit des voix — celles de sainte Marguerite, sainte Catherine et saint Michel — qui lui commandaient d'aller auprès du roi pour sauver le royaume. Elle hésita, en parla autour d'elle, puis s'adressa à Baudricourt. Ce n'est qu'en février 1429, après que Vaucouleurs eut été assiégé et Domrémy incendié, que Baudricourt accepta de lui fournir un équipement et une escorte ; par précaution il l'envoya à Nancy auprès du duc de Lorraine (elle put voir à cette occasion un portrait de Charles VII). Elle quitte Vaucouleurs le 22 février au soir et arrive à Chinon le 4 mars. Prévenu par Baudricourt, le roi la reçoit le 6 mars, qui est un dimanche.

La cour est divisée. Le chancelier Regnaut de Chartres, archevêque de Reims, se méfie des visionnaires et des prophètes, surtout quand ils sont femmes. L'Église de ce temps tolère mal ces mystiques qui prétendent entretenir une relation particulière avec le divin. Pourtant, on l'a vu, l'Église du schisme avait été bien aise de s'appuyer sur Brigitte de Suède ou Catherine de Sienne. Comment ne pas évoquer ces « sœurs de Jeanne d'Arc » (A. Vauchez) : Jeanne-Marie de Maillé, morte à Tours en 1414, qui dénonçait les vices de la cour ; Piéronne la Bretonne, que Jeanne a rencontrée à Jargeau, qui s'en prit, comme elle, aux Anglais, fut capturée par eux et brûlée à Paris en 1430 ?

En arrivant à Chinon, Jeanne n'avait donc pas surpris. On l'examina : les matrones s'assurèrent de sa virginité, les théologiens de son orthodoxie. La Pucelle reçut une armure complète, des chevaux, une escorte et un étendard à la devise « Jésus Maria ». Des adeptes enthousiastes l'avaient suivie depuis la Lorraine ; à la cour, elle trouva le soutien des capitaines et des jeunes princes peu favorables au compromis avec le duc de Bourgogne : le duc d'Alençon, Gilles de Rais, La Hire, etc.

Elle entre à Orléans le 29 avril, accueillie par Dunois, et redonne espoir à la garnison et aux habitants. Une série de combats victorieux force les Anglais à lever le siège, le 8 mai. La première prophétie de Jeanne est réalisée. La nouvelle de ce succès se répandit vite, dans la France anglaise comme dans le royaume de Bourges. Elle gagna Lyon, où le vieux Jean Gerson, pourtant si prévenu à l'égard des mystiques, approuva la patriote fidèle à son roi. Du couvent de Poissy, Christine de Pisan reprit la plume :

> « L'an mil quatre cent vingt et neuf
> Reprit a luire le soleil. »

Cette promptitude des « intellectuels » laisse entrevoir un ébranlement profond des consciences françaises.

Le voyage à Reims.

Les succès s'enchaînent : sur la Loire, Jargeau, Meung, Beaugency sont repris ; à Patay, les Anglais sont défaits le 18 juin ; en l'espace de quelques semaines, ils ont perdu leurs meilleurs capitaines, Talbot, Salisbury, Suffolk, Falstolf, tués ou prisonniers. Le moral est au plus bas, les désertions se multiplient et le système de défense de la Normandie doit être entièrement revu. On comprend que certains conseillers de Charles VII aient souhaité tenter la reconquête de la Normandie, plutôt que d'aller à Reims, en plein pays bourguignon, faire sacrer le « gentil dauphin », comme le voulait Jeanne d'Arc.

A la cour, quelques esprits forts pensaient que le sacre n'était guère utile, la couronne se transmettant uniquement par le sang. Charles VII n'est pas de ceux-là. Il n'est pas exact de dire qu'il avait négligé de se faire sacrer. En 1423, il écrivait aux fidèles habitants de Tournai qu'il préparait une expédition en vue de se rendre à Reims ; à Cravant ses troupes devaient ouvrir la voie mais leur défaite contraignit le roi à ajourner son projet. Plus tard, Charles VII commandera à Fouquet l'ornementation de son exemplaire des *Grandes Chroniques* ; huit des cinquante miniatures représentent le sacre d'un roi de France. N'est-ce pas la preuve de l'importance que le roi accordait à cette cérémonie?

Jeanne n'a que faire des idées des clercs et des savants. Sa culture est celle du peuple et « le peuple voulait un sacre et un couronnement pour faire un roi » (R. Jackson). Elle toucha juste. Des hommes d'armes vinrent spontanément à Gien se mettre à son service. Le voyage prit rapidement une allure triomphale : on négligea Auxerre qui refusait d'ouvrir ses portes; menacée d'un siège en règle, Troyes capitula; Châlons et Reims, enfin, ouvrirent leurs portes. Le lendemain, 17 juillet, Charles VII recevait l'onction du sacre de la main de Regnaut de Chartres, qui officiait pour la première fois dans sa cathédrale. Il avait fallu improviser. Les insignes du sacre et la couronne étaient à Saint-Denis, alors aux mains des Anglais; on ne disposait pas à Reims de copie de l'ordo de Charles V. Une couronne de remplacement et le dernier ordo capétien, plus simple, firent l'affaire. Manquaient enfin beaucoup de pairs qu'il fallut remplacer.

Les pairs de France.

Après l'onction l'archevêque a posé la couronne. Les douze pairs, alors, tendent les mains vers celle-ci pour marquer le soutien du royaume à son chef.

La liste en avait été dressée en 1275. Six pairs ecclésiastiques : l'archevêque de Reims, les évêques de Langres et de Laon, qui avaient rang de duc, et les évêques de Châlons, Noyon et Beauvais, qui avaient rang de comte. Six pairs laïcs : les ducs de Normandie, Guyenne et Bourgogne; les comtes de Flandre, Toulouse et Champagne. La liste des pairs ecclésiastiques ne bougea pas; celle des laïcs en revanche dut être modifiée puisque, dès avant le XIVe siècle, Normandie, Toulouse et Champagne avaient été rattachées au domaine. Sans plus se soucier du chiffre six, les rois créèrent donc de nouveaux pairs, qu'ils choisirent parmi leurs parents : Bourbon, Anjou, Alençon. Au XIVe siècle, le roi s'appuie sur ses parents, non plus sur ses vassaux. Mais on continua d'utiliser la liste de 1275 dans les cérémonies comme le sacre.

A Reims, ce 17 juillet 1429, seul manquait, parmi les pairs ecclésiastiques, l'évêque de Beauvais, Pierre Cauchon, un partisan des Anglais. Pour les laïcs on « représenta » les pairies traditionnelles : Alençon, le seul pair présent, figura le duc de Bourgogne, doyen des pairs ; les comtes de Clermont et de Vendôme représentèrent Normandie et Guyenne ; Guy de Laval, Raoul de Gaucourt et Hardouin de Maillé tinrent la place des comtes de Toulouse, Flandre et Champagne. Ainsi procéda-t-on par la suite pour les sacres.

Jeanne d'Arc, présente aux côtés du roi, exultait : « Ores est executé le plaisir de Dieu qui voulait que vinssiez à Reims recevoir votre digne sacre, en montrant que vous estes vrai roi et celui auquel le royaume doit appartenir. » Quatre jours plus tard, selon l'usage instauré par Jean le Bon, le roi se rendait à Corbeny devant la châsse de saint Marcoul, pour y guérir des écrouelles. Pour la première fois il accomplissait le « miracle royal ». Grâce à Jeanne d'Arc, Charles VII était devenu pleinement le roi.

Le bûcher de Rouen.

En terre bourguignonne, les succès continuent : Laon, Soissons, Château-Thierry, Compiègne sont pris. Mais, le 8 septembre, c'est l'échec devant Paris. En concluant alors une trêve avec Philippe le Bon, le roi signifie que, pour le moment, il renonce à cette ville. Malgré Jeanne. La guerre se réduit à nouveau à de médiocres combats pour défendre ou conquérir des places. La Pucelle sombre dans l'anonymat de ces bagarres sans gloire ; le 24 mai 1430, alors qu'elle défend la garnison assiégée de Compiègne, elle tombe aux mains de Jean de Luxembourg, un fidèle du duc de Bourgogne, qui la « vend » aux Anglais.

L'Université de Paris réagit la première : le 26 mai, elle accuse Jeanne d'hérésie et demande son jugement par un tribunal d'inquisition que l'évêque de Beauvais Pierre Cauchon présidera puisque Jeanne a été capturée dans son diocèse. Mais comme Beauvais est aux mains des partisans de Charles VII, le tribunal siégera à Rouen, où Cauchon s'est réfugié.

Le procès s'ouvre le 20 février 1431 devant une cour composée de théologiens et d'universitaires au nombre de 231 (mais tous ne siègent pas en même temps). Deux mondes, deux religions, deux cultures s'affrontent sans se comprendre : ceux des clercs, ceux du peuple. Cauchon et les juges de Rouen ont été formés à lutter contre l'hérésie; or, maintenant, l'Église assimile à l'hérésie non seulement la sorcellerie, mais aussi les superstitions populaires. Jeanne, pour ses juges, est une sorcière qui use de maléfices et fait commerce avec le diable. Elle est aussi une insoumise; certes elle ne remet jamais en cause l'Église militante, mais elle maintient devant ses juges que les commandements de Dieu lui sont directement révélés, sans l'intermédiaire du prêtre.

La procédure fut régulière, les juges voulant éviter tout reproche. Jeanne fut interrogée du 20 février au 15 mars. On lui relut, en français, le texte de ses dépositions. De celles-ci un acte d'accusation en 70 articles fut tiré; il déformait tellement la pensée de Jeanne que les juges, gênés, le reprirent et le résumèrent en 12 articles, qu'ils soumirent à l'Université. En attendant la réponse de cette dernière, on tenta de convaincre Jeanne et de faire céder son orgueil diabolique. La torture fut envisagée, mais on y renonça « afin que le procès qui avait été fait ne pût être calomnié ». La réponse de l'Université arrive le 23 mai : idolâtre, superstitieuse, schismatique, hérétique, telle est Jeanne d'Arc. La pression des juges ne se relâche pas et le lendemain, dans le cimetière de Saint-Ouen où la sentence doit être prononcée, Jeanne cède et abjure ses fautes. Elle est condamnée à la prison perpétuelle. Les Anglais sont furieux : ils voulaient la mort; et pourtant l'abjuration de Jeanne portait un rude coup à la légitimité de Charles VII!

Mais Jeanne se ressaisit, reprend ses habits d'homme et révoque son abjuration. Cauchon exulte : Jeanne est retombée dans ses erreurs; elle est relapse. Selon la formule consacrée, elle est livrée au bras séculier pour être brûlée le 31 mai sur la place du Vieux-Marché. La propagande anglaise s'efforça de cacher ce retournement de situation, défavorable à ses thèses.

L'aventure de Jeanne d'Arc demeure pour l'historien tout à fait extraordinaire; la légende eut tôt fait de s'emparer de cette figure exceptionnelle — avec quelques excès, et même des couleurs plus que douteuses aujourd'hui. Limitons-nous à quelques problèmes historiques confus ou encore mal élucidés concernant l'attitude des Anglais et celle de Charles VII.

Les historiens anglais ont développé des thèses qui tendent à atténuer les responsabilités de leurs compatriotes, thèses qu'on a pu qualifier de «révisionnistes» (P. Contamine). «Jeanne d'Arc victime d'une guerre civile», écrit M. Vale (France anglaise), reprenant l'idée, plus générale, que la guerre de Cent Ans serait avant tout le résultat d'une réaction des grands feudataires (parmi eux, le duc de Guyenne) aux excès de la centralisation monarchique. L'idée est féconde, mais elle s'autodétruit si on la pousse trop loin : car, que l'on sache, en 1415, c'est un roi d'Angleterre, pas un duc de Guyenne, qui entreprend de conquérir «son royaume» de France; ce sont les Anglais que Jeanne veut «bouter hors du royaume». Et dire que les Anglais ne sont pas vraiment impliqués dans le procès de Jeanne sous prétexte que 95% de ses juges sont des Français n'est pas sérieux.

Les Anglais, comme tous les occupants de l'Histoire, voudraient être aimés. Que les occupés cherchent d'abord à survivre ne change rien à leurs sentiments profonds. Sinon il n'y aurait pas eu Jeanne d'Arc. Naturellement, certains des occupés collaborent, par nécesssité ou par conviction. Les juges de Jeanne d'Arc sont de ceux-là; ils sont des «Français reniés», comme on le dira plus tard. Pas tous au même degré, mais Cauchon, tout théologien et universitaire qu'il est, est d'abord, et ouvertement, l'homme des Anglais.

Mais, dira-t-on, ces juges sont des hommes d'Église; ils ont jugé une sorcière selon une procédure d'inquisition qui n'est ni anglaise ni française; dans le Dauphiné de Charles VII, des clercs «patriotes» et des officiers royaux envoient sans état d'âme particulier sorciers et sorcières au bûcher. Les Anglais étaient préoccupés par l'hérésie, la sorcellerie? Sans doute, mais pas plus que Jeanne d'Arc qui écrivit aux hussites et les menaça de venir en Bohême les combattre. Hérétique, sorcière ou putain, peu importe, Jeanne devait périr pour des raisons politiques. D'ailleurs, tous les procès politiques, des templiers à Jeanne d'Arc, en passant par Marigny ou Bétisac, ont pris la forme de procès d'hérésie. Alors, qu'il y eût ou qu'il n'y eût pas d'Anglais dans le tribunal est secondaire. Les Anglais avaient intérêt à laisser la sale besogne à des Français collaborateurs; et pourquoi intervenir tant que ceux-ci faisaient ce qu'on attendait d'eux? Ne lavons donc ni les Anglais ni Cauchon de leurs responsabilités. Ce dernier a conduit en toute connaissance de cause, et avec le savoir-faire du théologien, le procès politique dont les premiers avaient besoin.

La réhabilitation.

Tout aussi politique fut, en 1450-1456, le procès de réhabilitation, car Charles VII devait démontrer que Jeanne avait été sans faiblesse. Alors pourquoi avoir tant attendu ? Pourquoi n'avoir rien tenté pour délivrer Jeanne ?

N'invoquons ni l'apathie du roi, ni les querelles de clan : La Trémoille hostile à Jeanne, Richemont (en disgrâce alors) et les Angevins favorables. L'hypothèse faisant de Jeanne la représentante du parti de la guerre à outrance, face aux partisans de la paix avec la Bourgogne (La Trémoille, les Angevins, le chancelier Regnaut de Chartres), est plus sérieuse. Jeanne aurait été sacrifiée sur l'autel de la réconciliation. Mais est-elle hostile à la paix avec la Bourgogne ? Quand elle écrit aux Anglais, elle les somme de vider le pays ; quand elle s'adresse à Philippe le Bon, elle lui demande de se soumettre à son roi. Nuance ! L'incompréhension du roi alors ? Cauchon et Bedford, Charles VII et Regnaut de Chartres viennent du même monde et Jeanne d'un autre. Maléfique ou utile, elle gêne de toute façon. Charles VII n'a pas proposé de rançon ; peut-être n'y a-t-il pas songé, la rançon est affaire de noble, pas de « bergère » ; peut-être pensait-il que c'était inutile, les Anglais n'ayant nullement l'intention de la relâcher. On laissa l'affaire suivre son cours ! Quant aux hardis capitaines compagnons de la Pucelle... La Hire était prisonnier. Rouen trop bien défendu.

Mais le roi ne pouvait devoir son trône à une sorcière. Il lui fallait obtenir l'annulation du jugement condamnant la Pucelle. Charles VII ne tarda pas. Le jugement, en effet, avait toutes les apparences de la régularité ; il fallait démontrer le contraire et donc reprendre le contrôle des instances ecclésiastiques qui avaient condamné Jeanne, c'est-à-dire l'Université de Paris et le siège épiscopal de Rouen ; enfin, rien ne pouvait être engagé sans l'accord du pape. Ces conditions ne furent remplies qu'à partir de 1450.

Le procès dit de réhabilitation comporte trois actes de procédure. L'information sur les conditions du procès de Rouen, commencée le 15 février 1450 par le théologien Guillaume Bouillé et qui conclut à la nécessité de laver Jeanne des accusations portées contre elle ; la procédure engagée en 1452 par le légat du pape, le cardinal (normand) d'Estouteville, qui est mise en sommeil car le pape reste réticent ; enfin, décisive, la procédure mise en route à la demande de la mère et du frère de Jeanne. Elle aboutit le 7 juillet 1456 à la sentence qui annule le procès de 1431 et déclare que Jeanne « n'a encouru [...] aucune marque d'infamie ni macule [...] qu'elle doit être déchargée et disculpée ».

Cette « réhabilitation » est circonscrite dans des limites étroites. Les juges de 1456 ont gommé tout le côté surnaturel de la mission de Jeanne (les voix, le prophétisme) : Jeanne n'est pas une sorcière, il suffit ! Ils n'ont jugé que la procédure ; or elle offrait un magnifique vice de forme : le matin de son supplice, dans son cachot, Jeanne avait pu se confesser et avait reçu la communion, avec l'accord de Cauchon ; relapse et excommuniée, elle n'y avait pas droit. Les juges de 1456 ne se firent pas faute d'exploiter une contradiction aussi énorme.

En 1450, il n'était pas possible pour les juges de ne pas tenir compte du souvenir laissé par Jeanne d'Arc dans la France victorieuse. La légende prend forme en France (un mystère est joué en son honneur à Orléans dès 1435), en Dauphiné (ballade en sa faveur), mais aussi en Allemagne, en Italie, en Castille, où ses exploits imaginaires à La Rochelle, un port cher aux Castillans, sont narrés dans la *Poncella*, un texte composé au milieu du XVe siècle et imprimé en 1512.

La raison d'État, le retour à la paix imposaient d'enterrer l'affaire Jeanne d'Arc. L'honneur du roi, les exigences de l'opinion rendaient indispensable une réhabilitation. Elle fut prononcée « franchement du bout des lèvres ». Le soin de la conduire à son terme fut laissé à la légende.

Épilogue : la France réconciliée

La guerre se prolongea vingt-deux ans encore après la mort de Jeanne. Son sacrifice n'aurait-il donc eu aucun écho?

A Bourges, l'objectif est désormais clair : faire la paix avec la Bourgogne. L'échec devant Paris, le 8 septembre 1429, démontre qu'on n'y parviendra que par la diplomatie. A la cour de Charles VII, les luttes de clans reprennent de plus belle après la mort de Jeanne. La Trémoille fait la pluie et le beau temps jusqu'à ce que, en juin 1433, Richemont et les Angevins tentent de le faire assassiner : ils échouent, mais prennent sa place. La duchesse de Bourbon, son mari étant prisonnier, protège ses États en concluant des trêves séparées avec la Bourgogne. Dans le Midi, le comte de Foix est fidèle au roi, mais il n'en fait qu'à sa tête. Quant aux capitaines, ils défendent le roi sans lui obéir, selon la jolie formule de l'*Histoire de France* dirigée par Lavisse. Bref, après l'euphorie de 1429, on ne pense pouvoir mieux faire que conserver les acquis.

Philippe le Bon avait renoué avec Charles VII, dès 1422, par l'intermédiaire de l'obstiné duc de Savoie. L'alliance anglaise ne lui apporte pas grand-chose en France, hormis l'instrument militaire. Aux Pays-Bas, l'affaire du Hainaut le prouve, les Anglais jouent leur partie et ne s'embarrassent guère des intérêts de Philippe. En représaille, le Bourguignon a retiré ses troupes d'Orléans; mais il a défendu Paris en septembre 1429. Les combats de 1430-1431 se révèlent décevants : les capitaines de Charles VII infiltrent les abords de la Normandie (La Hire délivre Barbazan à Château-Gaillard), l'Ile-de-France (l'expression date de 1429), la Brie et la Champagne. Le pillage et l'insécurité reviennent, mais la population parisienne en rend cette fois responsables Anglais et Bourguignons. Un signe : les complots se multiplient à Paris.

Les Anglais sont maintenant sur la défensive. Des troupes de Charles VII font des raids en Normandie (Ambroise de Loré sur Caen en 1431); des révoltes paysannes embrasent le Bessin et la campagne de Caen en 1434. Les Anglais ont besoin des Bourguignons plus que ceux-ci n'ont besoin d'eux. Le mouvement qui porte Philippe le Bon vers le camp français est irréversible. Le duc n'assista même pas, le 16 décembre 1431, au sacre du jeune Henri VI à Paris, réplique dérisoire du sacre de Reims.

Philippe veut faire la paix avec Charles VII tout en maintenant les Pays-Bas à l'abri de l'hostilité anglaise. Il y parviendra en partie, preuve qu'il n'était pas si médiocre homme d'État et diplomate qu'on a pu l'écrire.

La trêve de Lille conclue pour six ans en 1431 permet aux deux « frères ennemis » d'engager de véritables négociations de paix sous les auspices des légats pontificaux. Le retour en grâce de Richemont en 1433 et la prééminence du chancelier Nicolas Rollin à la cour de Bourgogne facilitent le rapprochement. La rencontre décisive a lieu à Nevers, en terre ducale, en janvier 1435. On festoya beaucoup et un chroniqueur releva, amer : « Bien fol estoit celui qui en guerre se boutoit et faisait tuer pour eulx. » Les affaires en litige se situent sur quatre niveaux : la querelle personnelle entre le roi et le duc, en clair le règlement du meurtre de Montereau ; la réconciliation franco-bourguignonne, qui est étroitement liée à la précédente ; la paix générale qui implique les Anglais ; des problèmes particuliers, les relations de la Bourgogne et du Bourbonnais par exemple.

Rendez-vous est pris à Arras où, le 5 août 1435, s'ouvre, sous l'égide de cardinaux représentant le pape et le concile de Bâle, la plus grande conférence de paix qu'on eût jamais vue. Le duc Philippe est là en personne ; le cardinal Beaufort mène la délégation anglaise, au sein de laquelle figure Pierre Cauchon mais pas Bedford, malade (il meurt à Rouen le 14 septembre). Richemont et le nouveau duc de Bourbon, Charles, dirigent l'ambassade française.

La négociation franco-anglaise bute très vite sur les conditions anglaises : Charles VII deviendra Charles de Valois, premier baron du royaume de France et vassal d'Henri VI. Quel réalisme au moment où deux capitaines français franchissent la Somme et marchent vers Calais, tandis que Dunois s'empare de Saint-Denis ! Les médiateurs sont consternés. La rupture est consommée le 6 septembre. L'intransigeance anglaise ôte au duc de Bourgogne tous ses scrupules : il signe une paix séparée avec Charles VII le 21 septembre.

Le roi fait amende honorable et renie le meurtre de Montereau. Il cède l'Auxerrois et le Mâconnais, les châtellenies de Péronne, Roye et Montdidier et tous les territoires au nord de la Somme (avec une possibilité de rachat cependant). Enfin il délie d'hommage le duc Philippe, envers sa personne seulement. Le roi s'est certes humilié sur le premier point, mais il n'a cédé que des broutilles sur le reste ; le duc de Bourgogne est satisfait, pourtant il n'a pas gagné grand-chose : dispensé d'hommage, mais à titre personnel, il n'est toujours qu'un prince territorial dans le royaume de France. Il se trouva dans les deux camps des gens pour s'indigner des concessions consenties. Longtemps encore on s'injuriera des noms de « Bourguignons » et d'« Arminhas » dans les campagnes françaises.

Il fallut bien pourtant s'entendre, lors de la première manifestation militaire de la nouvelle alliance : le 13 avril 1436, les troupes royales de Richemont et les troupes bourguignonnes de Villiers de l'Isle-Adam s'emparaient de Paris. Villiers était un expert : il avait pris la ville aux Armagnacs en 1418 ; il l'avait victorieusement défendue contre Jeanne d'Arc et Charles VII en 1429 !

Il n'y eut ni pillage, ni représailles, ni vengeance. Seuls les « collaborateurs » les plus notoires partirent avec les Anglais le 15 avril. Mais Charles VII attendit le 12 novembre 1437 pour faire son entrée solennelle dans la capitale ; il introduisit à cette occasion le rituel de la remise des clés, qui signifiait prise de possession. Puis il repartit pour le val de Loire. Le roi passait l'éponge, mais il n'oubliait rien.

4
Les difficultés de l'État moderne

Le rétablissement de l'unité du royaume s'accompagne du rétablissement de l'unité des structures politiques. La crise a marqué celles-ci de deux façons, apparemment contradictoires. Elle a favorisé quelques progrès décisifs dans le processus de genèse de l'État moderne (permanence de l'impôt, fonction publique) ; elle a entraîné aussi des reculs et des hésitations. Comment imaginer un développement linéaire de l'État monarchique dans un pays que la guerre a ravagé et qui a perdu la moitié de sa population ?

Les événements des années 1356-1358 ont montré qu'une autre voie que celle qu'a empruntée l'État monarchique français était possible : une monarchie contrôlée par les États était viable. Mais l'échec de ces assemblées d'États a laissé le champ libre au roi dont l'autorité, contestée mais habilement préservée, sut jouer du temps. Un pouvoir souverain, agissant dans un cadre territorial défini, avec des moyens administratifs diversifiés, tel est l'État moderne en train de naître. En attirant à lui la nation (B. Guenée), il a reçu un renfort décisif. L'État moderne, c'est la monarchie nationale.

1. Le roi et son entourage

Le concept d'État, dans son sens actuel, n'apparaît qu'au XVIe siècle ; au XVe le mot n'était jamais utilisé seul ; on parlait de « l'état du roi et du royaume ». La chose existe pourtant ! La théorie des deux corps du roi, qui se constitue alors, introduit une différence entre la personne du roi, qui est mortelle, et la fonction royale, jamais interrompue, symbolisée par la couronne. Toutefois n'allons pas trop avant dans le sens de la « modernité » du XVe siècle : autant qu'en majesté, notre roi sait aussi se présenter familièrement et demeurer accessible. Il y a encore du « médiéval » au XVe siècle, et même au-delà !

Le roi souverain.

La souveraineté du roi s'exerce dans les limites du royaume. Au-delà, le roi peut avoir des droits, sur l'abbaye de Luxeuil en Lorraine par exemple, ou en Dauphiné, qui appartient à l'héritier du trône. Ce n'est pas le royaume.

Charles V, on s'en souvient, multiplia les précautions pour interdire à son visiteur, l'empereur Charles IV, toute manifestation de souveraineté sur le territoire français. Aussi lorsqu'au printemps 1416 l'empereur Sigismond, fils de Charles IV, qui visitait Paris, adouba chevalier un plaideur en pleine séance du Parlement, cela choqua. On rappela la formule « le roi est empereur en son royaume ». Certes tout chevalier a le droit de faire « nouvel chevalier ». Mais en adoubant le plaignant, l'empereur l'anoblissait. Or l'anoblissement est un attribut du pouvoir souverain, donc du roi ; comme la légitimation des bâtards, la création d'offices de notaires ou la création des foires.

Autant qu'aux étrangers, la souveraineté du roi s'imposait aux princes du royaume. Le roi réagit contre ceux qui usaient de la formule « par la grâce de Dieu ». En 1440, Charles VII rappela aux animateurs de la Praguerie que, seul, il jouissait du droit exclusif de lever des troupes dans le royaume. En 1448, le duc François Ier de Bretagne demanda au roi « veu qu'il estoit homme subgiet du roy de France et son neveu, [...] de lui ayder à recouvrer sadicte ville [Fougère], ainsi que seigneur est tenu aydier à son vassal » (*Chronique* du Héraut Berry). Le vassal, même s'il est prince, devient un « sujet » et Louis XI le fit remarquer sans ménagement au duc lorsqu'il le reçut à l'hommage en 1461. A la fin du XVe siècle, la cause est entendue : plus personne ne conteste la souveraineté du roi.

Plus personne non plus ne conteste sa légitimité. Ni la folie de Charles VI, ni les innovations dangereuses du traité de Troyes n'ont modifié une tradition qui n'a été formalisée qu'en 1374. Lavé du soupçon de bâtardise, sacré en 1429, Charles VII a fait rechercher dans le royaume les manuscrits de la loi salique pour en fixer définitivement le texte. Aussi ne convient-il pas de prendre trop au sérieux la menace de déshéritement proférée par ce même Charles VII à l'encontre de son fils : l'aurait-il voulu qu'il n'aurait pu la concrétiser. Charles VIII meurt sans enfant en 1498 ; son plus proche parent par les mâles, son oncle Louis d'Orléans (Louis XII), lui succède sans problème. Acceptée par tous, la loi salique s'impose à tous, même au roi.

Le roi familier.

La féodalité a légué une double image du roi : le roi chevalier et le roi débonnaire et familier, au milieu de ses vassaux. Le roi inaccessible à ses sujets, caché au fond de son palais, est étranger à l'Occident médiéval.

Le modèle du roi chevalier, s'il est discuté, n'est pas vraiment remis en cause. Jean le Bon, « plein de grand courage et de hâtive volonté », fut aimé et admiré, à l'inverse de son père, qui, vaincu, avait fui le champ de bataille de Crécy, ou de son fils Charles V, un homme de cabinet. Charles VI, dans sa jeunesse, aima fort la vie rude des camps ; on le traîna à la tête des armées pendant la guerre civile, mais son oncle de Berry, rappelant le désastre de Poitiers, refusa qu'il participe à la bataille d'Azincourt. Charles VII, qu'on a dit peu belliqueux, a conduit, sans s'exposer directement, les campagnes décisives de la fin de la guerre de Cent Ans. Louis XI, étant dauphin, commanda des troupes ; devenu roi, il préféra éviter le hasard des combats. A la fin du siècle, le mirage italien redonna vie au modèle et l'on vit même, cent dix ans après les sages propos du duc de Berry, le roi François Ier capturé à Pavie.

Chevalier ou bureaucrate, le roi demeure accessible. Chroniqueurs et moralistes dénoncent ces conseillers (marmousets, Armagnacs, Bourguignons) qui font écran entre lui et son peuple. Cela n'empêche pas, en juin 1388, un vieil ermite des Corbières de venir mettre en garde Charles VI contre le poids des impôts; et nombreux furent les prédicateurs populaires qui forcèrent l'entrée des résidences royales pour dénoncer les maux qui accablaient le royaume. Jeanne d'Arc aurait-elle accédé si facilement au roi dans une atmosphère différente? Louis XI n'hésitait pas à rendre visite à ses «compères» de Tours, de bons bourgeois, pour vider un pot.

Là où est le roi, là est la cour; et là où est la cour, là est le roi familier, vulnérable, de qui on obtient toujours, par «importunité», une faveur ou un office (qu'il reste à faire reconnaître par les institutions compétentes!). La cour n'est pas une institution formalisée. S'y retrouvent les parents du roi, des familiers, des officiers et conseillers, des visiteurs de toute origine et de tout rang qui viennent traiter d'affaires d'État comme d'affaires privées. Environ huit cents personnes sous Charles VII. En être éloigné est une sanction ou un affront : les «oncles» ne le pardonnèrent point aux marmousets en 1389.

La cour bruit de rumeurs et d'intrigues; bals et fêtes «sauvages» sont l'occasion de présenter le dernier cri de la mode; les banquets sont égayés d'entremets, ces courtes scènes jouées entre le passage des plats. Tel est le côté brillant et mondain de la vie de cour. Il s'y passe aussi des choses sérieuses. Il y eut grande foule pour écouter Jean Petit justifier l'assassinat de Louis d'Orléans ou le frère Richard dénoncer les vices et la licence. A la cour de Chinon, Jeanne d'Arc vit pour la première fois le «gentil dauphin». Que ne ferait-on pour être à la cour! Aussi pour y rester mieux vaut dissimuler. Tel est le conseil que donne Jean Jouvenel des Ursins à son frère Guillaume, que Charles VII vient de nommer chancelier.

L'Hôtel.

Nourrir et entretenir les courtisans, tel est le rôle dévolu à l'Hôtel, qui regroupe les services domestiques du souverain. Mais il est devenu, comme noyau de la cour, le lieu stratégique pour obtenir la faveur du roi.

Les grands offices de l'Hôtel (grand maître, grand panetier...) ont supplanté les grands offices de la couronne; certains ont disparu (sénéchal dès le XIIIe siècle, bouteiller en 1449); d'autres ont été réduits à un titre honorifique (chambrier, héréditaire dans la maison de Bourbon depuis 1312). Seuls le connétable et le chancelier se sont maintenus : ils sont devenus les chefs de l'armée et de l'administration centrale du royaume.

L'Hôtel d'en haut, ou « Chambre », rassemble 150 à 200 personnes, chambellans, valets tranchants, écuyers d'écurie, etc., qui, malgré leurs titres, sont les véritables « politiques » de la cour. Le roi recrute parmi eux ses hommes de confiance, ses conseillers, ses officiers, ses baillis et sénéchaux, ses capitaines.

L'Hôtel d'en bas comprend les six métiers domestiques : paneterie, cuisine, fruiterie, écurie, échansonnerie et chambre ou fourrière. S'y ajoutent les services de l'aumônerie et la chapelle, les offices de « phisicien et apothicaire » et d'astrologue (Louis XI en engagea beaucoup). Charles VII constitua enfin une garde du corps écossaise d'une centaine d'hommes.

Les dépenses de l'Hôtel, qui sont considérables, sont gérées par une Trésorerie centrale qui répartit les fonds entre services : la Chambre aux deniers pour les dépenses quotidiennes, l'Argenterie pour les vêtements et fournitures diverses (Jacques Cœur a dirigé ce véritable magasin sous Charles VII), l'écurie, l'aumônerie, la garnison des vins et, pour finir, les coffres, où le roi cache ses joyaux et son argent de poche.

La direction de l'Hôtel est assurée par des maîtres d'hôtel (jusqu'à 13) avec un souverain, puis grand maître de l'Hôtel. Ce poste donnait la haute main sur une part importante des finances royales. Aussi était-il dangereux, pour son titulaire d'abord (Montaigu fut exécuté en 1409), pour le roi ensuite, qui le laissa se transformer en poste honorifique.

Dans l'Hôtel enfin, le roi, qui est source de toute justice, exerce « personnellement » celle-ci : c'est la justice « retenue », par opposition à la justice déléguée (les officiers, le Parlement). Le roi n'a plus le loisir d'écouter les plaideurs sous le chêne de Vincennes (Charles VIII pourtant s'efforça de tenir, une fois par semaine, une audience publique). Il en confie le soin aux maîtres des requêtes de l'Hôtel (ils sont 6 au maximum), qui sont les intermédiaires obligés entre le plaignant ou solliciteur et le roi et les services de la Chancellerie. A Poitiers, entre 1418 et 1436, les maîtres des requêtes de l'Hôtel furent confondus avec ceux du Parlement et siégeaient à la fois au Parlement et au Conseil. Anticipation, peut-être, du Grand Conseil judiciaire de la fin du siècle?

Naturellement, la reine, les enfants royaux, les princes du sang, les grands feudataires ont pareillement des hôtels. Pour un jeune prince, la constitution d'un hôtel marque son entrée dans la vie politique.

Il faut loger les courtisans. A Paris, il n'est plus question de les héberger au palais de la Cité, devenu siège des institutions centrales du royaume. Charles V résida au Louvre, pourtant austère, mais fit aménager l'agréable hôtel Saint-Paul; c'est là que Charles VI a vécu; hors de la ville, Vincennes, Beauté furent leurs résidences favorites. Charles VII ne vint guère dans la ville; Louis XI non plus, qui fit cependant relier l'hôtel des Tournelles à l'hôtel Saint-Paul par une galerie. Avec eux les rois de France s'installent pour longtemps dans les pays de Loire : ils «hivernent» à Chinon, Mehun-sur-Yèvre, Montil-lès-Tours, Plessis, Amboise. Les deux corps du roi sont bien séparés : la couronne est à Paris, la capitale du royaume; la personne du roi est là où le mènent ses affaires ou son bon plaisir.

Les deux corps du roi.

Dans la «mise en scène» du roi, l'essentiel a été fait au temps de Charles V, mais le XVe siècle ajouta quelques touches intéressantes. L'expression de «Très Chrétien», depuis longtemps répandue, fut officiellement introduite dans la titulature du roi Louis XI par le pape Paul II. Le sacre fut contesté par certains, qui pensaient que seul le sang légitimait le roi, et par d'autres, qui, voyant dans l'onction une institution humaine, pensaient que les prérogatives religieuses du roi ne pouvaient en découler. Le pouvoir thaumaturgique ne pouvait donc venir que du sang, mais il demeurait virtuel tant que le roi n'avait pas recu l'onction de la Sainte Ampoule; celle-ci est valorisée car elle est unique alors que le sacre lui-même est commun. L'opinion populaire, on le sait, n'a pas suivi ces raisonnements savants; le roi non plus : Charles VII s'est servi du sacre pour légitimer son pouvoir et Louis XI s'est précipité à Reims sitôt connue la mort de son père.

En revanche, le XVe siècle a « inventé » en mettant en scène, dans deux cérémonies très concrètes, le concept des deux corps du roi.

L'entrée royale est connue, mais Charles VII en fixa le cérémonial. Suivons le cortège qui, le 10 novembre 1449, entre dans Rouen reconquis. Derrière un rideau de gens d'armes, des dignitaires de l'Hôtel portent l'épée, le manteau et la couronne ; puis vient « une haquenée blanche, couverte de velours azur semé de fleurs de lys d'or [...], et dessus ladite couverture un petit coffret [...] auquel étaient les grands sceaux du roi de France... » ; le chancelier la suit ; puis le roi, « armé de toutes pièces, monté sur un coursier couvert jusques aux pieds de velours azur semé de fleurs de lys d'or de broderie, et sur sa tête un chapeau de velours vermeil... » ; derrière le roi, le grand maître d'hôtel porte l'étendard devant les princes du sang et les nobles de haut rang. Enfin, mille hommes d'armes montés ferment la marche. Le clergé le premier a salué le roi ; les bourgeois lui ont remis les clés de la cité ; il franchit la porte décorée de fleurs de lys. Alors, « quatre des plus notables de ladite ville mirent un ciel sur lui... » et le conduisirent jusqu'à la cathédrale (Héraut Berry).

La remise des clés qui symbolise la soumission et la présence du dais ou ciel datent de l'entrée royale de 1437 à Paris. A Rouen, la présence, devant la personne du roi, du grand sceau, symbole de la souveraineté et de la fonction royale, manifeste concrètement la doctrine des deux corps du roi. En 1451, à Bordeaux, puis à Bayonne, la même cérémonie fut reprise, Dunois et le comte de Foix, comme lieutenants généraux, prenant la place du roi absent. La monarchie victorieuse, et pas seulement le roi, rétablit sa souveraineté sur les pays conquis.

Les funérailles royales illustrent encore mieux la doctrine des deux corps du roi. La personne du roi mort survit durant toutes les funérailles grâce à la présence de l'effigie, « sorte de poupée d'interrègne » (R. Giesey) dont les Anglais introduisirent l'usage lors des obsèques de Charles VI. Au-dessus du cercueil de Charles VII, nous dit le Héraut Berry, « était la figure du roi sur un matelas, une paire de fins draps de lin et le poêle dessusdit, et était ladite figure vestue d'une tunique et d'un manteau de velours blanc à fleurs de lys fourré d'hermines, tenant en une main le sceptre et en son autre la main de justice, une couronne sur sa teste et un oreiller de velours dessous». Le défunt conserve la dignité royale jusqu'à son ensevelissement. En cet instant précis s'élèvent les cris de «Dieu ait l'âme du roi Charles», puis de «Vive le roi Louis» : alors seulement le nouveau roi est pleinement le roi. En 1515, une formule abstraite fut substituée : «Le roi est mort, vive le roi!» Et en 1610 s'impose la formule juridique : «Le roi ne meurt jamais», qui supprime l'interrègne cérémoniel et rend inutile l'effigie.

2. Le gouvernement du royaume

«En cinq points gît l'état et le gouvernement du roi et du royaume de France, en conseil et gouvernement, de la guerre, de la justice, de la dépense de son hôtel, de dons à héritage, à vie, de quint denier [...] et autres choses de son domaine, de rémissions de meffais, de crimes et délits.» Les officiers royaux menacés par la révolution parisienne en 1356 décrivaient ainsi le premier réseau administratif du royaume, un réseau né du domaine et qui a grandi avec lui. Sur des bases territoriales différentes, un second réseau, lié à l'impôt, se met en place au XVe siècle.

La direction des affaires.

Aucun roi médiéval, même l'autoritaire Louis XI, n'a gouverné sans Conseil. Le titre de conseiller du roi est largement répandu, puisqu'il suffit d'avoir été «retenu», au moins une fois, par le roi pour le porter. L'ordonnance de 1346 définit le Grand et Secret Conseil comme organisme politique de décision et organisme administratif d'application des décisions; elle ne précise pas le nombre des conseillers. Le plus souvent, cinq ou six conseillers directement concernés par la question débattue se réunissent; mais dès que l'affaire devient importante, de quarante à cinquante personnes peuvent être convoquées.

Les princes du sang, des grands seigneurs, des évêques et des abbés y siègent aux côtés de personnages moins en vue. Le Conseil est aussi un organe représentatif où tous les groupes qui composent le « corps de policie » (Christine de Pisan) ont leur place ; les princes plus que d'autres, qui se considèrent comme les conseillers naturels du roi ; ils sont les « yeux » du roi, dit un juge en 1423. Directement ou par l'intermédiaire de leurs hommes de confiance, le Conseil devient le champ clos de leurs rivalités et de leurs ambitions. S'il le faut, ils défendent leur place par la guerre civile et la révolte (Praguerie de 1440, guerre du Bien public en 1465). En 1440, Jean Jouvenel recommande à Charles VII de les exclure. En vain, bien sûr ! Ils n'ont que mépris pour ces gens de « petit état et de petit gouvernement » qui peuplent le Conseil. Pure démagogie car, sans ces obscurs et ces sans-grade voués à la routine administrative, comment le Conseil fonctionnerait-il ?

L'opinion leur emboîte le pas sur ce terrain. Pourtant, ce que nous savons de la composition des Conseils à la fin du XVe siècle montre que la noblesse de souche, laïque ou ecclésiastique, y demeurait majoritaire. Le Conseil ne fut pas livré aux parvenus.

Les réunions sont fréquentes : 77 en 1361. Un registre donne des détails sur les 36 réunions tenues pendant trois mois de l'année 1455 : un seul Grand Conseil, les 19 et 20 mai, pour recevoir les ambassadeurs écossais ; le roi n'a assisté qu'à deux Conseils, mais le chancelier, qui préside en son absence, et l'évêque de Coutances furent présents à toutes les réunions.

A la fin du siècle, une tendance à la spécialisation s'est manifestée. Charles VII, puis Louis XI traitaient certaines affaires « secrètes » avec deux ou trois conseillers qu'ils retenaient « derrière la porte » après la séance ; et pendant les guerres d'Italie, Charles VIII a constitué un Conseil des affaires d'Italie. C'est l'amorce du Conseil secret.

En matière judiciaire, le Conseil, en liaison avec les maîtres des requêtes de l'Hôtel, traitait des litiges sur les bénéfices ecclésiastiques, des conflits entre clercs et laïcs, des contestations sur les offices ; à partir de 1450-1452, il tint des sessions particulières où le roi était représenté par un procureur. Puis, le 2 août 1497, une institution autonome est formée, le Grand Conseil judiciaire. Il est composé de vingt membres et suit le roi dans ses déplacements : il exerce désormais la justice retenue pour tout le royaume.

Les décisions du Conseil sont rédigées et deviennent soit des ordonnances de portée législative, soit des lettres dont l'objet est particulier. Cette tâche incombe aux services de la Chancellerie, avec ses 59 notaires et secrétaires (le roi étant le soixantième) et sa cohorte de clercs. Le chancelier, qui dirige ce service, est un personnage fort important : il est présent à tous les Conseils et prend la parole au nom du roi. L'office fut confié à des ecclésiastiques (Regnaut de Chartres, Guillaume Jouvenel des Ursins, tous deux archevêques de Reims), mais aussi à des laïcs comme Guillaume de Rochefort, le dernier chancelier de Louis XI, ou Adam Fumée, l'ancien médecin de Louis XI (de 1492 à 1494).

Les grands corps de l'État.

La fonction royale est d'abord de rendre justice. On a vu comment le roi pouvait exercer personnellement cette fonction (justice retenue) dans le cadre de l'Hôtel, puis du Grand Conseil judiciaire. Mais la plupart des causes sont déléguées aux officiers locaux. Baillis et sénéchaux, en développant la procédure d'appel, ont attiré à la justice royale les causes des justices seigneuriales ou ecclésiastiques (qui demeurent importantes). L'édifice est couronné par le Parlement, cour souveraine du royaume.

L'ordonnance du 11 mars 1345 lui a donné une organisation stable. Son personnel de clercs et de laïcs est réparti en trois chambres : la Grand Chambre (30 personnes), la Chambre des enquêtes (40) et la Chambre des requêtes (8), sous la direction de 3 présidents. Il siège de novembre à août et rend, après une procédure qui associe enquête et preuves écrites, de 150 à 180 arrêts par an. La guerre civile a divisé le monde parlementaire et la réunification, en 1436, fut difficile, puisque la cour ne retrouva son personnel et son fonctionnement normal qu'avec l'ordonnance de Montil-lès-Tours de 1454. Ce texte instituait 5 présidents, créait une deuxième chambre des enquêtes et jetait les bases de la future Chambre criminelle de 1515 (la Tournelle criminelle).

Le recrutement par élection aboutit à la cooptation, qui favorise la stabilité et la formation d'un milieu : on fait de longues carrières au Parlement ; on y noue des alliances et on y installe ses fils. Le souverain, au nom du droit du roi à disposer des offices, impose parfois ses candidats. Il y a plus grave : on trouvait les parlementaires trop lents et trop respectueux du droit ; Charles VII et surtout Louis XI, pour juger leurs adversaires, eurent recours à des juridictions d'exception, composées de commissaires soumis : « Abrégez la matière [...] que nous ayons cause d'être content. »

Le Parlement n'est pas seulement une cour de justice. On le consulte dans les moments difficiles de la guerre civile ; Louis XI y trouve un allié dans sa politique religieuse face au pape. Il enregistre les ordonnances royales et peut faire des remontrances selon une procédure fixée après 1454. Il défend les droits du roi, contre le roi s'il le faut. Il reçoit le serment des principaux officiers royaux. Sous Charles VIII enfin, il travaille à la réforme de la justice et à la rédaction des coutumes. Selon une optique très médiévale, le Parlement est un organe de conseil, pas un contre-pouvoir.

La procédure est lente, mais surtout, dans la deuxième moitié du XVe siècle, l'afflux des causes asphyxie la cour parisienne. On décentralise en installant des parlements provinciaux, tout d'abord (1443) à Toulouse, fière de ses antécédents dès le temps d'Alphonse de Poitiers et de Philippe le Bel, puis dans les provinces récemment annexées : Bordeaux (1462), Dijon (1480), Aix (1484). L'Échiquier de Rouen jouait un rôle identique. Le Parlement, désormais de Paris, n'apprécia guère mais s'inclina !

La gestion du domaine royal est l'affaire du Trésor et de la Chambre des comptes. Les trésoriers inspectent le domaine et rassemblent les fonds. Passés de trois en 1379 à quatre en 1445, ils sont alors répartis en quatre charges (Tours, Rouen, Paris et Montpellier). Installé au Louvre, le changeur est le receveur et payeur général. La Cour du trésor juge le contentieux ; créée en 1390, elle vivota jusqu'en 1418, date où elle fut supprimée. Son véritable démarrage se situe en 1438.

La Chambre des comptes, organisée par l'ordonnance de

Vivier-en-Brie de 1320, contrôle les agents domaniaux et veille à la conservation du domaine. Présidents, maîtres et clercs des comptes écoutaient les agents locaux rendre leurs comptes avant de les vérifier. Très impliquée dans les affaires gouvernementales avant 1350, la Chambre fut victime de la crise de 1356-1358 et son champ d'action fut progressivement réduit : l'impôt, la monnaie lui échappèrent, tandis que la création de la Chambre du trésor réduisait sa juridiction contentieuse.

Comme le Parlement, elle connut la division (Paris et Bourges) entre 1418 et 1436. Réunifiée, elle ne fut réorganisée que le 5 février 1462, une ordonnance fixant alors ses effectifs : 2 présidents, 4 maîtres, 15 clercs, 2 correcteurs, 1 avocat et 1 procureur du roi. Si, du fait de la faiblesse des revenus du domaine, son rôle financier est réduit, elle garde la haute main sur les terres et les bâtiments du roi, et sur les fiefs. Elle est la « mémoire » du royaume, ce dont témoignait la richesse de ses archives, malheureusement détruites dans l'incendie de 1737. Malgré les interventions menaçantes de Louis XI, en dépit des nominations abusives de maîtres ou de clercs extraordinaires auxquelles il eut recours, elle sut défendre bec et ongles le domaine et les intérêts de la couronne, fût-ce contre le roi. A la fin du siècle, lorsque l'Anjou et la Bourgogne réintégrèrent le domaine royal, les Chambres des comptes princières d'Angers et de Dijon furent maintenues.

Les forêts domaniales ont une administration spécifique que dirige un grand maître des Eaux et Forêts. De même, depuis Charles V, les ateliers monétaires sont-ils placés sous l'autorité d'une Chambre des monnaies.

Bailliages et sénéchaussées.

Ce sont les circonscriptions administratives de base. Leurs limites sont précises et connues, mais changeantes. On sépare ou on regroupe des bailliages, Chartres, Gisors, Mantes et Meulan, Lyon et Mâcon, Périgord et Quercy. Lorsque le roi constitue un apanage, des bailliages et sénéchaussées sortent du domaine : le Berry, le Poitou de 1360 à 1416. Mais alors pour gérer les droits qu'il conserve dans l'apanage, le roi crée un bailliage-croupion, réduit à une ville et quelques villages :

Montargis ou Cépoy pour l'Orléanais; Saint-Pierre-le-Moûtier pour le Berry et le Bourbonnais; Montferrand pour l'Auvergne (en 1425). Dans les années 1400-1420, on peut compter 40 circonscriptions : 23 bailliages, 11 sénéchaussées, la prévôté de Paris, les 2 gouvernements de La Rochelle et de Montpellier, les 3 bailliages de Gévaudan, Velay et Vivarais, dépendant de la sénéchaussée de Beaucaire-Nîmes. A la fin du XVe siècle, à la suite de partages et d'annexions au domaine, on compte 76 circonscriptions.

Le bailliage, né du domaine, dépasse celui-ci, car il englobe possessions royales et seigneuries laïques et ecclésiastiques. Les bailliages normands sont rigoureusement divisés en vicomtés, puis en sergenteries; ceux de Languedoïl le sont en prévôtés-châtellenies; les sénéchaussées méridionales regroupent des vigueries et des baylies. Le bailli est assisté (et remplacé en cas d'absence) par un lieutenant général qu'il nomme; c'est un homme de loi capable de tenir les assises (le tribunal); dans le Midi il y a en plus un juge-mage (de major). Il installe également des lieutenants dans les localités principales. Vicomtes, prévôts, bailes, viguiers dirigent les circonscriptions inférieures tandis que les offices spécialisés de juges, avocats, capitaines, receveurs se sont multipliés. Enfin, tout en bas de l'échelle, le sergent, détesté des administrés dont il est proche, représente l'autorité dans ce qu'elle a de plus contraignant et de plus arbitraire.

La multiplication de ces offices spécialisés ne signifie pas démembrement, ni donc déclin, de la fonction de bailli; elle est plutôt le signe du développement de l'administration royale et de l'accroissement de ses tâches. Cela ne signifie pas non plus déclin de la fonction baillivale, comme on le répète à la suite de F. Lot et R. Fawtier, auteurs d'une monumentale et toujours précieuse *Histoire des institutions de la France médiévale*. La fonction a changé de contenu, comme je l'examinerai plus loin.

Ce n'est qu'à la fin du règne de Louis XI qu'un changement s'amorce : la fonction devient l'apanage de quelques grandes familles de la région en même temps qu'elle devient plus honorifique. L'homme clé du roi dans les provinces est maintenant le gouverneur.

3. La victoire de l'impôt

Les ressources du roi.

A la fin du XVe siècle encore, Charles VIII déclarait vouloir « vivre du sien », c'est-à-dire des revenus tirés de l'exploitation du domaine : biens fonciers, cens, droit de ban, péages et tonlieux, droits de justice, droits sur les mutations de fief, etc. Ce sont les recettes « ordinaires », par rapport aux finances « extraordinaires » procurées par l'impôt. Elles sont affermées dans le cadre des prévôtés et, pour l'essentiel, dépensées sur place, seul le reliquat allant au Trésor.

Le roi, lorsqu'il est à court, n'hésite pas à spolier certaines catégories : les Juifs, jusqu'à leur expulsion de 1394 ; les Lombards et autres « usuriers », qui, lassés, quittent Paris en masse vers 1420 ; ou certains individus qui, en le servant, se sont trop bien servis : Jacques Cœur, le cardinal Balue. Il fait « rendre gorge ».

Des monnaies le roi tire quelques ressources : la différence entre le prix d'achat et le prix de vente du métal précieux, le seigneuriage, la retenue des deniers types. Une pièce se définit par son type (écu à la couronne par exemple), son poids (ou taille, c'est-à-dire le nombre de pièces taillées au marc, l'unité de poids), son titre (la proportion de métal précieux) et son cours ou valeur exprimée en monnaie de compte (système livre, sou, denier), puisque la pièce, ou monnaie réelle, ne comporte pas d'indications chiffrées. En modifiant poids, titre et cours d'une monnaie, on procède à une mutation (dévaluation ou réévaluation), ce qui oblige à une nouvelle frappe. La différence entre le prix d'achat du marc de métal précieux et le « prix de vente » des pièces fabriquées avec va au roi. Les profits tirés d'une dévaluation, de la monnaie d'argent surtout, peuvent atteindre ainsi 40%. Le profit est immédiat, car la population a besoin d'espèces. L'inconvénient est d'affaiblir considérablement la monnaie et, si les mutations se répètent, de désorganiser la vie économique.

C'est le cas jusqu'en 1360. Alors la création du franc ouvre une période de stabilité qui dure jusqu'en 1385 ; puis la monnaie s'affaiblit lentement jusqu'à la tourmente de 1417. Les dépenses de guerre vont croissant ; les rentrées, ressources domaniales et impôts, sont insuffisantes ; les mutations monétaires jouent le rôle d'impôts déguisés et fournissent l'essentiel des recettes du Trésor dans les années 1417-1422. La guerre monétaire à laquelle se livrent les trois France accentue le désordre. L'ordonnance du 28 janvier 1436 rétablit la bonne monnaie. Quelques oscillations de faible ampleur n'affectent pas la stabilité monétaire ; mais on assiste à un affaiblissement lent et continu de la monnaie au XVe siècle.

Pour le roi comme pour les sujets, l'alternative est simple : ou l'impôt, ou la mutation. La création du franc s'accompagne de la mise en place d'un « système fiscal d'État clairement constitué » (B. Chevalier) qui frappe toutes les sources de richesse (mais non tous les contribuables potentiels !) et repose sur trois piliers : l'impôt direct, fouage puis, après 1384, tailles ; l'impôt indirect (le terme d'aides lui sera réservé plus tard), perçu sur la vente des marchandises à raison d'un sou par livre (5 %), d'un treizième des vins en gros et d'un quart pour les vins au détail ; la gabelle du sel enfin, établie en 1343 et définitivement instituée en 1383, qui permet au roi de lever un droit sur un produit dont il a le monopole de vente. Ajoutons des droits de douane, traite, droit de rêve... perçus aux frontières du royaume et aux limites du Languedoc pour les produits qui sortent de cette région et qui n'ont pas acquitté l'impôt indirect, cette province préférant la taxation directe. Ce système, créé en 1360, légèrement modifié en 1369, mis à mal pendant les années noires (pour l'impôt !) 1417-1436, est rétabli en 1439. Définitivement.

Le consentement.

L'impôt doit être justifié et consenti. Chacune des tailles levées de 1384 à 1450 répond à un objectif militaire précis ; après 1451, la justification est plus générale — c'est la « taille des gens de guerre » — et de pure forme puisque l'imposition est levée chaque année. En fait, depuis 1369, le produit de l'impôt est affecté à l'ensemble des dépenses de l'État.

Le consentement est fondé sur un vieux principe de droit canon : « Ce qui concerne tout le monde doit être approuvé par tout le monde » (*Quod omnes tangit*). Pour l'obtenir il faut réunir les États du royaume, représentatifs du clergé, de la noblesse et des villes. Les États généraux de tout le royaume sont rarement convoqués (1347, 1413, 1428 à Chinon, 1484). Le plus souvent, on les réunit séparément, en Languedoïl et en Languedoc. Outre le consentement de l'impôt, les États s'efforcent d'obtenir un droit de regard sur l'administration royale et même, en cas de crise grave (1355-1358), un droit de contrôle sur le pouvoir.

Le roi cherche à se passer du contrôle des assemblées. Il n'y parvient, imparfaitement, qu'en 1451. Mais les États généraux de 1484 rappellent leurs prérogatives fiscales. En réalité, sur le plan technique de la perception de l'impôt, les États restent très utiles pour l'administration royale. Les agents du roi ont intérêt à consulter les sujets pour répartir l'impôt direct et les assemblées d'états demeurent un des lieux, parmi d'autres, du dialogue. Dans la France méridionale, qui sera dite, pour cette raison, « pays d'États », les assemblées provinciales (Rouergue, Velay, Agenais, etc.) deviennent des auxiliaires de l'administration royale pour la répartition et la levée de l'impôt. Les États du Languedoc sont toujours réunis (alors que ceux de Languedoïl ne le sont plus après 1439) ; simplement, ils ajoutent à ce rôle technique celui de défenseur des intérêts, droits et privilèges du pays.

Discussions et marchandages se font sur le plan local, entre officiers du roi et notables des bonnes villes : à Chartres, sitôt connue l'assiette de l'impôt, les notables comparent la quote de leur ville à celle des villes proches — Blois, Orléans, Châteaudun... —, puis s'en vont harceler le gouvernement royal pour obtenir réductions ou aménagements.

Dans la deuxième moitié du XVe siècle, on reconnaît donc au roi le droit d'imposer ses sujets sans consentement préalable. Mais la sagesse et le bon rendement de la fiscalité exigent le maintien d'une forme de dialogue avec les sujets ; et, de fait, il n'a jamais cessé.

La levée de l'impôt.

Les hommes du roi, officiers et commissaires, dirigent l'ensemble du processus.

La perception des impôts indirects est affermée. Les adjudications sont faites au niveau local, paroisses, sergenteries, villes. Dans les campagnes il n'y a qu'une ferme par village ou groupe de villages, alors qu'en ville les fermes sont attribuées par produit. Le bail est d'un an, parfois moins, parfois plus, mais il est possible à quelqu'un de surenchérir en cours de bail. Le preneur doit offrir de sérieuses garanties et être cautionné par un pleige.

La royauté n'a jamais réussi à percevoir la gabelle que sur une moitié du royaume. Bretagne, Guyenne, Picardie, Centre y échappent. Le Languedoïl est pays de grande gabelle (taux normal). Mais la basse Normandie, le Poitou et l'Angoumois, ainsi que le duché de Bourgogne jusqu'à 1477, sont pays de petite gabelle. Dans ces deux zones la gabelle est perçue sur les ventes. Le sel, apporté des lieux de production par des marchands, est entreposé et séché pendant deux ans dans les greniers royaux, avant d'être vendu au détail par les soins du grènetier qui prélève alors la gabelle ; il tient sa charge à ferme. Le commerce de détail est donc, de fait, monopole royal. L'obligation d'achat (le sel du devoir) fut très tôt introduite : en janvier 1373, le grènetier de Mantes « imposa les habitants d'icelle ville et paroisse de Dreux à prendre et à venir chercher audit grenier de Mantes, de trois mois en trois mois, dix setiers de sel... ».

En Languedoc (comme en Provence), la gabelle, assez légère, est perçue à la production ; les greniers à sel sont proches des salines. Le roi en possède quelques-unes, celles de Peccais, près d'Aigues-Mortes, par exemple, mais il n'a jamais cherché à s'assurer le monopole de la production. Le commerce du sel, quant à lui, est libre. Un visiteur général des gabelles (Jacques Cœur le fut) contrôle le tout. Le nombre des greniers est passé de 80, vers 1400, à 144, sous Louis XI.

L'impôt direct est un impôt de répartition : on décide d'une somme à lever qu'il faut ensuite répartir entre les contribuables. On s'efforce d'en connaître le nombre par des dénombrements (celui de 1328) ou des « cherches » de feux. Le feu est réel en Languedoïl (il correspond à un ménage); il est fictif en Languedoc et correspond à un territoire supportant une somme déterminée d'impôt. La chute de la population rendit nécessaires des « réparations » de feux : on faisait une nouvelle « cherche » des feux réels ou on accordait une réduction du nombre des feux fiscaux.

Connaissant le nombre de feux, on peut procéder alors à l'assiette ou « département » de l'impôt. Sous Charles VII, le Languedoc contribue à la taille pour 120 000 livres tournois; cette somme est répartie entre les 3 sénéchaussées (Toulouse, Beaucaire, Carcassonne), puis entre les 22 diocèses ou élections, enfin entre les paroisses. On établit alors la quote de chacun : quote indifférenciée si chaque contribuable paie la même somme; quote différenciée si l'impôt est réparti en fonction des ressources des contribuables. On évaluait celles-ci par des « estimes » (Toulouse), des « nommées » (Lyon). En France du Nord, la taille est personnelle, le chef de famille payant pour tous ses biens et revenus au lieu de sa résidence principale. Dans la France méridionale, la taille est réelle; on la paie partout où l'on possède un bien. L'estime par famille ne suffit pas; il faut établir un cadastre, ce qui fut fait à Rodez en 1449, à Toulouse en 1478 et dans tout le Languedoc.

Élus, collecteurs et généraux des aides.

Au nord, l'assiette de la taille est faite par des élus (les premiers furent en effet élus par les États en 1356-1357), nommés par le roi. Ils travaillent, au nombre de deux ou trois, dans le cadre du diocèse. Celui-ci a été divisé et retaillé, si bien que la circonscription fiscale, qu'on appelle élection dans les ordonnances de 1452, ne lui correspond plus. Sous Louis XI, le nombre des élections est de 85. En Languedoc, et dans tous les pays d'« états », des commissaires du roi travaillent avec les États (sauf entre 1464 et la fin du règne de Louis XI où les agents du roi opèrent seuls). Puis des élus (sauf entre 1400 et 1437), assistés par l'« assiette diocésaine » qui regroupe des représentants des trois états, établissent la part des diocèses. Au niveau des paroisses le soin de la répartition est laissé aux corps de villes et aux représentants des communautés.

La taille est perçue en deux ou trois termes par les agents royaux, sergents, receveurs des aides, clavaires (dans le Midi) ou des collecteurs désignés par la communauté et parfois par le personnel municipal (consuls de Saint-Flour par exemple). Un receveur des aides centralise les rentrées au niveau du diocèse ; en Languedoc, depuis 1443, il est désigné par l'assiette diocésaine. Enfin cela remonte aux receveurs généraux des aides des généralités.

A l'origine de celles-ci, il y eut les généraux des finances choisis par les États de 1356 pour superviser tout le processus fiscal ; puis le roi reprit le contrôle de ces « généraux conseillers sur le fait des aides » (le mot ayant ici son sens d'impôt en général). En nombre variable et sans attribution territoriale précise, ils se répartissent entre les généralités successivement créées : Languedoïl et Languedoc d'abord ; puis la généralité d'outre-Seine et Yonne détachée de celle de Languedoïl en 1436 ; celle de Normandie, constituée dès 1372, disparue avec la conquête anglaise, est rétablie en 1450 ; enfin la généralité de Languedoc est agrandie des élections de Lyon, Beaujolais et Forez en 1476. A la fin du siècle, s'ajouteront les généralités de Bourgogne, Picardie, Guyenne, Provence et Bretagne.

Dans chaque généralité, un receveur général des aides centralise toutes les recettes fiscales, directes ou indirectes. Celui du Languedoc est aussi trésorier général et, à ce titre, recueille les revenus domaniaux. Les 22 diocèses languedociens s'inscrivent quasi parfaitement dans les 3 grandes sénéchaussées et les receveurs domaniaux font souvent office de receveurs des aides. La fusion entre les deux réseaux administratifs, ordinaire et extraordinaire, amorcée en Languedoc au XIVe siècle, ne sera réalisée dans l'ensemble du royaume qu'au XVIe siècle.

La Chambre des comptes, qui à l'origine contrôlait les recettes domaniales et fiscales ainsi que le contentieux, dut abandonner cette juridiction à une Cour des aides et à une Chambre du trésor, créées presque en même temps en avril 1390. Leur existence fut chaotique et elles ne s'imposèrent qu'après 1438. Poitiers eut une Cour des aides en 1418-1436; Rouen conserva la sienne après 1450; celle du Languedoc fut définitivement installée à Montpellier en 1478.

Le poids de l'impôt.

Le domaine n'apporte plus que 100 000 livres au Trésor en 1470, soit 2,5% des recettes. Mais il faut tenir compte du fait qu'une bonne partie de ses recettes sont dépensées sur place sous forme de dons, d'aumônes et de salaires des officiers; ce qui explique d'ailleurs que ceux-ci soient payés en général beaucoup plus régulièrement qu'on ne l'a dit. De cette façon, le domaine contribue toujours au rayonnement de l'autorité royale et au maintien de l'idée que le roi vit du sien. Cela étant dit, les revenus utiles du roi viennent de l'impôt.

D'emblée, la pression fiscale a atteint des sommets : près de 2 millions de livres tournois sous Charles V : 17% procurés par la gabelle, de 30 à 40% par l'impôt direct, le reste par les impôts indirects. On retrouve ce total et cette répartition sous Charles VII. Puis le rendement s'accroît et les revenus de l'impôt dépassent 4 millions de livres à la fin du règne de Louis XI. Mais l'affaiblissement de la monnaie de compte et la reprise démographique et économique maintiennent la pression fiscale au même niveau. Les impôts diminuèrent au début du règne de Charles VIII, reprirent leur croissance avec les guerres d'Italie pour se stabiliser sous Louis XII, dans une France plus peuplée et plus prospère.

Ces chiffres globaux, toutefois, ne tiennent pas compte de la fiscalité urbaine, née au même moment que la fiscalité d'État, entre 1350 et 1400. Le roi, pour compenser la faiblesse des finances urbaines et maintenir la capacité défensive des villes, leur a octroyé un quart de l'aide de 5% sur les ventes (en 1367), à condition que cela ne porte pas préjudice aux finances de l'État. Les villes supportent donc une double fiscalité, dont le poids est encore aggravé, à partir de 1370, par un taux de fouage triple de celui du plat pays. On a vu les conséquences dramatiques de cette pression fiscale intolérable en 1378-1382.

Charles VII et Louis XI mènent une politique différente. Les villes lèvent à leur profit les impôts de consommation, mais sont exemptées des tailles perçues au profit de l'État (en 1470, 84% des ressources fiscales du roi viennent de l'impôt direct). Deux systèmes fiscaux coexistent dans le pays, mais ne se superposent plus. L'avantage pour les villes est énorme, même si Louis XI a exigé d'elles des emprunts qui ne sont souvent que des dons forcés et usé de leurs finances comme d'une réserve. La fiscalité d'État repose donc principalement sur le plat pays, sur les paysans.

Car les ordres privilégiés, clergé et noblesse, ne paient pas l'impôt. Ils ont été successivement exemptés des péages, des taxes indirectes sur les denrées produites dans leurs domaines, puis, cela s'est joué entre 1347 et 1363, de l'impôt direct. En Languedoc, où la taille est réelle, seuls les biens réputés nobles aux mains de nobles sont exemptés ; en revanche, un noble paie pour ses biens roturiers. Le clergé demeure cependant soumis aux décimes, que la papauté a libéralement concédées au roi. Les universitaires, considérés comme clercs, sont également exemptés, et nombreux sont ceux qui abusent du privilège de clergie pour ne pas contribuer. Les officiers royaux, eux aussi, finissent par obtenir l'exemption fiscale.

Pauvres et miséreux ne paient pas la taille, non plus que, à partir de 1464, les veuves et les orphelins ayant moins de 50 livres de capitaux. Enfin, en cas de catastrophe naturelle ou d'épidémie, une communauté peut espérer obtenir une « modération » d'impôts, à condition — Louis XI y veilla — que les rentrées globales de l'État n'en soient pas affectées !

La résistance à l'impôt.

Les Français ont fini par se résigner à l'impôt. Après les émeutes antifiscales de 1378-1382, la royauté, qui a recommencé à lever les aides indirectes puis les tailles directes, vit dans la hantise des troubles : en juillet 1390, la reine, près d'accoucher, bouleversée par un orage violent, vint « trouver le roi toute tremblante et lui assura que l'oppression du peuple était la cause de ce bouleversement de la nature », écrit le Religieux de Saint-Denis, farouche et constant opposant à l'impôt, comme le sera, sous Louis XI, Thomas Basin.

La résistance à la fiscalité s'est manifestée tout au long du

XVe siècle. Elle anime le mouvement cabochien comme les émeutes de Limoux et de Carcassonne : « Quand le peuple de ladite ville oy parler que on avait apporté ladite taille en icelle ville, ledit peuple se feust assemblé en l'ostel de ville [...] et eussent esté tous d'accort que de ladite taille ils ne paieroient riens » (lettre de rémission de 1415). Les révoltés prirent les armes et entrèrent en rapport avec le parti bourguignon. En Lyonnais, l'hostilité à l'impôt déclencha des mouvements diffus, en 1420-1422, 1430 et, à Lyon, en 1436, la « Rebeyne ».

Lorsque Louis XI accéda au trône, en 1461, une profonde dépression économique affectait la France et l'Europe. Le bon peuple s'attendait à quelques allègements fiscaux ; les Rémois, les premiers à voir le roi, déchantèrent vite : en septembre 1461, la gabelle fut mise à ferme comme d'habitude. Aussitôt éclata une « mutemaque » ; les officiers furent mis en fuite et les registres détruits ; la répression fut disproportionnée : neuf exécutions ; des bannissements ; des mutilations (poing ou oreille). La même année, on eut la « tricqotterie » (de « tricqot », gros bâton) contre les officiers, bourgeois et clercs d'Angers ; des refus de payer à Alençon, Aurillac, et des infractions diverses en Languedoc. En 1467, Saint-Amand-Montrond se soulevait à son tour.

La fin du règne fut marquée par de nouveaux troubles : à Bourges, la levée du « barrage » destiné à l'entretien des fossés provoque la colère des gens de métiers le 22 avril 1474 et des officiers sont tués ou blessés ; troubles au Puy, en 1477 (le sénéchal de Beaucaire ajourne 800 personnes à ses assises), à Agen, en 1481, où les « populaires » accusent l'oligarchie bourgeoise, qui tient le consulat, d'accabler d'impôts les moins aisés. Dans les campagnes du pays d'Albret, les paysans refusent de payer les deux premières échéances de la crue (l'augmentation) de taille décidée en 1477 ; ils se réunissent dans les bois, rossent les sergents et commettent quelques violences à Casteljaloux. L'affaire ne fut pas prise au tragique et la répression fut bénigne.

Les Français se sont résignés à l'impôt, mais ont refusé les augmentations imprévues, les crues de taille si fréquentes sous Louis XI précisément. Le relâchement de la pression fiscale au début du XVIe siècle fut un palier fort bienvenu et l'on comprend la popularité de Louis XII, le « père du peuple ».

4. Le monde des serviteurs de l'État

Il n'y a pas d'État moderne sans délégation de pouvoir, sans fonctionnaires, sans officiers, comme on le disait au Moyen Age. Au XVe siècle, certains des traits d'une véritable fonction publique apparaissent.

Le service du roi.

Les administrés n'ont cessé de se plaindre du « trop grand nombre des officiers ». Les ordonnances de réforme aussi ! Et même Louis XI, lorsqu'il nomme Bertrand de Beauvau président de la Chambre des comptes en 1465, prend soin de préciser qu'il revient à la tradition en réduisant à deux le nombre des présidents.

Pourtant cette opinion n'est pas fondée. La monarchie française a connu une phase de « bureaucratisation galopante » (B. Guenée) au début du XIVe siècle, suivie d'une phase de stagnation, de 1350 à 1450 (la crise est là !) ; la croissance reprend après 1450, et c'est un des signes de la reconstruction. Mais, finalement, le nombre des agents royaux au début du XVIe siècle serait de 12 000, et les grands corps de l'État, Chancellerie, Parlement, Chambre des comptes, etc., ne rassembleraient qu'un demi-millier de personnes.

C'est donc fort peu, même s'il est vrai que l'administration royale peut s'appuyer sur de nombreux auxiliaires, dans les services fiscaux notamment ; il faut également compter avec les administrations urbaines et surtout, car elles sont toujours vivantes, les administrations seigneuriales. Enfin, il faut bien dire que l'État médiéval n'a rien de l'État-providence et ne rend que de menus services aux sujets.

Le mot « office » s'applique, au sens large, à toute fonction publique : « En nos officiers consiste, soubz notre autorité, la direction des faicts par lesquelz est policée et entretenue la chose publique de notre royaume» (ordonnance de 1467). La définition gagne en précision au XVIe siècle et n'englobe plus que les agents permanents et salariés du roi.

On tient son «office» en fief, à ferme, en garde. La première forme est résiduelle. La ferme est beaucoup plus répandue : les prévôts, les collecteurs d'impôts indirects prennent à ferme les revenus de leur fonction, au plus fort enchérisseur. Le roi gagne en régularité de perception ce qu'il doit bien abandonner à la cupidité des fermiers. Quant aux offices en garde, dont le titulaire est salarié par le roi, ils sont les plus nombreux, à tous les niveaux de l'administration : sergent, vicomte, bailli, parlementaire. L'opinion y voit une garantie d'honnêteté et en réclame l'extension. Le pouvoir royal n'y est pas hostile, à condition que cela ne réduise pas ses revenus. On tenta l'expérience pour les prévôtés en 1356, 1360, 1413, mais cela ne s'imposa vraiment qu'avec les ordonnances de 1493 et 1499.

L'office est permanent. Pour toute mission temporaire, dans la fiscalité par exemple, le roi a recours à des commissaires. Rien n'empêche d'ailleurs de confier une commission à un officier.

Pour postuler à un office affermé, il faut présenter de sérieuses garanties financières. Les offices gagés sont «en la main du roi», qui nomme et révoque à sa guise, du moins en principe. Car une procédure de nomination se met progressivement en place, dont le formulaire d'Odart Morchesne, rédigé en 1427, marque l'aboutissement : tout officier doit pouvoir présenter à la Chambre des comptes qui l'enregistre une lettre du roi : lettre de retenue (Conseil, Hôtel), lettre de provision (offices) et lettre de commission (commissaire); puis l'officier prête serment, au Parlement ou devant une instance locale.

On obtenait ces lettres par impétration, à la suite d'une requête présentée au roi. C'était la porte ouverte à la corruption, à la contestation et aux procès. Combien sont entrés au service du roi, «les aucuns par impression, importunité, port et faveur d'amis et les autres par grands dons et promesses par eux faits à autres personnes...»!

Aussi préféra-t-on, à partir du règne de Charles V, la nomination par élection, pratiquée par l'Église et recommandée par Aristote et Cicéron (Christine de Pisan se réfère explicitement aux usages romains). Appliquée d'abord aux offices centraux, la pratique s'en généralise dans les années 1390-1415. L'officier est choisi (tel est le sens du mot), souvent par voie de scrutin, par un groupe d'environ 200 personnes, parents du roi, conseillers et membres des grands corps. Cette pratique ouvre la voie à la cooptation et prépare l'inamovibilité. Elle disparaît au cours du XVe siècle, mais on en trouve encore la trace dans l'ordonnance de 1454 ou dans le régime mixte adopté par Louis XII en 1510 : le roi choisit sur une liste élue.

Les carrières.

Le service du roi devrait être exclusif, mais il ne l'est pas : les juristes gardent leur clientèle privée, les hommes de finances leur métier ; et l'on sert souvent un prince en même temps que le roi.

L'officier royal a été longtemps un homme à tout faire, passant indifféremment de la justice aux finances, de la police à la garde des foires de Champagne. Au cours des XIVe et XVe siècles, des types de carrière plus ou moins cloisonnés apparaissent. J'en mentionnerai quatre.

On ne peut mener de carrière judiciaire ou administrative sans une formation universitaire longue et coûteuse, ni de solides appuis familiaux; mais être « en lignage au Parlement » ouvre bien des perspectives, au Parlement, où l'on peut faire de longues carrières, comme ailleurs.

Les carrières financières supposent au départ une solide fortune, acquise dans le commerce, le change ou les monnaies; les financiers parisiens peuplent la Chambre des comptes dans les années 1350; Jacques Cœur, fils de pelletier, est passé par les Monnaies avant d'occuper le poste d'argentier du roi.

La guerre et les luttes de parti ont provoqué l'essor de carrières « militaires » ou politico-militaires. Baillis et sénéchaux, qui sont également capitaines de places et de compagnies, en sont l'exemple type. En 1336, Pierre de Tiercelieue remplace comme bailli de Chaumont Godemar de Fay car celui-ci, bon homme d'armes, ne connaît pas le droit. Mais en 1416, on refuse à Guillaume Seignet le poste de sénéchal de Beaucaire parce que, malgré ses compétences juridiques, il n'est pas chevalier. Le profil de la carrière a changé, probablement dans les années 1380-1390. Jusque-là le bailli était tout à la fois un administrateur, un juge, un policier, un financier ; il pouvait débuter dans des postes subalternes, viguier, vicomte, administrateur de régale... et finir au Parlement ou comme général des aides. Ensuite, le bailli devient de plus en plus un homme de guerre, un agent politique des partis qui se disputent le pouvoir. Il est victime des purges et meurt sur le champ de bataille. Charles VII a nommé systématiquement ses capitaines dans les bailliages, Floques à Évreux, Chailly à Meaux, d'Aydie en Cotentin, Brézé en Poitou, et tant d'autres !

Enfin, le clerc au service de l'État, ou le serviteur de l'État récompensé par un bénéfice ecclésiastique, a une carrière plus variée (on peut le retrouver aux Finances comme au Parlement) ; il représente néanmoins une figure originale dans le monde des offices.

Naturellement, rien n'est figé : dans le bailliage de Senlis, sous Charles VI, des gens d'épée comme des marchands tenaient des offices de juge. C'est sous Charles VI que des changeurs et des marchands parisiens entrent au Parlement : ainsi André Marchand, qui est le gendre du premier président ; plus tard il devient bailli et capitaine d'Orléans, puis, en 1433, siège au Parlement de Poitiers.

La guerre a contribué à militariser l'administration et à en politiser outrancièrement le recrutement, ce qui entraîna l'instabilité. Le cas est net pour les baillis. La réaction d'autodéfense des officiers a conduit au cloisonnement des carrières et a provoqué la fermeture du monde des offices. Cette évolution a fait voler en éclats les sages principes d'administration des derniers Capétiens (obligation de résidence, non-enracinement dans la circonscription, interdiction des cumuls), que les ordonnances rappellent pourtant sans se lasser et que le Parlement s'efforce désespérément de faire appliquer dans les années 1413-1416. Dans les faits on constate tout le contraire ; non pas parce que le gouvernement royal se montre incapable d'appliquer ses textes, mais parce qu'il l'a voulu. Raymond de Salignac, seigneur en Quercy, en devient sénéchal en 1414; il explique que, grâce à ses « alliés » et à ses ressources, il a mis en l'obéissance du roi quatre notables forteresses du pays. Un noble bien implanté dans sa région est efficace. Au diable les ordonnances!

Autre signe de cette évolution, les mouvements administratifs (comparables à nos mouvements préfectoraux actuels) cessent dès 1350 pour les baillis et sénéchaux, un peu plus tard pour les officiers de rang inférieur : un mouvement de ce genre affecte encore les vicomtes normands en 1413.

Naissance de la fonction publique.

L'opinion publique, n'osant attaquer le roi de front, fit de ses officiers des boucs émissaires; du coup, ceux-ci prirent conscience de former un corps. C'est collectivement qu'en 1356 les officiers menacés ripostèrent aux dures attaques des États (par un libelle, les *Articles contre Robert Le Coq*). En les réhabilitant, Charles V posa cette règle qu'un officier ne pouvait être révoqué sans avoir été entendu.

L'exercice de la fonction est parfois périlleux, notamment pour les sergents, huissiers du Parlement, collecteurs d'impôts, etc. Les officiers ont d'abord obtenu d'être mis en la sauvegarde du roi : leurs agresseurs éventuels seront punis plus sévèrement. Puis l'idée s'impose qu'en attaquant un officier on attaque le roi en personne et qu'il y a lèse-majesté. Cependant, l'officier demeure responsable de ses actes et peut être poursuivi en justice; mais, puisqu'il agit au nom du roi, il peut jouir de l'aveu du roi et bénéficier de l'appui de son procureur; éventuellement, il peut être mis hors de procès. En ne couvrant pas les abus, mais en protégeant la fonction, le roi pense rendre plus efficace son administration.

Les officiers ont réclamé des garanties de carrière : le roi peut-il, à sa guise, révoquer un officier? Voilà la question. Le changement arbitraire des officiers passait parfois pour une manifestation de la puissance royale; lorsque les crises de 1356-1358 ou de la guerre civile eurent révélé les méfaits du *spoil system*, on se mit à penser que c'était plutôt un signe de faiblesse. Les officiers de leur côté réagirent : non seulement un officier ne pouvait être destitué sans avoir été entendu, mais il ne devait pas l'être non plus sans cause. Dans la pratique, les officiers révoqués purent parfois s'opposer, devant le Parlement, à la nomination d'un rival. Le problème fut estompé sous Charles VII, qui maintint ses officiers en poste durant de longues périodes. Il resurgit avec Louis XI, qui commença son règne par des destitutions qui parurent arbitraires. Il regretta toute sa vie cet accès d'autoritarisme, mais sut en tirer la leçon.

L'ordonnance de 1467, en effet, établit la règle qu'un officier ne peut être privé de son office que par voie de justice; cela revient à rendre l'office perpétuel et l'officier inamovible. Charles VII avait pratiqué la chose sans le texte; Louis XI fit le texte mais pratiqua la chose à sa guise. Au XVIe siècle, on hésitait encore entre le principe de stabilité des offices et celui du bon plaisir du roi. Mais la fonction publique tenait une ébauche de statut.

La vénalité des offices régla le problème. Il ne s'agit ni de corruption, ni de trafic d'influences. Au XIVe siècle, le roi autorisait parfois un serviteur à faire ce qu'il voulait d'un office modeste, y compris le céder contre argent à un autre. Cette vénalité privée touche, à la fin du XIVe siècle, des offices plus importants : Jacques d'Orliens est accusé d'avoir acheté le bailliage de Meaux à son prédécesseur. Les ordonnances réprouvent (1408), les moralistes s'indignent, mais le Parlement ne s'émeut guère.

Le gouvernement royal laissa faire; d'abord parce que le modèle venait de l'Église (la *resignatio in favorem*); ensuite parce que c'était une forme de retraite pour les serviteurs blanchis sous le harnais; enfin parce que la vénalité protégeait, dans une certaine mesure, le roi comme les officiers des intrigues et des pressions. Elle confortait la stabilité, donc l'autorité du roi. Mais elle restreignait sa liberté de choix et limitait son pouvoir de contrôle. Le roi retrouva l'une et l'autre en organisant lui-même, par les ordonnances de 1521 et 1522, la vénalité publique; et en plus il en tirait profit!

La réussite sociale.

Le roi recrute ses officiers dans tout le royaume, mais aussi en Dauphiné, Provence, Bretagne, ou en Italie, Castille,

Écosse (les Stewart, ou Stuart, seigneurs d'Aubigny en Sologne). Des Anglais restèrent au service du roi après la guerre, comme Richard Merbury qui devint bailli de Charles VII. L'écrasante majorité cependant vient du nord du royaume, d'Ile-de-France, de Picardie et de Normandie, ensuite de la Champagne, de la Bourgogne et des régions de Loire.

Le Midi ne fournirait-il point d'officiers au roi ? Ils exercent sur place, dans des offices de second plan. Mais les Méridionaux ont pris de l'importance dans le royaume de Bourges et l'administration royale s'est « occitanisée ». De plus, la politisation de l'administration et la stabilisation des offices ont favorisé le recrutement local. Enfin, la décentralisation géographique des grands corps de l'État a joué dans le même sens. Cela dit, les grandes carrières se font à Paris et auprès du roi ; elles demeurent aux mains d'hommes du Nord.

Quelles qualités demande-t-on à un officier ? Jusqu'en 1380 environ, on exige de lui qu'il soit loyal et bon ; après cette date, il lui faut être « idoine et suffisans » ; les vertus morales s'effacent devant la compétence technique. Compétence pratique et expérience acquise dans les « cabinets » d'avocats ou dans les boutiques du marchand ou du changeur autant qu'à l'école urbaine. Une ordonnance du 8 mai 1408 demande qu'au Parlement « l'en y mette, se faire se puet, de tous les pays de nostre royaume [...], afin que chascun pays ait gens en nostre dicte court qui cognoissent les coustumes des lieux et y soient expers ».

On ne néglige évidemment pas la compétence théorique, acquise dans les écoles et à l'Université ; rois et princes ont fondé des universités dans ce but. Le niveau intellectuel des officiers s'élève : à la fin du XVe siècle, dans les prévôtés nouvellement mises en garde, les licenciés en droit sont nombreux. Si l'on veut faire carrière au service du roi, il faut faire des études, que l'on soit bourgeois, clerc ou noble.

Un des lieux communs du temps est que les officiers s'enrichissent aux dépens des administrés et du roi. On sait que les officiers qui afferment leurs offices avancent l'argent au roi et se remboursent, largement, sur les administrés ; mais ils n'échappent pas toujours aux malheurs des temps et après la Jacquerie, l'on vit des prévôts du Vexin ou du Beauvaisis poursuivis en justice pour n'avoir pu régler leur bail.

Les salaires des officiers gagés, exprimés en monnaie de compte, sont restés stables au cours de ces deux siècles. Le chancelier touche 2 500 livres tournois par an, les conseillers entre 1 000 et 2 000, baillis et sénéchaux entre 365 et 700 livres (ils doivent sur cette somme payer leur lieutenant général), les élus 100 livres; les gages des offices mineurs sont inférieurs. Le salaire est versé à termes fixes : deux en Normandie; trois en Ile-de-France; quatre même en Guyenne. Certes, il y eut parfois de gros retards, lorsque la monarchie était en difficulté (entre 1420 et 1425 par exemple) et, parfois même, ils furent supprimés. Les parlementaires, qui ont un solide esprit de corps, ne manquèrent jamais de protester. Mais — et contrairement à une opinion reçue — on peut affirmer qu'ils furent le plus souvent payés régulièrement et dans des délais très raisonnables; cela tient au fait que la plupart des gages (baillis, vicomtes, sergents, officiers de l'administration centrale) étaient assis sur les recettes domaniales locales qui étaient utilisées sur place; ces recettes étaient peut-être faibles, mais assez constantes. De même, les agents de l'impôt étaient payés par les receveurs locaux des aides.

Beaucoup d'officiers ont, légalement ou non, d'autres ressources. Notaires et sergents sont aussi marchands. Les officiers clercs compensent des salaires moindres par les revenus de leurs bénéfices (des canonicats par exemple). Le cumul des charges est général, toléré sinon admis, car en partie nécessaire. Les baillis reçoivent cadeaux et pots-de-vin pour leur première entrée dans une ville; les parlementaires de Toulouse touchent des épices. Ajoutons les profits illicites, tirés des extorsions et abus de toutes sortes.

Le roi adjoint aux gages de ses officiers des dons, qui récompensent un service ponctuel, et des pensions annuelles, régulières et tarifées. Très souvent aussi, le roi prend en charge tout ou partie de la rançon d'un officier prisonnier; c'était fréquent! Les sommes versées ainsi sont considérables. Gages, dons et pensions représentent 39% des dépenses de Louis XI. En 1472, il paya de 6 000 livres de pension annuelle le «retournement de veste» de Commynes, conseiller de Charles le Téméraire, et d'Odet d'Aydie, conseiller du duc de Bretagne; Antoine de Chabannes, grand maître d'hôtel de Louis XI, touchait du roi, bon an, mal an, 25 000 livres.

Le service du roi enrichit donc, c'est sûr. Pour beaucoup d'officiers, ce fut un complément indispensable à des ressources incertaines ou des revenus en diminution. Pour les plus huppés, ce fut le moyen d'une ascension sociale remarquable, mais parfois dangereuse. L'opinion publique n'aimait pas les parvenus. L'exécution de Bétisac ou de Montagu comme la condamnation de Jacques Cœur s'apparentent à un rituel sacrificiel destiné à protéger le roi.

Pour les roturiers, les offices représentent le plus sûr moyen, sinon de s'intégrer à la classe dominante, la noblesse, du moins de s'en approcher. Car l'opinion, rétive, n'accepte pas encore l'idée de la supériorité de ce « quatrième état ». On peut faire une carrière entière au service du roi, mais on ne peut atteindre le sommet de la considération sociale que par la noblesse. Les rapports entre offices et noblesse ne se limitent pas au seul problème de la noblesse de robe. Ils se situent dans la perspective plus large de l'« aristocratisation » de la société politique au cours des deux derniers siècles du Moyen Age.

5. Un gouvernement de classe.
Le roi et la noblesse

Désolé pour mon lecteur s'il faut abattre d'entrée un mythe : celui de la lutte du roi et de ses officiers alliés à la bourgeoisie contre la féodalité et la noblesse. Contre la féodalité encore, on peut chicaner, les choses étant complexes. Mais contre la noblesse, non !

Le déclin de la féodalité ?

N'y a-t-il plus de fiefs ? N'y a-t-il plus d'hommages ? Les archives de la Chambre des comptes recueillent chaque année des milliers d'aveux et dénombrements de fiefs remis par le vassal lorsqu'il vient rendre hommage à son seigneur. Mais la féodalité est-elle encore ce qu'elle était ?

La relation féodale est à la fois réelle, le fief, et personnelle, l'hommage. Or au XVe siècle seul le fief compte; l'hommage s'affaiblit, l'homme de ce temps en rejetant deux aspects ressentis comme humiliants : l'agenouillement devant un seigneur qui le plus souvent n'est guère supérieur à son vassal; le baiser sur la bouche, devenu trop ambigu. Ces gestes-là ne se conçoivent plus que devant le monarque; pour la grande masse des vassaux la promesse de fidélité accompagnée du serment suffit.

L'hommage dans sa forme classique est donc réservé au roi. Mais l'on connaît les réticences d'Édouard III ou du duc de Bretagne, et la dispense d'hommage à Charles VII obtenue par Philippe le Bon à Arras. Pourtant, tous font hommage, tête nue et sans épée, à genoux devant le roi. En exigeant l'hommage des grands feudataires, le roi signifie que leur fief est partie intégrante du royaume. A un niveau inférieur, dans la Normandie occupée, les Anglais veillèrent scrupuleusement à ce que l'hommage fût rendu par leurs vassaux. L'objectif, là encore, était politique : il s'agissait de vérifier la loyauté des seigneurs normands.

Nous sommes au cœur du problème du déclin de la féodalité : sauf pour les grands vassaux (la situation de la Normandie étant conjoncturelle), « elle a épuisé ses vertus politiques » (B. Guenée); ses vertus militaires également. Elle est redevenue une relation privée dont l'unique objet est le fief et l'unique manifestation la promesse de fidélité et le serment. Les historiens de la féodalité classique n'ont-ils pas pris l'arbre pour la forêt en insistant si fort sur l'hommage et si peu sur la promesse de fidélité et le serment, pourtant beaucoup plus largement répandus dans les sociétés d'Occident?

Le problème n'est pas celui du déclin de la féodalité; il est celui du déclin de son usage politique. Mais n'a-t-elle pas été remplacée dans cet usage?

Des relations contractuelles.

Les historiens anglais, familiers de la notion de *bastard feudalism*, ont découvert en France de nouvelles formes de relations sociales. *Bastard feudalism* que nous avons traduit, bien à tort, par « féodalité bâtarde », une expression semblant bien s'accorder avec la notion de déclin. Mais il s'agit de tout autre chose : *bastard...* : « qui a l'apparence de la féodalité ». Mais pourquoi parler de féodalité quand il n'y a plus ni hommage ni fief ? Le contrat règne en maître. Mieux vaut parler de relations contractuelles, de société contractuelle.

Le fief-rente fait la transition. Le vassal prête hommage et reçoit un fief sous forme d'une rente annuelle en argent, en échange du service d'un nombre déterminé de gens d'armes ; ce dernier point est déjà contractuel. Édouard III et Philippe VI ont utilisé le fief-rente pour recruter des alliés parmi les princes des Pays-Bas et de l'Allemagne rhénane ; des alliés et des troupes que le seigneur solde entièrement, la rente en fief s'ajoutant à cette solde. Mais alors, le simple contrat de solde, par lequel le roi engage tant d'hommes d'armes à tant par jour et par homme suffit. Dès lors que la valeur politique du fief-rente n'apparaît pas évidente, il est abandonné. Charles V a recruté par contrat la petite armée de la reconquête ; et c'est aussi par contrat que les princes rivaux du début du XVᵉ siècle ont engagé clients et partisans.

Les solidarités ainsi nouées peuvent être verticales ou horizontales. Solidarité verticale, l'exemple type en est fourni par le contrat de retenue qui se répand en France après 1370 pour le recrutement de l'armée. Il ressemble beaucoup au contrat d'endenture anglais : un capitaine est retenu avec un certain nombre d'hommes (10, 20 ou plus) de sa compagnie ou de sa « chambre », pour une période de temps donnée, moyennant une solde ; une montre et des revues régulières permettent de vérifier le respect du contrat. Ils sont un jalon essentiel, quoique négligé à cause de leur caractère militaire, dans l'histoire du contrat en France. Fait à noter, beaucoup des hommes composant ces « chambres » sont parents ou vassaux du chef de chambre.

Autre contrat qui noue une solidarité verticale, le contrat par lequel on recrute, moyennant pension, un homme en échange de services divers : « Je te donne 500, 1 000 ou 2 000 francs [...] mais je veul que tu soies mon frere especial et mon alié et te donne ma devise » (P. de Mézières). Gaston Fébus, le vicomte de Béarn, fut le premier à se servir abondamment de ces « alliances ». Le vocabulaire est clair : « aliat », « servidor » ou « valedor », jamais « vassal » ;

et, bien sûr, pas d'hommage, pas de fief, mais une pension.

Le même type de contrat unit, en une solidarité horizontale, des seigneurs de même rang : en 1408, le duc de Bretagne conclut ainsi une série d'alliances bilatérales, tournées contre Jean sans Peur, avec le duc d'Orléans et les comtes d'Alençon, d'Armagnac et de Clermont ; les deux contractants se promettent d'être « bons parfaiz amis, parens et alliez ». Il est vrai que ces princes sont tous parents, mais, plus largement, le contrat établit une parenté fictive que l'on retrouve dans le vocabulaire des partis et clientèles.

Ces contrats, très divers dans leur forme, servent donc à recruter des partisans, mais aussi à conforter des liens existants : liens de parenté souvent mis à mal dans les guerres du temps ; liens vassaliques également, comme dans le cas de ce petit hobereau saintongeais, Thibaud du Perrier, qui, en 1391, passe contrat avec le duc de Bretagne pour « tenir son parti » et « vivre et mourir pour sa querelle », alors qu'il est déjà vassal du duc.

Loin d'être exclusifs du lien féodal, ces contrats d'alliance en soulignent seulement les insuffisances.

Ces relations contractuelles s'affaiblissent après 1450. Elles avaient pu être utilisées contre le roi, lors de la guerre civile ou de la Praguerie ; mais celui-ci s'en est aussi servi pour domestiquer la noblesse. Toutefois la création de l'armée permanente rend inutiles les contrats de retenue ; et le roi, dont le pouvoir est restauré, prétend réduire les princes à l'état de sujets. Tous touchent des pensions et reçoivent des dons, en fonction de leur mérite et de leur fidélité, bien proche de l'obéissance.

Le roi défenseur de la noblesse.

Les Valois ont favorisé la noblesse pour la mettre au service de l'État.

Les lettres d'anoblissement rédigées par la Chancellerie définissent le noble : il est réputé tel ; il « suit les armes » et peut être armé chevalier ; il peut acquérir des fiefs et biens nobles sans payer de droits ; il jouit du privilège de l'exemption fiscale, acquise au temps de Charles V, et suit la coutume des nobles en matière de droit privé (succession, mariage).

La monarchie a aidé la noblesse sur le plan économique en lui assurant des rentrées d'argent stables (création du franc) et en compensant autant que possible la baisse des revenus de la seigneurie (abandon d'une part des impôts en échange de la mise en défense de ses châteaux). Mais de plus en plus le roi verse aux nobles des pensions pour les «aider à mieux soutenir leur état»; s'y ajoutent des dons, justifiés par des services rendus ou des dépenses faites en sa faveur. Enfin, les salaires des offices royaux tombent en majeure partie dans l'escarcelle des nobles (voir ci-après).

L'aide du roi est aussi morale. Les déconfitures de Crécy et de Poitiers avaient discrédité la noblesse. La royauté a réagi en exaltant les valeurs nobiliaires et les vertus chevaleresques et en s'appropriant certaines modes et habitudes des nobles comme les ordres de chevalerie et les devises.

La création des ordres de chevalerie répond au premier objectif, encore que ce ne soit pas un phénomène spécifiquement français : Espagne, Bavière et Dauphiné en ont connu avant 1350 et Édouard III a fondé l'ordre de la Jarretière (1348) pour unir étroitement à la personne du roi les compagnons valeureux des campagnes de France. En fondant l'ordre de l'Étoile en 1352, Jean le Bon souhaitait encourager l'adoubement chevaleresque et rassembler les chevaliers français, exclusivement, pour ranimer leur courage et défendre la dynastie et le pays. Le roi cherche à renforcer la cohésion de la noblesse tout en établissant des liens personnels nouveaux entre le chevalier et le prince. La création des ordres de chevalerie s'inscrit donc fort bien dans le cadre de la société contractuelle.

Aussi des princes et des seigneurs de moindre rang créèrent-ils, à l'imitation du roi, leurs propres ordres de chevalerie. On connaît l'ordre du Chardon et de l'Écu d'or en Bourbonnais (1362), l'ordre de l'Hermine en Bretagne, le célèbre ordre de la Toison d'or fondé en 1430 par Philippe le Bon ou l'ordre de «la Dame blanche en l'escu vert» qui rassemblait douze chevaliers autour du maréchal Boucicaut pour défendre les dames nobles isolées.

L'ordre de Saint-Michel, fondé par Louis XI en 1469 (Fouquet orna l'exemplaire royal des statuts d'une miniature magnifique), est différent : face à l'Angleterre et à la Bourgogne, mais aussi face aux princes (la ligue du Bien public date de 1465), il affirme la renaissance du pouvoir royal derrière saint Michel archange, symbole dynastique et national.

L'exaltation des valeurs nobiliaires par la royauté passe par d'autres chemins : il faut l'accord du roi pour organiser des joutes (Boucicaut à Saint-Inglevert en 1390) ou pour partir en croisade contre les païens de Prusse (aux côtés des chevaliers teutoniques), les Sarrasins de Mahdia ou les Turcs.

Il n'est pas jusqu'à la mode vestimentaire qui n'ait témoigné de cet accord profond du roi et de sa noblesse. Charles V portait des vêtements d'apparat armoriés aux lys de France; il ne distribuait pratiquement pas de «livrées» à sa couleur ou à sa devise à ses familiers. Mais en 1382, partant pour l'expédition de Flandre (où il s'agissait de vaincre le «commun» et de venger la chevalerie), Charles VI adopte une devise, c'est-à-dire un système de signes comprenant un mot — «jamais» —, un motif — le cerf-volant blanc — et des couleurs — blanc, vert, vermeil. Désormais, le roi s'habille à la devise et distribue chaque année à profusion à ses serviteurs et aux courtisans des habits à la devise. Naturellement, les princes territoriaux faisaient de même et, durant la guerre civile, partis et clientèles arboraient leurs couleurs (l'élément le plus stable de la devise, le mot ou le motif pouvant changer). Le changement de couleur avait une signification politique : Charles VII adopta le vermeil-azur-blanc tant qu'il fut dauphin ou jeune roi, mais en 1429 peut-être, en tout cas en 1437 et en 1449-1450, il reprit les couleurs blanc-vert-vermeil; Fouquet le représente avec ces couleurs dans son fameux portrait; et si les tapis qui ornent la salle de Vendôme où fut jugé le duc d'Alençon sont armoriés de lys, les tentures sont à la devise royale avec les couleurs et le cerf.

Encore une fois, nous sommes dans le contexte de la société contractuelle : alliances, retenues, livrées à la devise. Serviteurs et courtisans sont habillés comme le roi, à moins que ce ne soit le roi qui s'habille comme eux. Les devises sont la manifestation visuelle d'une solidarité horizontale; celle des partis rivaux, en ces temps de guerre civile et de désarroi; mais aussi celle de la royauté et de la noblesse, tant il y a eu imitation et échanges entre les pratiques du roi et des nobles en ce domaine : le cerf n'est-il pas, à la chasse, une proie réservée à ces derniers ? D'ailleurs l'habit à la devise disparaît progressivement après 1450, le roi se distinguant à nouveau, par son costume, de ses « sujets » ; la solidarité avec la noblesse est devenue verticale.

Pensions, contrats, ordres de chevalerie, devises, la royauté a utilisé tous ces moyens pour faire comprendre à la noblesse qu'elle n'avait rien à redouter du roi, mais au contraire tout intérêt à le servir, donc à servir l'État ; et l'on retrouve les offices !

Noblesse et offices.

La noblesse est entrée sans problème dans le monde des offices. En 1477, plus de la moitié des conseillers sont des nobles et, parmi les plus présents, 14 sur 21 le sont. Pas plus que Philippe le Bel, Louis XI n'a été le « roi des bourgeois » (P. R. Gaussin).

Au Parlement, 60% des juristes sont nobles en 1345 ; la proportion tombe à 40% en 1382, parce que alors s'opère une distinction entre carrière parlementaire et carrière de bailli et de sénéchal : anciens et futurs baillis disparaissent du Parlement et donc la proportion de conseillers laïcs issus d'anciennes familles nobles s'abaisse. Puis le nombre des nobles s'accroît à nouveau, de 1382 à 1454, du fait de l'arrivée d'anoblis, mais la noblesse ancienne reste très bien représentée, notamment chez les conseillers clercs.

Sénéchaux et baillis sont tous nobles au XVe siècle ; et de noblesse ancienne dans leur quasi-totalité du fait de la militarisation de la fonction. Les nobles ne négligent pas les offices subalternes ; c'est même une tradition en Normandie.

En revanche, les bourgeois tiennent les offices de finance, encore que l'on trouve des nobles dans les offices du Trésor ou parmi les élus et les généraux des aides. Beaucoup de clercs nobles, ayant une solide expérience de gestionnaires, exercent des fonctions judiciaires ou financières : Jacques Jouvenel commença sa carrière au Parlement de Paris, devint archevêque de Reims et président de la Chambre des comptes en 1444.

La noblesse ne dédaigne donc pas les offices et, inversement, les officiers ne dédaignent pas la noblesse. Peu y accèdent par lettres d'anoblissement (123 cas sur les 1 618 lettres délivrées de 1345 à 1483). C'est par des voies plus discrètes que les officiers s'agrègent à la noblesse. La guerre a permis à des soudards sans passé de s'en inventer un : Perrinet Gressart, un chef de bande bourguignon, déjà cité, se proclame noble en 1417. Jean de Beuil, dans *Le Jouvencel*, écrit que « ceux qui ne sont nobles de lignée le sont par exercice et mestier des armes qu'ils suivent et qui est noble de soi-même ». Après la guerre, le rachat de seigneuries dévastées permit à des individus entreprenants de se glisser dans la noblesse.

Reste l'office. Jean Jouvenel se proclama noble « sans lettre et sans cérémonie » (F. Autrand) ; il se trouva une prestigieuse ascendance romaine (Orsini, Ursins) et n'oublia jamais de se qualifier de chevalier. La noblesse est un état, une qualité, mais aussi un office ; tous ceux qui exercent un office ont donc vocation à devenir nobles.

Les officiers ont obtenu avec un certain décalage les privilèges des nobles : la coutume des nobles, le droit prioritaire aux bénéfices ecclésiastiques (vers 1400) et l'exemption fiscale (entre 1398 et 1411). Les gens du Parlement ont justifié ce privilège par l'insuffisance de leurs gages, mais aussi par la grandeur de leur mission de justice au service du roi.

Anobli et privilégié, encore faut-il « vivre noblement » (et l'on pourrait ajouter « mourir noblement », en multipliant les largesses aux établissements religieux par exemple). On commence par investir dans la terre et dans la pierre, ce que l'exemption des impôts indirects a favorisé. La réussite exceptionnelle du chancelier de Charles V, Pierre d'Orgemont, qui acquiert des maisons à Paris et de magnifiques domaines à Pontoise et Méry, Chantilly, Lagny, ne doit pas conduire à exagérer l'importance des acquisitions foncières des officiers royaux, ni, d'une manière générale, des gens des villes. La noblesse traditionnelle a bien résisté, son rôle dans les reconstructions l'atteste.

Vivre noblement implique de « suivre les armes ». Les occasions ne manquent pas ! Dans la famille Jouvenel, on trouve, dès la deuxième génération, coexistence entre carrière judiciaire et carrière militaire : comme Jean, le père, avocat du roi et président du Parlement de Poitiers, trois fils passèrent par le Parlement ; deux de ceux-ci poursuivirent par une carrière épiscopale, tandis que le troisième, Guillaume, devint capitaine de gens d'armes, bailli de Sens, puis chancelier de France ; mais les quatre autres fils suivirent toute leur vie la carrière des armes. A vrai dire, la distinction entre noblesse d'épée et noblesse de robe n'est pas pertinente au XVe siècle ; mieux vaut parler de noblesses ancienne et nouvelle, l'une et l'autre fournissant juristes et hommes de guerre. D'ailleurs la Chancellerie connaît la noblesse et les « autres » ; le Parlement aussi, qui distingue cependant, parmi ces autres, de « notables hommes ». S'il ne semble point trop difficile d'entrer dans la noblesse, il n'est pas sûr qu'on y soit toujours bien reçu.

Avant 1350 on distinguait des « seigneurs ès lois », aux côtés des chevaliers ou des clercs du roi. L'expression était sans doute valorisante, professionnellement (c'est la première esquisse du « quatrième état »), mais elle soulignait bien qu'on n'était pas noble.

Dans la seconde moitié du XIVe siècle, l'officier anobli s'empresse de se faire adouber, ce qui prouve qu'un office non militaire n'est pas jugé compatible avec le genre de vie noble. Cette arrivée massive de nouveaux venus dans la noblesse provoque dans les premières décennies du XVe siècle une tension avec la noblesse ancienne. Ainsi au Parlement, les avocats des plaideurs nobles mettent systématiquement en avant cette noblesse ancienne ; en 1408, les nobles d'« ancienne génération » protestent contre leur sous-représentation parmi les conseillers laïcs au Parlement. Dans les bailliages et sénéchaussées, la noblesse ancienne entend se réserver les offices à contenu militaire, ceux de bailli et sénéchal, car « est accoustumé que sénéchaux vestissent le fer... », mais aussi des offices inférieurs comme ceux de viguier ou de capitaine et l'on connaît un capitaine en Vermandois qui refuse d'obéir au lieutenant du bailli, disant « qu'il estoit de meilleur lignage ».

La noblesse ancienne, se sentant à tort ou à raison menacée, a pris conscience d'elle-même. Elle ne rejette pas les anoblis, elle ne se ferme pas ; simplement, elle se réserve le monopole de certains offices. La spécialisation des carrières, judiciaires, financières, militaires, s'accompagne d'un recrutement social particulier; chacun a sa place, en vertu de ses compétences et de ses origines. La noblesse est toujours le modèle social; l'office n'est que l'un des moyens de l'atteindre.

Il faut attendre la deuxième moitié du XVe siècle pour que le service «civil» du roi, au Parlement, à la Chancellerie ou ailleurs, devienne comme le service militaire synonyme de grandeur et de noblesse. Sans avoir besoin de se référer à d'autres modèles, les nouveaux nobles puisent dans leur carrière au service de l'État la justification de leur titre de noblesse. Dans le même temps, le roi anoblissait collectivement des magistrats urbains, ceux de Tours par exemple; c'est l'origine de la noblesse de cloche.

Alors — mais alors seulement —, la noblesse de robe existe.

6. Le roi et les princes

Le temps des principautés?

N'exagérons pas les distinctions entre ancienne et nouvelle noblesse. La noblesse est la classe dirigeante, la classe privilégiée par excellence. Mais elle est socialement très diverse, de ce nobliau dont le jeu d'échecs est la seule «richesse» et la seule preuve de son rang, au fastueux duc Jean de Berry, prince du sang et maître d'une principauté qui représente le dixième de la superficie du royaume.

L'historiographie française a fait de l'existence de puissantes principautés l'un des problèmes majeurs de l'histoire politique de la France à la fin du Moyen Age. En les assimilant aux principautés féodales du XIIe siècle, on en a fait les adversaires de l'État, de l'État centralisé, bien sûr. R. Cazelles a même parlé d'une «reféodalisation» du royaume sous les premiers Valois, après le temps béni de la centralisation à la française des derniers Capétiens. Un Français du XVe siècle, c'est vrai, vivait dans une structure politique double : le royaume, la principauté ou la seigneurie; comme au XIIe siècle, en somme. Mais aussi comme sous Philippe le Bel!

Une principauté est constituée d'un ensemble de territoires obéissant à un chef unique qui dispose de presque tous les attributs de la souveraineté tout en restant soumis, au moins théoriquement, à celle du roi. Ainsi définies, on distingue deux catégories de principautés.

Des principautés patrimoniales, héritières de principautés féodales (on parle de leurs chefs comme de «grands feudataires») : le comté de Flandre, le duché de Bretagne, les comtés d'Armagnac et Rodez, le comté de Foix, la vicomté de Béarn, le comté de Périgord, jusqu'à sa confiscation en 1399. Joignons-y le duché de Guyenne aux mains des Anglais et le duché de Bourgogne, possession d'une dynastie capétienne jusqu'en 1361.

Des principautés apanagées, constituées par les rois en faveur de leurs fils puînés pour les désintéresser de la couronne, réservée à l'aîné. Il en existait trois avant 1350 : le comté de Clermont-en-Beauvaisis, donné par Saint Louis à son fils Robert et uni par lui à la seigneurie de Bourbon; l'apanage d'Évreux, constitué en 1307 pour Louis, frère de Philippe le Bel, et passé aux mains de son petit-fils, Charles le Mauvais, roi de Navarre (il revint à la couronne en 1389); le duché d'Orléans, constitué par Philippe VI pour son cadet, Philippe, qui le conserva jusqu'à sa mort, en 1357.

Jean le Bon avait quatre fils; l'aîné reçut, au titre d'héritier du trône, le Dauphiné (hors du royaume) et le titre creux de duc de Normandie. En 1356, le roi donne à Louis l'Anjou, le Maine et la Touraine; à Jean le Poitou et le Mâconnais. En 1360, c'est la conséquence du traité de Calais, Jean doit abandonner le Poitou; en compensation il reçoit le Berry et l'Auvergne; ses territoires sont érigés en duchés-pairies; il en est de même pour l'Anjou. Louis doit céder la Touraine à son jeune frère Philippe, qui la rend à la couronne lorsque Jean le Bon l'investit du duché de Bourgogne en 1363-1364. Ce n'est pas un apanage, en ce sens que les clauses de réversion prévues sont celles d'un fief ordinaire. Par son mariage, Philippe de Bourgogne acquiert le comté de Flandre (1369-1385). Enfin, la reconquête permet à Jean de récupérer le comté de Poitiers en 1374; mais il rend le Mâconnais au roi.

Charles VI constitua la Touraine en apanage pour son frère Louis, en 1388, puis l'échangea contre le duché d'Orléans en 1392. On sait que, par achats et confiscations, Louis a acquis des territoires divers dans le royaume (Blois, Dunois, Périgord, Angoulême, Coucy, Valois). Son fils, Charles, son petit-fils, le futur Louis XII, en héritèrent.

Le Bourbonnais n'est pas un apanage, même si une dynastie issue de Saint Louis y règne. De seigneurie il devint duché en 1327 et duché-pairie l'année suivante. Le Forez en 1373 et la seigneurie de Beaujeu (avec la Bresse, terre d'empire) en 1400 s'y ajoutèrent. Cette même année, Jean, héritier de Bourbon, épousa Marie, fille du duc de Berry. Ce dernier souhaitait transmettre au jeune couple l'Auvergne, malgré le « droit » des apanages. Il obtint l'accord du roi à la condition que l'ensemble des possessions de la maison de Bourbon ne reçût le statut d'apanage. A la mort de Jean, en 1416, le Berry et le Poitou revinrent à la couronne par défaut d'héritier mâle. Quant à l'Auvergne, la monarchie retarda l'application de l'accord de 1400 jusqu'en 1425 : le soutien de la principauté bourbonnaise était devenu alors trop précieux à Charles VII pour qu'il tergiversât davantage.

Le comté d'Alençon, érigé en duché-pairie en 1415, et le duché de Nemours (également pairie), donné en 1404 à Charles III le Noble, fils de Charles le Mauvais, pour prix de sa renonciation à Évreux, complètent cette liste des apanages.

Sous Louis XI enfin, la question de l'apanage de son frère Charles fut au cœur des luttes princières contre le roi : d'abord installé en Berry, le jeune frère du roi se vit attribuer successivement la Normandie, la Champagne et, pour finir, la Guyenne (de 1469 à sa mort, en 1472).

Imitatio regi.

Les principautés de ce temps, dans leur majorité, ne sont plus féodales ; elles ont adopté le modèle royal d'administration. L'apparition de quelques institutions caractéristiques marque les étapes de l'évolution de la « seigneurie vers l'État » (A. Leguai) : la Chancellerie, l'Hôtel, la Chambre des comptes surtout ; le Forez, pionnier en la matière, en institua une dès 1317 ; les autres suivirent, le Bourbonnais en 1374, la Bourgogne et la Flandre en 1386, avec les deux créations de Dijon et de Gand. Charles le Mauvais en créa une à Évreux pour ses possessions normandes. Toutes ces principautés relèvent cependant de la juridiction du Parlement : les « grands jours », la juridiction la plus haute de la principauté, ne sont qu'un échelon d'appel supplémentaire avant la cour royale.

Les princes ne disposent pas du droit de frapper monnaie, mais ils le prennent. Ils ne peuvent lever les impôts dans leur principauté, mais le roi leur en concède une part, puis la totalité. Le roi masquait cet abandon de souveraineté en faisant du prince son lieutenant général dans la province. Les principautés patrimoniales possédaient leurs propres rouages administratifs, souvent semblables à ceux du royaume, y compris sur le plan fiscal. Dans les apanages, les princes conservaient les rouages administratifs et le personnel royal. Il n'y avait donc pas de rupture.

L'imitation du modèle royal gagne le terrain du paraître, de l'idéologie, de la propagande. Le prince tient une cour fastueuse dans la capitale de ses États : Moulins, Dijon, Bourges s'ornent de beaux monuments, civils ou religieux. Le duc de Berry accueille les frères Limbourg, peintres réputés, ou le sculpteur Claus Sluter ; Pierre de Bourbon fait travailler le Maître de Moulins, invite le musicien Jean Ockeghem. Les fondations pieuses se multiplient : une vingtaine pour Louis d'Orléans dont quatorze en faveur des Célestins ; Louis de Bourbon honore ces derniers à Vichy tandis que les ducs de Bretagne patronnent les saints locaux. A l'exemple du roi, les princes descendants de Saint Louis (c'est une des conditions) édifient des saintes chapelles ; il y eut deux périodes de construction : la fin du XIVe siècle (Riom et Bourges par le duc Jean de Berry) et la deuxième moitié du XVe avec les constructions élevées par les différents rameaux de la maison de Bourbon, Aigueperse et Bourbon-l'Archambault en Bourbonnais, Vic-le-Comte en Auvergne et Champigny-sur-Veude aux limites de l'Anjou et du Poitou, et la chapelle de Châteaudun élevée par le comte de Dunois en 1451. Sur le modèle de Saint-Denis les princes érigent en nécropoles dynastiques certaines églises : Souvigny en Bourbonnais ; la chartreuse de Champmol près de Dijon (Sluter y travailla).

Enfin, les princes ont voulu adopter les insignes et les rites de la souveraineté : le vicomte de Béarn déclare tenir son pouvoir de Dieu seulement; le duc de Bretagne, en 1417, se dit duc «par la grâce de Dieu», et reçoit une couronne à son avènement; le comte d'Armagnac franchit le pas en 1440 et revendique alors la couronne traditionnelle des comtes de Rodez. Les princes apanagés furent, sur ce plan, en retrait. Charles VII, on le sait, mit bon ordre à tout cela.

Les principautés ont connu leur développement territorial et politique maximal dans les années 1392-1445, soit la période où la royauté est en butte aux difficultés les plus vives. Il y a un lien, c'est évident; encore convient-il, pour l'apprécier correctement, de préciser les objectifs des princes.

Ne nous laissons pas abuser par l'exception bourguignonne (on examinera à part la question); Charles le Téméraire voulait réduire le royaume de France à cinq ou six principautés. Tel n'était certainement pas le but des autres princes territoriaux, pas même celui de Philippe le Bon, le père du Téméraire.

Les princes sont d'abord les premiers des nobles et, presque tous, des parents proches du roi. Ils aspirent donc à jouer le rôle de premier plan qu'ils estiment être le leur dans le gouvernement. Leurs mouvements d'humeur, leurs révoltes s'expliquent souvent par la déception; Philippe le Bon, en 1435, avec le traité d'Arras, en 1461, avec l'avènement de Louis XI, a cru ainsi naïvement qu'il allait jouer les premiers rôles; il fut déçu! Tout naturellement, les princes rebelles retrouvent le vieux programme de réforme : en 1442, après l'échec de la Praguerie, ils réclament une réunion des États généraux; en 1465, ils défendent le «bien public». Mais aucun d'entre eux n'évoquera jamais le «bon temps de la guerre civile»!

Pourtant l'affaiblissement de la royauté a pu les pousser, au moins en partie, à l'autonomie, voire à l'indépendance. Certaines principautés ont un fort particularisme ethnique : «Ma nation et mon pais», disait Du Guesclin de sa Bretagne natale et, de fait, la politique du duc François II, à partir de 1458, va dans ce sens. Ne parlons pas de la Flandre, devenue si étrangère au royaume! Louis XII reconnaît l'indépendance du Béarn en 1512. Or, les princes les plus sourcilleux sur la question de l'hommage, aussi bien à l'égard du roi de France qu'à l'égard du roi d'Angleterre, ont été justement Gaston Fébus et les ducs de Bretagne; cela ne surprend pas puisque, par l'hommage, la question de la souveraineté était posée.

Mais le duc de Berry n'aspire pas à cela; il veut mener à sa guise une vie de luxe et la principauté en est l'un des moyens. Louis d'Orléans, je l'ai montré, a des objectifs plus vastes et sa principauté, c'est le royaume. Le duc de Bourbon fut longtemps fidèle à son roi, mais il est vrai qu'il en vint, plus tard, à penser mal! De toute façon, les princes butent sur un problème majeur, qui conditionne tous leurs désirs : l'argent. Il ne peut y avoir d'autonomie politique sans autonomie financière et seules trois principautés ont atteint ce stade par des moyens différents : le petit Béarn, la Bretagne et la Bourgogne d'après 1430. Toutes les autres dépendent des ressources de l'État royal. Les princes peuvent donc aspirer à dominer celui-ci; ils n'ont pas intérêt à l'abattre.

La reconstruction du pouvoir de haut en bas (ou Du bon usage des principautés).

Face aux princes, le roi n'est pas démuni; et, c'est le comble, il ne leur est pas systématiquement hostile! Vers 1450, Noël de Fribois, dans son *Abrégé des chroniques*, mettait en garde le roi contre le danger représenté par les princes, même ceux du sang de France. Mais en 1392, lorsque les Orléanais vinrent à Paris se plaindre de devoir quitter le domaine de la couronne pour se retrouver sous l'autorité du frère du roi, Louis, le Conseil du roi (marmouset) ne prit pas la peine de délibérer pour leur faire comprendre, en substance, qu'on ne quittait pas le roi en passant dans l'apanage de son frère!

Ne jugeons pas des principautés en théologiens du centralisme monarchique, jacobin ou démocratique. Plaçons-nous plutôt dans le contexte d'une décentralisation nécessaire, imposée par la crise, par les besoins de la défense du royaume, par les sujets et par le souci d'un gouvernement efficace; et ne faisons pas de la monarchie totalitaire de Philippe le Bel ou de la monarchie autoritaire de Louis XI le modèle unique de l'État moderne en gestation. Charles V, Charles VII, Louis XII ont su tenir compte des faits et s'y adapter, sans renoncer à leurs prérogatives.

Charles V ne pensait pas perdre son autorité en constituant le Languedoc en lieutenance générale et en faisant de son frère Louis d'Anjou un vice-roi sans le titre. C'est le même qui a voulu soumettre la Bretagne par la force en 1378 et qui s'y est cassé les dents, comme son aïeul Philippe le Bel s'était cassé les dents sur la Flandre. Charles VI dut laisser faire parce qu'il était fou. Charles VII tira quelques avantages de la situation et s'en arrangea tant qu'il n'eut pas les moyens de décentraliser autrement. Ce qui compte, c'est le résultat de cette prétendue politique d'abandon.

Le Languedoc, sans être une principauté, fut constamment aux mains de princes : Anjou, Berry, Armagnac, Foix, Bourbon, Maine; sauf, et encore partiellement, en 1418-1420, le Languedoc a été d'une fidélité exemplaire au roi légitime, pour le pire (l'exploitation éhontée des lieutenants généraux) et le meilleur (une forme de démocratie municipale et provinciale a pu s'épanouir pour la plus grande satisfaction des notables). L'apanage du duc de Berry fit retour à la couronne en 1416 (après cinquante-six ans de séparation). Ses cadres administratifs encore chauds permirent au roi de Bourges de reconstituer en quelques mois une armature politique complète pour son royaume amputé. Les hommes qui servaient le duc passèrent au service du roi sans la moindre difficulté. Et pour cause, puisque, dans le domaine comme dans les principautés, ils étaient formés au même moule : en 1386, Philippe le Hardi ne fit-il pas appel aux hommes de la Chambre des comptes de Paris pour créer celles de Gand et Dijon?

D'ailleurs, même lorsqu'il n'est pas en position de force, le roi ne perd jamais de vue les principautés. Le « droit des apanages » n'autorise de succession qu'en ligne masculine directe; sinon, l'apanage fait retour à la couronne. Certes, dans les principautés patrimoniales, ce « droit » ne vaut pas; mais en l'absence de tout héritier, le suzerain, donc le roi, intervient : ainsi Jean le Bon a-t-il repris le duché de Bourgogne en 1361; et il est parfois institué héritier, comme le fut Charles VI pour le comté de Foix en 1391. De toute façon, le roi conserve des droits dans les principautés, quelles qu'elles soient : la protection de nombre d'établissements religieux; la nomination à des bénéfices; le ressort en matière de justice. Des bailliages-croupions, on l'a vu, furent parfois créés pour s'occuper des «ressorts et exemptions» des principautés.

Le roi, enfin, dispense dons, pensions et gages; être officier d'un prince permet souvent d'obtenir un office du roi; force est de constater que celui-ci paie mieux. Sous Charles VI et Charles VII, de nombreux Bretons servirent avec dévouement le roi; dans le duché, ils restent des agents de l'influence française, même le principal d'entre eux, Arthur de Richemont, connétable de Charles VII, qui devient duc en 1452. Louis XI disposa de moyens financiers importants pour acheter, ou corrompre, les principaux officiers des princes.

La royauté a donc compris que l'existence de pouvoirs locaux solides était la meilleure garantie d'un pouvoir royal fort. Par-delà les principautés, elle a su composer et gagner à sa cause les pouvoirs seigneuriaux, dont on a trop souvent négligé l'importance dans la recomposition politique du royaume. De même, Charles VII et Louis XI, par leur politique fiscale, ont réussi là où Charles V avait échoué : ils ont obtenu l'appui des villes. L'échec des révoltes princières s'explique en partie par ces faits.

Le pouvoir royal a surmonté la crise en se reconstruisant de haut en bas, si je puis dire! Les principautés ont tenu leur place dans ce processus. Les souverains surent reconnaître leur utilité, dans la défense du royaume par exemple (ce qui justifie la concession du droit de lever l'impôt), dans le rapprochement du pouvoir et des administrés. Sur les moyens le roi sut se montrer conciliant; mais sur les principes, s'il dut parfois ronger son frein, il ne céda jamais : en 1425, la réconciliation de Charles VII et du duc de Bretagne, à Tours, fit l'objet d'un véritable traité, de puissance à puissance. Charles VII ne pouvait faire autrement. Mais en mars 1443, à Montauban, il impose au comte d'Armagnac de rendre les places qu'il tient et l'ajourne devant le Parlement de Toulouse pour répondre «sur plusieurs rebellions faictes par lui et ses officiers contre les gens du roy, et aussi parce qu'il se disait par la grâce de Dieu conte d'Armignac, ce qui ne appartient a duc ne a conte de nu royaume» (Hérault Berry).

Contraint de décentraliser, le roi en a vu les avantages et, redevenu plus fort, il a continué : après tout, un parlement de province, c'est la cour souveraine du royaume mise à la portée des sujets; et les gouverneurs de la fin du XVe siècle représentent le pouvoir militaire décentralisé, exercé auparavant par les lieutenants généraux et les princes.

Les principautés rentrent dans le rang. Furent-elles un danger pour la royauté? Pour la majorité d'entre elles, pas vraiment; elles connaissent leur plus grand développement au moment du plus profond affaissement de l'autorité royale (le royaume de Bourges), c'est vrai, mais elles la sauvent aussi. Lorsqu'elles se rebiffent contre le roi, il est trop tard. Deux seulement vont se révéler menaçantes : la Bourgogne et la Bretagne, qui, avec des moyens puissants pour la première, bien médiocres pour la seconde, entendent s'affranchir de la souveraineté royale et sortir du royaume. États en gestation ou sujets rebelles, ce n'est plus la problématique des principautés.

5

Victoire et redressement de la royauté (1436-1498)

1. La fin de la guerre de Cent Ans

Guyenne et Normandie anglaise.

Après l'épisode de Jeanne d'Arc, après le traité d'Arras, les Anglais surent réagir, à partir des deux môles de résistance que constituent la Guyenne et la Normandie.

Le duché de Guyenne se réduit alors au Bordelais, de part et d'autre de la Gironde, au liséré de la côte landaise et à Bayonne et sa région. Trois siècles d'Histoire l'unissent à l'Angleterre. Bordeaux exporte ses vins et, lorsque les hostilités cessent, ceux de l'arrière-pays français : 20 000 tonneaux par an vers 1400, 12 000 encore en 1445-1449. Ce trafic assure la prospérité de la bourgeoisie commerçante, des mariniers du port et des producteurs nobles, clercs ou paysans propriétaires, tous défenseurs de la cause anglaise.

La noblesse gasconne, pourtant tiraillée entre des allégeances changeantes à cause des hasards de la guerre, fut dans l'ensemble d'une grande fidélité. Elle ne suivit pas Archambaud de Grailly, le captal de Buch, lorsqu'il rallia la cause française pour devenir comte de Foix en 1399; les nobles des Landes réduisirent la dissidence antilancastrienne de Bayonne en 1404. La noblesse fournissait l'essentiel des officiers et des hommes d'armes dont les Anglais, peu nombreux en Guyenne, avaient besoin. Sous la tutelle légère d'un duc-roi lointain (représenté à Bordeaux par un sénéchal) qui leur faisait confiance, les Gascons développèrent leur autonomie. Qui ne comprend qu'ils avaient tout à craindre d'un roi de France trop proche? Revers de la médaille, les Anglais les négligèrent lorsque la pression française se fit plus vive, à partir de 1440.

Bien différente est la situation de la Normandie, considérée par les Anglais comme terre de conquête. C'est un pays occupé, quadrillé par les garnisons anglaises de quarante-cinq places fortes et châteaux. Outre les cinq bailliages traditionnels, la Normandie anglaise comprend aussi ceux d'Alençon, d'Évreux et de Mantes, ainsi que le Vexin français, avec Pontoise et Beaumont, qui a été retranché du bailliage de Senlis. Un conseil, un grand sénéchal et un trésorier, installés à Rouen, coiffent le tout.

La fiscalité est lourde (la conquête doit payer la conquête). Le mécontentement va dégénérer en révolte dans les années 1434 (Bessin, Campagne de Caen) et 1435-1436 (val de Vire et pays de Caux). Des milliers de paysans, mal armés et mal préparés, encore que les Anglais avaient eu l'imprudence de leur donner un entraînement succinct dans les années précédentes, furent massacrés par les troupes anglaises. Les révoltés de Caen reçurent l'appui tardif de quelques compagnies françaises. Il ne faut pas y voir un soulèvement patriotique organisé; les paysans furent le plus souvent laissés seuls, les nobles profrançais n'ayant que mépris pour eux. Les années 1435-1439 furent terribles en Normandie par suite des épidémies et des famines; le prix du blé grimpa en flèche. On peut parler de révoltes de la misère mais elles sont tournées contre les Anglais, et certains capitaines français ont essayé de les utiliser.

Il y eut pourtant une « résistance » en Normandie. Parmi ces « brigands » si nombreux que les Anglais pourchassent dès 1420, certains sont d'authentiques résistants : ceux contre qui des mesures particulières sont prises; ceux qui sont qualifiés de « traîtres » et sont décapités; ceux dont les biens sont confisqués au profit de la couronne; ceux dont la capture procure au soldat une prime de 6 livres. Bien entendu, des clercs, des bourgeois, des nobles aussi — quoi qu'on en ait dit ! — ont accepté l'occupation et servi les Anglais, dans les offices notamment. Accepté ou supporté ? De moins en moins bien en tout cas. La Guyenne fut conquise par les armées de Charles VII, mais la Normandie, elle, fut libérée.

Les écorcheurs.

La guerre s'est enlisée aussi à cause de la faiblesse et de l'irrégularité des moyens financiers du roi. Nous sommes au plus profond de la crise, ne l'oublions pas ! Les impôts rentrent mal ; ils sont utilisés ou gaspillés sur place, détournés par les lieutenants du roi qui se servent autant qu'ils servent ; les troupes sont donc mal et irrégulièrement payées (les soldes ont diminué d'un tiers entre 1411 et 1440) et toute opération suivie est impossible. Les structures administratives de l'armée du temps de Charles V n'existent plus ; le pays subit à nouveau les méfaits des compagnies d'« écorcheurs », ainsi nommés parce qu'ils dépouillaient jusqu'à la chemise ceux qu'ils rencontraient, amis ou ennemis.

Leurs chefs sont issus de la petite noblesse et parmi eux nombreux sont les bâtards. Ils agissent pour leur compte ou se mettent à la disposition d'un prince ou du roi ; mais jamais au service de l'ennemi anglais. Car ces gens-là sont patriotes, à leur manière. Le célèbre Villandrando, qui est castillan, a servi indifféremment les rois de Castille et de France, qui sont alliés, ou le duc de Bourbon, dont il a épousé une fille bâtarde. Il a pillé le Languedoc et l'Auvergne, pays amis, comme le Médoc anglo-gascon.

Autre capitaine et prince de l'écorcherie, Robert de Floques, qui affirmera avoir toujours servi le roi. De curieuse façon, mais c'est vrai ! En 1435, capitaine du roi, il est, avec ses collègues La Hire et Xaintrailles, de tous les coups de main, à Saint-Denis ou en pays de Caux ; en septembre 1441, il s'empare d'Évreux et Charles VII le fait bailli de cette place avancée en zone anglaise ; il a entre-temps ravagé le Hainaut, la Champagne, et Charles VII a dû le payer pour qu'il lâche la Touraine. On le retrouve en 1445, pillant l'Alsace, le Luxembourg, le Rethelois, méthodique et attentif aux méfaits qu'il ordonne : déchaîné en pays étranger ou bourguignon, moins violent dans le royaume car, là, le meurtre, le sacrilège, le viol et l'incendie sont des crimes en principe irrémissibles.

Ce Jean de la Porte qui obtient des lettres de grâce du roi en 1447 est un petit, mais son destin est exemplaire. Il « print d'eschielle la place d'Ivry-le-Chasteau», en Normandie, puis il opère en Languedoc et en Guyenne. De 1420 à 1440, il a été huit ou neuf fois prisonnier; rançonné, il a dû «engaigier la plus part de sa chevance». C'est peut-être pour cela «qu'il a aucune foiz tenu les champs et vescu sur iceulx, et pour vivre [...] il a fait et a esté à plusieurs courses, pilleries et prinses de places, lesquelles estoient en nostre obeissance à noz subgiez...»; il a suivi de fameux écorcheurs comme Villandrando, Valette, «a couru et espié chemins, foires et marchiés, destroussé et desrobé gens d'Église, marchans et autres»; le roi lui pardonne «sauf et réservé toutes voyes meurdres d'aguet appensé, avoir bouté feu, violé églises et forcé femmes, et aussi pourveu qu'il n'ait tenu party contraire à nous».

Le roi ne peut se passer de la centaine de capitaines d'écorcheurs qui courent le pays. En 1439, pour assiéger Meaux, Charles VII a rassemblé 6 500 combattants; ils sont tous volontaires mais aussi, hormis les quelques contingents du connétable Richemont, tous écorcheurs. La complicité est inévitable et il faut vraiment qu'ils dépassent les bornes pour que le roi sévisse contre eux : ainsi en 1441, le bâtard de Bourbon fut-il cousu dans un sac et noyé dans l'Aube et huit de ses compagnons pendus. On comprend les remontrances de Jouvenel des Ursins; on comprend aussi pourquoi Charles VII ne put «s'éveiller» aussi tôt que le prélat le souhaitait.

De la prise de Paris aux trêves de Tours (1436-1444).

Durant ces huit années, l'intensité des combats fut variable. Après la reprise de Paris, les troupes françaises et bourguignonnes sont à l'offensive en région parisienne et en Normandie. Un raid audacieux a livré Dieppe le 28 octobre 1435; puis les prises du pont de Meulan et de Pontoise (en février 1436) ouvrent l'accès à la Normandie : Harfleur, Tancarville, d'autres places sont enlevées et l'axe de la Seine est pratiquement inutilisable par les Anglais. Ceux-ci réagissent sous la direction du duc d'York. En janvier 1437, ils reprennent Pontoise et les places fortes perdues; ils détruisent les châteaux secondaires et concentrent leur défense sur les points les plus importants. Mais en privant les habitants de lieux de repli, ils les font fuir ; en créant un véritable désert en Normandie, ils affaiblissent leur capacité de résistance aux Français.

Les progrès les plus nets ont lieu en Ile-de-France : Montereau, Montargis, Meaux, d'autres places encore sont enlevées. Mais la région parisienne n'est définitivement à l'abri des raids anglais qu'avec la deuxième prise de Pontoise, le 19 septembre 1441.

Une violente épidémie de peste réduit les opérations en 1439-1440. On en profita pour négocier, à Oye, petit bourg flamand ; vainement, les positions restant toujours aussi éloignées : « Toute la nacion anglaise ne souffreroit pas [...] que le roy tenist rien en hommage [...] de nul autre roy. » Mais Charles VII « avoit délibéré [...] que pour rien il ne baillera, ne delaissera aulcune chose aux diz Anglois que ce ne soit en foy et hommage » (Monstrelet). Les troubles de la Praguerie prolongèrent l'espèce de paix armée jusqu'en 1441.

En 1441-1442, une nouvelle offensive mène les capitaines français en Normandie (Évreux). Le roi et son fils, quant à eux, descendent dans le Sud-Ouest porter secours à la ville de Tartas, une possession des Albret. Il s'ensuit quelques succès importants (prise de Saint-Sever, Dax, Marmande et Tonneins), mais sans lendemain, la résistance des Anglais du château de La Réole entraînant le repli du roi. Il n'empêche, pour la première fois depuis longtemps, une importante armée française avait jeté la panique à Bordeaux. L'année suivante, en 1443, le dauphin mettait au pas le comte d'Armagnac ; l'autorité royale régnait à nouveau dans la vallée de la Garonne.

Après une vaine chevauchée anglaise en 1443, les discussions reprennent et aboutissent aux trêves de Tours le 28 mai 1444. Elles sont accueillies avec un énorme soulagement dans les deux royaumes.

La fin de la France anglaise.

Charles VII mit à profit la trêve pour régler le problème de l'écorcherie et mettre sur pied une solide armée royale. Il obtint aussi, en exploitant les difficultés d'Henri VI de Lancastre, en butte à l'opposition yorkiste, l'évacuation du Maine par les troupes anglaises ; elles n'obéirent pas facilement et la récupération du Mans n'intervint qu'en 1448.

Le 24 mars 1449, un capitaine au service des Anglais, François de Surienne, occupe et pille la ville bretonne de Fougères. Le duc François Ier proteste ; le roi de France, qui se sent désormais assez fort, le soutient et laisse ses capitaines pénétrer en Normandie. Puis, le 17 juillet, il rompt officiellement la trêve. La Normandie est encerclée : les troupes bretonnes attaquent le Cotentin ; les comtes d'Eu et de Saint-Pol, depuis la Picardie, pénètrent en Caux ; le roi suit la Seine, tandis que Dunois remonte du sud. C'est une guerre de sièges rondement menée, la population des villes soutenant les armées de Charles VII. L'artillerie est utilisée à grande échelle, dans les sièges comme sur le champ de bataille.

La campagne fut poursuivie sans interruption durant un an. D'août à novembre, le pays de Caux, la Seine et la majeure partie de la Normandie occidentale sont libérés et le roi entre à Rouen le 12 novembre 1449. Au printemps, une armée de secours anglaise, dirigée par Thomas Kyriel, débarque à Cherbourg ; elle est écrasée à Formigny le 15 avril 1450, l'artillerie ayant donné un avantage décisif aux Français. La dernière phase est marquée par la réduction des places qui résistaient encore : Caen en juillet, Cherbourg enfin le 12 août.

Les troupes royales, emmenées par Dunois, prennent le chemin de la Guyenne. Bordeaux capitule le 23 juin 1451 et le reste du duché est rapidement soumis, seule Bayonne tenant jusqu'en août. Cet effondrement rapide ne doit pas faire illusion. Le roi avait confirmé tous les privilèges, droits et libertés des Gascons. Mais il y eut vite des accrochages entre Bordelais et officiers du roi ; en 1452, des contacts sont renoués avec Londres, si bien qu'à la fin de l'été les Anglais peuvent faire débarquer une armée de secours que dirige le vieux mais prestigieux Talbot. Il réoccupe facilement Bordeaux et les places fortes d'alentour, grâce à l'aide des Gascons.

Une nouvelle campagne de Guyenne s'ouvre au printemps 1453. Le traitement de la petite ville de Chalais, qui s'est donnée à l'ennemi, est une indication du changement survenu : on ne fait pas de quartier pour les traîtres gascons. Le choc décisif a lieu le 27 juillet 1453, à Castillon : l'artillerie des frères Bureau, jouant le rôle de l'archerie anglaise quelques décennies plus tôt, cloue sur place les troupes anglaises. Bordeaux soutint le siège quelques mois encore, puis capitula le 19 octobre. Une lourde amende lui fut imposée.

A l'exception de Calais, c'en était fini de la France anglaise. Mais il n'y eut point de paix ! En 1457, les Anglais fondirent sur l'île de Ré et les Français sur Sandwich. En 1475, ce fut plus sérieux : alliés à Charles le Téméraire, les Anglais du roi yorkiste Édouard IV débarquèrent en Picardie. Mais comme le Téméraire, fixé sur le Rhin par le siège de Neuss, ne vint pas, comme le comte de Saint-Pol, en titre connétable de France, refusa finalement d'ouvrir Saint-Quentin aux Anglais, Édouard IV répondit aux offres de paix de Louis XI. A Picquigny, Louis XI ne lésina ni sur les pâtés, ni sur le vin de Bourgogne (Charles le Téméraire fut donc malgré lui un peu de la fête), ni sur les deniers. Les Anglais s'en repartirent « apaisés et contents, sans avoir rien fait ». On les revit en Bretagne en 1489, puis en Picardie, mais le traité d'Étaples du 3 novembre 1492, sans être la paix, les fit se rembarquer.

2. La victoire par la réforme

Vers l'armée permanente.

La réforme de l'armée, à laquelle Charles VII procède lors de la trêve, est certainement l'aspect le plus spectaculaire du redressement de l'autorité royale qui marque cette période. Le roi n'innove pas ; il renoue avec les principes de Charles V que les désordres des années 1410-1440 avaient effacés. Charles VII n'a pas créé l'armée permanente ; sa réforme répond à des besoins précis, exprimés par les États généraux d'Orléans en octobre 1439 : mettre fin à l'écorcherie ; rétablir l'ordre. Comment ?

L'ordonnance du 2 novembre 1439 proclamait que la levée des troupes était un droit régalien. Les capitaines qui avaient participé au siège de Meaux, rééquipés de neuf et munis d'un à-valoir d'un mois sur leur solde, furent envoyés tenir garnison en Normandie. Mais beaucoup désobéirent, encouragés par les princes qui les employaient aussi. Ce fut la Praguerie et l'ordonnance fut oubliée.

Après les trêves de Tours, le roi procéda autrement. En mai 1444, le dauphin Louis emmena tout ce qu'on put ramasser d'écorcheurs en Alsace pour lutter contre les cantons suisses rebelles à l'autorité du duc d'Autriche. Peu après, Charles VII rejoignit son beau-frère René d'Anjou, duc de Lorraine, pour l'aider contre le comte de Vaudémont et la ville de Metz. La cour royale s'installa à Nancy. Le dauphin vainquit les Suisses à Saint-Jacques-de-la-Bisse, le 26 août 1444; durant l'hiver ses troupes se firent décimer dans des combats et embuscades en Alsace et en Allemagne. Il rejoignit son père à Nancy au début de l'année 1445. La paix de Metz vint conclure les hostilités.

L'heure de la réforme avait sonné. L'ordonnance, perdue, doit dater de la fin de mars 1445; elle fut complétée, le 26 mai, par celle de Louppy-le-Châtel. On agit vite. Certains capitaines, qu'on avait pris soin de consulter et de rassurer sur leur sort, furent retenus; ils choisirent alors les hommes devant composer leur compagnie. Les laissés-pour-compte furent absous de leurs crimes par une lettre de rémission, puis ramenés dans leur pays d'origine, par petits paquets. Sans problèmes ou presque.

15 capitaines (en réalité 23) furent donc « ordonnés » par le roi pour diriger 15 compagnies d'ordonnance de 100 lances fournies chacune (là encore, les chiffres sont théoriques); 1 lance comprenait 6 hommes, l'homme d'armes en armure complète, 2 archers montés, 1 valet et 2 palefreniers-coutillers; tous avaient un cheval. L'armée de campagne du roi comprenait 1 500 lances, soit 9 000 hommes. Le chiffre monta à plus de 1 900 lances lors de la reprise de la Normandie. En 1476, Louis XI disposait de 2 846 lances réparties en 40 compagnies. Telle est la « grande ordonnance ». Au moment de la conquête de la Normandie, la « petite ordonnance » ou « mortes payes », dont les membres étaient plus légèrement armés et moins payés, fut constituée pour tenir garnison dans les provinces conquises.

Le logement et l'entretien de ces troupes incombaient aux villes. Très vite, la solde fut intégralement versée en argent.

Les implications financières de la réforme provoquèrent une véritable mutation administrative. Toute la gestion administrative et financière (logement, solde) de cette armée « décentralisée » incombait aux officiers locaux, en particulier aux élus et aux receveurs. Ils avaient autorité sur les gens d'armes et faisaient des montres régulières. On doit à leur efficacité le succès de la réforme. On doit à leur capacité d'adaptation le fait que cette réforme, née du besoin de contrôler les troupes indisciplinées, ait abouti au maintien d'une armée permanente en temps de paix. Thomas Basin, évêque de Lisieux et historien lucide de Charles VII et de Louis XI, a bien saisi, pour s'en indigner, cette mutation fondamentale dans la genèse de l'État moderne.

Un corps annexe d'Écossais, dévoué à la garde du roi, fut également créé : c'est la compagnie écossaise, que complètent les archers de la garde. Elle devint la compagnie des gentilshommes de l'Hôtel. Enfin, à la fin du siècle, le camp du roi rassemblait quelques troupes d'artillerie.

L'obligation de service militaire fut cependant maintenue sous la forme traditionnelle de la semonce des nobles, mais elle n'avait d'intérêt que pour les anoblis. Plus novatrice en revanche fut l'institution des francs-archers par l'ordonnance du 28 avril 1448. Les habitants du royaume devaient présenter 1 archer prêt et équipé pour 80 feux ; il devait s'entraîner une fois par semaine, moyennant quoi il était exempté (franc) de taille. Inutile de préciser que le « franc-archer de Bagnolet » devint vite un personnage de farce ! La valeur militaire médiocre de ce corps fut mise en pleine lumière lors de la défaite de Guinegatte, devant Maximilien d'Autriche, en 1478.

Tactique et armement

Ce qu'il est convenu d'appeler l'art de la guerre a connu au XVe siècle quelques innovations et le royaume de France, plongé dans la guerre de Cent Ans, en a expérimenté quelques-unes.

Au Moyen Age, on le sait, la bataille est exceptionnelle ; les Anglais n'ont provoqué aucune des trois grandes dont ils sont sortis vainqueurs. Faire la guerre, c'est piller, brûler, assiéger, faire prisonniers et rançonner les chevaliers, massacrer les piétons. Il y a des règles : le chevalier vaincu choisit son « capteur »; celui-ci prend possession de son prisonnier en lui mettant la main sur la poitrine; en 1428, le comte de Salisbury adoube chevalier l'écuyer qui l'a pris. La garnison d'une place négocie sa reddition : si, le 26 juin 1441, la garnison de Tartas n'avait pas été secourue par le roi de France, elle se serait rendue, avec les honneurs.

Mais, hors de ce monde chevaleresque, il n'y a point de règles : Jeanne d'Arc et les « brigands » normands sont des irréguliers; Gascons et Français reniés de toutes sortes sont des traîtres.

Au XVe siècle toutefois, la bataille devient moins exceptionnelle. On peut la perdre sans perdre la guerre (Cravant, Verneuil ou Patay); elle ne suffit pas à gagner : Formigny et Castillon ne sont des victoires décisives que parce qu'elles s'inscrivent dans des campagnes longues et bien menées; mais Montlhéry, en 1465, n'a rien tranché.

La conquête méthodique, donc les coups de main et les sièges à répétition (la Normandie en 1417-1419 ou en 1451-1450), a remplacé la chevauchée destructrice mais stérile du siècle précédent. On comprend le rôle déterminant du capitaine aguerri et de sa compagnie d'écorcheurs, peu recommandables mais si efficaces.

La guerre de mouvement reprend le dessus — dans la guerre de siège, où l'on évite le plus souvent de s'enliser en multipliant attaques surprises, échelades et assauts; en rase campagne, où l'on recherche le contact avec l'ennemi : pas question de laisser Kyriel s'enfermer dans une ville forte en 1450; pas question de le laisser se retrancher sur une hauteur; on le débusque à l'artillerie, on l'oblige à bouger et on le charge avec le contingent de réserve breton. A Castillon, Talbot a bougé (à pied), l'artillerie française l'a fixé, les cavaliers de l'ordonnance, démontés, l'ont retenu et la réserve bretonne l'a achevé. La guerre n'étant jamais, selon le mot de Clausewitz, que la continuation de la politique par d'autres moyens, son dynamisme, à partir des années 1440, n'est que l'expression du dynamisme retrouvé de la société.

L'artillerie à feu est la grande innovation du siècle. On la connaît depuis le début du XIVe; les grosses bombardes d'alors étaient peu efficaces et n'avaient qu'une utilité défensive, notamment pour les villes (n'oublions pas que ce sont des artisans des villes, fondeurs de cloches ou autres, qui ont fabriqué et perfectionné ces engins). Le contrôle de l'artillerie royale du Louvre fut pourtant un enjeu entre le dauphin et Étienne Marcel en 1358. La royauté avait institué un capitaine général des poudres dès 1354.

En 1372, pour la première fois, l'artillerie à poudre est utilisée pour l'attaque d'une ville mais elle ne devient réellement dangereuse pour les murailles qu'avec la généralisation du boulet de fer, à partir de 1418, et la fabrication de pièces fondues d'un seul bloc. Les récits des chroniqueurs accordent une place de plus en plus grande à l'utilisation de l'artillerie dans les sièges des années 1411-1440, à Orléans, à Compiègne, à Montereau. Le comte de Salisbury mourut « frappé par le visage d'un petit canon ».

La fixation sur affût mobile, en même temps que la miniaturisation relative à laquelle on parvient, rend possible son utilisation sur le champ de bataille. Mais on en discute encore le rôle dans ce milieu du XVe siècle. Les questions de logistique et de transport sont compliquées, et d'ailleurs, lorsqu'on lève un siège, de son propre chef ou contraint par l'adversaire, on abandonne « bombardes, canons, vins, bleds, vivres et autres marchandises » (Héraut Berry). Pourtant, l'intervention massive de l'artillerie a été décisive à Formigny et à Castillon : « Girault le canonier et ses assistens et compaignons drechèrent l'artillerie contre eulx, dont il les grava moult ; car a chascun cop en ruoit 5 ou 6 par terre tous mors [...] que par forche furent contrains d'eulx retraire. » L'artillerie remplace l'archerie, mais, grâce à sa plus longue portée, elle permet des actions offensives.

Charles VII confia aux frères Bureau l'organisation de son artillerie : Jean, ancien examinateur au Châtelet de Paris (la juridiction royale), fut le financier et l'administrateur ; Gaspard en fut le technicien, avec le titre de maître de l'artillerie de 1441 à sa mort, en 1469. Ils utilisèrent les compétences de canonniers étrangers, comme ce Girault ou Giribaut originaire de Gênes.

Quant à l'infanterie « reine des batailles », elle n'aura de réalité qu'à la fin du siècle. Les innovateurs, ici, furent les

Suisses. Leurs fantassins, armés d'une longue pique, disposés sur plusieurs rangs, étaient capables de s'arrêter pour former des carrés inexpugnables de plusieurs milliers d'hommes ou de se mouvoir, de manœuvrer et de charger (avec autant d'efficacité que la cavalerie jadis) sans se débander. Après avoir infligé des défaites mémorables à Charles le Téméraire, le redoutable fantassin helvète va envahir toutes les armées d'Europe ; en 1476, Louis XI passe une convention avec les cantons confédérés pour en recruter.

3. Le rétablissement de l'autorité royale

Le désordre qui a régné dans la France de Charles VII, avant comme après 1436, a été tel qu'on a peine à croire au retournement des années 1440-1445. Il est vrai qu'on ne s'en prit jamais au roi, mais à ses conseillers les mieux en cour : Giac en 1427, qui fut noyé, La Trémoille en 1433, qui fut (mal) poignardé, Martin Gouge de Charpeigne, le chancelier, menacé d'enlèvement en 1437, comme Pierre de Brézé en 1446. Mais le charisme du roi ne peut seul expliquer le redressement.

Charles VII a pu résister aux complots de toutes sortes grâce à la solidité de l'armature institutionnelle de la monarchie et au soutien de l'opinion publique : la noblesse, dans sa masse, et les villes sont aux côtés du roi. Telle est la grande leçon des événements qui, de la Praguerie à la guerre folle, ponctuent les règnes de Charles VII, Louis XI et Charles VIII. Je vais présenter quelques moments forts de ces soixante années, significatifs du redressement intervenu.

La Praguerie de 1440.

En 1437, Jean d'Alençon, Charles de Bourbon, Jean IV d'Armagnac, des princes jusque-là fidèles, complotent pour éliminer deux conseillers influents du roi. Ils trouvent qu'on fait la part trop belle aux Bourguignons mais visent en fait le parti « angevin » au pouvoir avec Charles du Maine et

Richemont. Ils sont découverts et l'affaire s'arrête là, mais c'est le prélude de la Praguerie.

Au début d'octobre 1439, les États généraux réunis à Orléans dénoncent les « pilleries » des écorcheurs ; le roi leur répond favorablement en publiant le 2 novembre une ordonnance de réforme de l'armée ; il convoque de nouveau les États à Bourges pour la mi-février. Mais l'application de l'ordonnance est bloquée par les princes, Bourbon en tête, gros utilisateurs de compagnies d'écorcheurs et peu soucieux d'abandonner au roi et à Richemont le monopole du recrutement de troupes. Le cercle des mécontents s'élargit à Dunois, qui craint que le roi n'abandonne Charles d'Orléans dans ses négociations avec les Anglais, et à La Trémoille, qui, « ressuscité », veut régler ses comptes avec Richemont. Les deux hommes sont riches en terres et en clients dans le Poitou et Jean d'Alençon a reçu Niort du roi dès 1423. C'est là que commence, en février 1440, ce mouvement de dissidence armée que, par référence aux guerres hussites de Bohême, on a appelé la Praguerie.

Les conjurés gagnent à eux le jeune dauphin Louis, que son père avait chargé de faire appliquer la réforme militaire en Poitou. L'objectif devient dès lors de chasser Richemont, de mettre le roi en tutelle et de confier au dauphin (et aux princes alliés) la réalité du pouvoir. Alençon prend même contact avec l'ennemi anglais.

Le roi réagit rapidement et recouvre Melle, Saint-Maixent, Niort en mars-avril. Aussi les conjurés se replient-ils en Bourbonnais, où le roi les poursuit. La noblesse locale ne suit pas son duc dans la révolte et les villes d'Auvergne lui ferment la porte, déclarant qu'elles ont déjà un roi. Tout est terminé en juillet et les rebelles se soumettent (paix de Cusset) ; bon prince (et en l'occurrence adroit), le roi leur donne des pensions et ironise à l'égard de son fils. En Poitou, il fait place nette au profit de ses fidèles : Melle et Saint-Maixent reviennent au comte du Maine et Taillebourg à Prigent de Coétivy.

Charles VII fut peut-être trop bon prince ! Dès 1441, Bourbon et Alençon reprennent leurs parlotes, auxquelles se mêlent le duc de Bourgogne et... Charles d'Orléans, rentré de vingt-cinq ans de captivité grâce à l'entregent de Bourgogne, revenu aigri, accusant Charles VII de ne pas avoir mis beaucoup d'énergie à réunir sa rançon (ce qui est bien vrai !). Tout ce beau monde se retrouve à Nevers en mars 1442. Or Charles VII s'invite à la réunion et dépêche son chancelier qui répond avec fermeté, mais modération, aux demandes des princes. Décontenancés et floués, les princes grognent ou enragent, mais ne bougent plus. Le dauphin est envoyé l'année suivante en Languedoc mettre au pas le comte d'Armagnac.

Montent alors en première ligne, dans les conseils royaux, de jeunes conseillers, les « mignons » du roi, qui ne sont pas ce qu'on croit, Charles VII — il le montre en s'affichant alors ouvertement avec Agnès Sorel — préférant les mignonnes.

L'ordonnance de Montil-lès-Tours.

Le 15 avril 1454, le roi publiait une ordonnance sur la justice, l'un des actes les plus complets jamais produits en la matière, qui mettait le point final à l'œuvre de restauration et de réunification des institutions royales. A la fin de 1436, dans Paris reconquis, « fu crié à son de trompe que le Parlement du roi Charles qui depuis son départ de Paris avait été tenu à Poitiers, et sa Chambre des comptes à Bourges, se tiendraient désormais au Palais royal à Paris, en la fourme et manière que ses predecesseurs rois de France avait accoustumé de faire » (Bourgeois de Paris). Comme promis à Philippe le Bon à Arras, douze parlementaires bourguignons furent maintenus, ce qui n'affaiblissait en rien la royauté car, Bourguignons ou Armagnacs, les parlementaires de 1436 défendaient les droits souverains de la couronne. Ils seraient plus nombreux désormais à défendre une seule couronne !

Mais il fallut attendre l'ordonnance de 1454 pour que le Parlement retrouve sa « forme accoustumée », ses effectifs, son organisation. On innove un peu, pour faire face à l'afflux des procès (c'est un signe de la remise en état du pays !), en scindant en deux la Chambre des enquêtes et en accroissant le personnel. L'ordonnance prévoit aussi, pour rendre la procédure plus claire et plus rapide, de rédiger les coutumes, lançant un processus qui ne s'achèvera qu'au XVIe siècle. Rappelons que la décentralisation répond aux mêmes besoins : « Considerant la grant multitude des causes pendantes... »

Sur le plan de la fiscalité également, le rétablissement de

l'autorité royale est patent. De nombreux princes refusaient la levée des aides royaux sur leurs États. On transigea avec le duc de Bretagne ou le comte de Foix, mais on sévit avec Armagnac et Alençon. A Charles de Bourbon, qui s'était approprié des biens de Jacques Cœur placés sous séquestre royal, le procureur général du roi Jean Dauvet répondit sans ménagements : « Je remontrais à Monseigneur de Bourbon, quelle était l'autorité du roi et l'offense qu'il avait commise d'aller à l'encontre de sa mainmise, lui qui était son parent, son vassal et son sujet [remarquons cette trilogie ; elle résume parfaitement la société politique des années 1350-1450] [...] Monseigneur de Bourbon dit qu'il reconnaissait à présent avoir méfait [...] Et il ne l'aurait jamais fait s'il avait été adverti des droits du roi... » (*Journal* du procureur Dauvet).

Enfin, on l'a vu, gare aux princes qui utilisent l'expression « par la grâce de Dieu » : ils doivent renoncer, en tout cas se justifier.

Armagnac et Alençon.

Deux comploteurs devant l'Éternel !

En 1443, Jean IV d'Armagnac et de Rodez s'empare du comté de Comminges qui devait faire retour à la couronne. C'est la goutte d'eau qui fait déborder le vase ; il est arrêté et emprisonné à Lavaur en décembre 1443. Le roi voudrait le juger, mais, cédant au particularisme gascon et aux fortes pressions des amis d'Armagnac (le roi de Castille en particulier), il le fait libérer le 26 août 1445. Jean IV se tient alors tranquille jusqu'à sa mort, survenue en 1450.

Son fils Jean V reprend l'offensive contre le roi, toujours à propos du Comminges. De plus, son inceste (il a épousé sa sœur) fait scandale. Le roi saisit ses biens et le fait convoquer devant le Parlement. Il fuit en Espagne, mais finit par se présenter devant la cour souveraine. Il tente de jouer de sa parenté, lointaine, avec le roi, de son statut de clerc — mais oui ! En vain. Il s'enfuit avant d'être condamné par contumace pour trahison, le 13 mai 1460.

Jean d'Alençon est devenu enragé contre Charles VII, au point de s'aboucher avec le duc d'York, pour préparer une descente anglaise en France. Mais sa correspondance est découverte et il est arrêté le 27 mai 1456, peu après avoir témoigné dans le procès de réhabilitation de Jeanne d'Arc, auprès de qui il avait été à Orléans. La trahison est patente et il est pair de France, le premier que l'on doive juger depuis Charles le Mauvais. Le roi, après consultation du Parlement, décide de le faire juger devant ce dernier, par les pairs personnellement convoqués, et les membres du Conseil royal. Ce « lit de justice », réuni à Vendôme, a été immortalisé par une miniature de Fouquet. Le 10 octobre 1458, le roi prononça une sentence de mort pour trahison et lèse-majesté (cela se confond), mais gracia le duc qui fut enfermé au château de Loches. Le Parlement « garni de pairs », telle sera la forme des procès en trahison pour les pairs de France en 1488 (Orléans, Bretagne) et 1524 (connétable de Bourbon).

Louis XI pardonna et restitua leurs biens à Armagnac et Alençon, ce qui ne les empêcha pas de participer à la guerre du Bien public et de comploter à nouveau. Finissons leur histoire. Jean V, en semi-dissidence, est protégé par le frère de Louis XI, Charles de France, qui a reçu la Guyenne en apanage. A la mort de Charles, le 28 mai 1472, Louis XI exige la soumission d'Armagnac en échange de son pardon. Le comte refuse et s'enferme dans sa capitale de Lectoure qu'assiègent aussitôt les sénéchaux royaux. Il est mystérieusement tué le jour où il devait se rendre, le 6 mars 1473. Son allié le bâtard d'Albret, rapidement jugé, est exécuté le 7 avril.

Pendant ce temps, Charles le Téméraire a envahi le nord du royaume, mais a échoué à prendre Beauvais (c'est l'épisode fameux de la défense de la ville et de Jeanne Hachette). Jean d'Alençon lui a prêté main-forte. Il est arrêté en mars 1473, privé de son titre et des privilèges de pair, et son procès est instruit par une commission dévouée au roi ; puis, ses aveux obtenus et sa trahison révélée, il est jugé par le Parlement (mais sans les pairs, bien sûr). A nouveau condamné à mort (le 2 juillet 1474), à nouveau gracié, il sort de prison peu avant sa mort, en 1476.

Les révocations d'officiers de 1461 et la guerre du Bien public de 1465.

Revenons en arrière. Charles VII et son fils entretinrent de mauvais rapports dès la Praguerie, tant et si bien qu'en 1446 le roi « exilait » son fils en Dauphiné. En 1456, ayant fait acte d'insubordination en épousant Charlotte de Savoie contre le vœu du roi, Louis abandonna le Dauphiné et se réfugia auprès du duc de Bourgogne, aux Pays-Bas. De là, dès qu'il apprit la mort de son père, il se précipita à Reims pour y être sacré, le 15 août 1461. Ses premiers actes de gouvernement furent de révoquer des officiers de haut rang (le chancelier Guillaume Jouvenel, le premier président du Parlement), des baillis et sénéchaux (vingt-cinq) et des capitaines de la grande ordonnance. Louis XI en avait le droit et cela apportait du sang neuf à une administration que Charles VII avait laissée vieillir en poste.

Politiquement ce fut une erreur et Thomas Basin, souvent injuste envers Louis XI, n'a pas tort de souligner que le caprice (faire le contraire de papa, « je puis faire ce qui me plaît ») est la principale raison de cette « purge » de 1461. Or Louis XI a oublié que les officiers se sentent de plus en plus des serviteurs de la couronne plutôt que des hommes du roi. Guillaume Jouvenel ne peut pas comprendre une révocation sans cause ; mais fidèle avant tout, il attendra des jours meilleurs. D'autres, arrivistes ou besogneux, n'eurent pas cette grandeur d'âme, mais il faut comprendre ces officiers de petite et moyenne noblesse que le roi privait de l'essentiel de leurs ressources en les révoquant.

Odet d'Aydie, un petit noble gascon, est devenu capitaine de vingt lances en 1445 ; il a fait la campagne de Normandie et Charles VII l'a nommé bailli de Cotentin en 1451. Louis XI le révoque brutalement en 1461. Cette disgrâce transforme l'obscur officier du roi en intrigant de première classe, « le premier inventeur et principal auteur des troubles, guerres, mauls et divisions » de ce royaume, dira Louis XI. Avec ses frères, il passe au service du duc de Bretagne, qui lui confie une compagnie de cent lances. Il devient l'un des pivots de la ligue du Bien public.

Les révocations de 1461 ne sont pas la cause de la ligue du Bien public, mais elles ont créé un climat malsain. Comme la Praguerie, la ligue réunit la fine fleur de la haute aristocratie (Bretagne, Bourbon, Charles le Téméraire, qui n'est encore que comte de Charolais), avec comme figure de proue Charles de Berry, le frère et alors héritier du roi. Les princes n'ont rien appris : ils veulent toujours mettre celui-ci en tutelle, contrôler le gouvernement et réduire les impôts. Ce programme sans imagination, dernier avatar du programme de réforme, ne convainc plus personne. Pourtant, la force de la coalition et les maladresses du roi ont fait vaciller la monarchie : c'est au soutien des Parisiens, désormais insensibles aux sirènes bourguignonnes, que le roi doit son salut après l'indécise bataille de Montlhéry du 16 juillet 1465.

Certes, par les accords de Conflans le 5 octobre avec le Téméraire, de Saint-Maur le 27 avec Bourbon, le roi fait éclater la coalition. Au prix de larges concessions sur lesquelles il reviendra vite. Il doit donner, par exemple, la Normandie en apanage à son frère Charles (celui-ci en fait prendre possession par Odet d'Aydie). Le roi sut apaiser les officiers royaux et les évincés de 1461 furent pour la plupart rétablis dans leurs offices. A l'article de la mort, Louis XI recommanda à son fils d'éviter l'erreur faite en 1461. Le problème des offices a bien joué un rôle dans la révolte de 1465.

Pour regagner à la cause du roi le redoutable Odet d'Aydie, Louis XI dut patienter jusqu'en 1472 et le payer bien cher, plus que Commynes ! 24 000 écus d'or ; 6 000 francs de pension annuelle, le collier de l'ordre de Saint-Michel, des offices en Guyenne, le comté de Comminges !

Procès politiques sous Louis XI.

Ils se sont multipliés, autant que les complots. Mais le roi pardonne moins. Au moment de la ligue du Bien public, Charles de Melun était lieutenant du roi à Paris ; il a contacté les ligueurs et laissé une porte de la ville ouverte. Il ne fut cependant inquiété qu'en 1468, à la suite des intrigues de Chabannes et Balue, deux conseillers influents. Il fut interrogé par une commission dirigée par Tristan l'Hermite, l'inamovible prévôt des maréchaux depuis Charles VII ; torturé, il avoua tout et fut exécuté le 22 août 1468. L'année suivante, c'est au tour de son détracteur, le cardinal Balue, de tomber : on lui reproche ses contacts avec Charles de France et Charles le Téméraire. Son état ecclésiastique le sauve; il est emprisonné (mais pas dans une cage de fer, dont il n'est d'ailleurs pas l'inventeur) ; il ne sera libéré que sous Charles VIII.

La grande conspiration de 1475 fut d'une gravité exceptionnelle, puisque Charles le Téméraire, François II de Bretagne, le roi d'Angleterre envisageaient de déposer, voire de tuer Louis XI et de se partager le royaume. Bourbon et le roi René restèrent à l'écart. Mais Saint-Pol et Nemours furent moins prudents et eurent moins de chance; la répression s'abattit sur eux lorsque la conspiration eut échoué.

Louis de Luxembourg, comte de Saint-Pol, a été imposé comme connétable de France par les coalisés du Bien public. Ambitieux, il cherche depuis longtemps à se constituer un ensemble territorial solide en Vermandois, aux confins des Pays-Bas bourguignons. Il joue sur tous les tableaux et mécontente tout le monde. En 1475, il s'est emparé, aux dépens du roi dont il est le connétable, de Saint-Quentin. Il traite ensuite avec les Anglais, leur promet la ville, puis la leur refuse lorsque Édouard IV s'y présente. Furieux, le roi d'Angleterre révèle à Louis XI la trahison de son connétable. Charles le Téméraire, qui arrive enfin, après l'accord de Picquigny et le départ des Anglais, ne peut faire autre chose que de conclure une trêve avec Louis XI et lui livrer Saint-Pol. Le connétable est jugé par le Parlement auquel on a adjoint quelques commissaires royaux. La trahison est patente, la peine de mort n'est qu'une formalité. Saint-Pol est décapité le 19 décembre 1475.

Jacques d'Armagnac, duc de Nemours et pair de France, est tout aussi impliqué que Saint-Pol dans la conspiration. Il s'est enfermé à Carlat, sur ses terres; le sire de Beaujeu, gendre du roi, obtient sa reddition en mars 1476. Il est jugé par des commissaires, étant déchu de son titre de pair du fait de sa trahison. Lorsqu'il a tout avoué, le roi consent à ce que la suite du procès soit confiée au Parlement et aux commissaires; mais pas de pairs. Pierre de Beaujeu préside et prononce la sentence de mort. Nemours fait vainement appel à la clémence du roi et est exécuté le 4 août 1477. Le bon peuple de Paris, qui a hué Saint-Pol, verse des larmes pour le « pauvre Jacques ».

Louis XI, enfin, utilise la menace d'un procès en trahison comme moyen de pression politique : René d'Anjou se voit ainsi mis en accusation devant le Parlement lorsqu'il prétend régler la succession de Provence sans tenir compte du roi.

Bref, Charles VII utilisa, pour Jacques Cœur, une procédure extraordinaire, par commissaires ; en dehors de ce cas, il respecta les formes légales (cas d'Alençon). Louis XI, qui se méfiait du Parlement, trop peu docile, eut recours systématiquement aux commissaires ; sans pouvoir éviter toutefois de faire conclure le procès par le Parlement. Sous Charles VIII et Louis XII, le procès en trahison devint moins arbitraire. Ajoutons, pour comprendre l'attitude de Louis XI, que le roi, comme ses adversaires, a peur. C'est le maître mot qui revient dans les interrogatoires : les accusés redoutent le roi, sans savoir peut-être que Louis XI vit dans la peur panique des complots. Thomas Basin a raconté toutes ces peurs dans son *Histoire de Louis XI*, tout en laissant paraître à chaque instant la sienne propre.

Les États généraux de 1484 et la guerre folle.

L'annonce de la mort de Louis XI, le 30 août 1483, est accueillie par un soulagement général. Comme Charles VIII est mineur (il n'aura quatorze ans que le 30 juin suivant), Louis XI a confié le pouvoir à sa fille Anne et au mari de celle-ci, Pierre de Beaujeu. Louis d'Orléans, cousin germain du nouveau roi, conteste ces dispositions et réclame la régence et le pouvoir. Les Beaujeu louvoient au mieux et acceptent finalement, à la demande d'Orléans, de convoquer les États généraux.

Leur dernière réunion remontait à 1468, à Tours. Le roi avait alors obtenu l'annulation de la cession de la Normandie en apanage à son frère. Des États de 1484 Louis d'Orléans attend avec espoir qu'ils tranchent en sa faveur la question de la régence et de la composition du Conseil.

Anne de Beaujeu n'est pas née de la dernière pluie. Elle a organisé la réunion. On a surtout retenu les innovations portant sur la désignation des députés et l'organisation du travail de l'assemblée qui se réunit à Tours le 15 janvier 1484. Seuls ont été convoqués individuellement les princes du sang (dix), les présidents des cours, quelques nobles de haut rang et les membres du Conseil. Les autres députés ont été élus dans le cadre des soixante bailliages et sénéchaussées, à raison d'un député pour chacun des trois ordres (il y en eut davantage en fait). Pour la première fois, le plat pays participa à l'élection. Cette procédure démocratique eut pour résultat la désignation d'un nombre considérable d'officiers royaux, en majorité gradués de l'Université. Les députés ne s'exprimèrent qu'en représentants d'une province, jamais d'un ordre; on les avait d'ailleurs regroupés en six entités géographiques (Paris, Bourgogne, Languedoïl, Languedoc, Aquitaine et Normandie).

Les Beaujeu manœuvrèrent à leur guise cette assemblée introuvable. La question de la régence fut évacuée à la suite du discours d'un représentant de la noblesse bourguignonne qui affirma (et les Beaujeu n'y trouvèrent rien à redire) qu'en cas de minorité le peuple souverain reprenait ses droits en attendant de pouvoir les confier à nouveau à un roi majeur. Comme Charles VIII serait bientôt majeur, il suffisait d'attendre. Quant au conseil, les États, prudents, en confièrent la composition « au bon plaisir du roi », donc de sa sœur. Anne de Beaujeu fit un geste et le compléta par quelques membres choisis dans l'assemblée.

Louis d'Orléans avait échoué. De rage, il noua alliance avec le duc de Bretagne et, en 1485, se lança dans la vaine équipée de la « guerre folle », qui connut en fait deux paroxysmes : le deuxième semestre de 1485, avec la conclusion provisoire de la paix de Bourges, le 2 novembre 1485; l'année 1487, où l'entreprise du duc d'Orléans se confond avec la guerre de Bretagne. Le duc d'Orléans fut fait prisonnier le 28 juillet 1488 lors de la bataille de Saint-Aubin-du-Cormier. Une procédure judiciaire en trahison fut engagée contre lui, mais on ne la mena pas à son terme. Il resta en prison jusqu'en 1491. On sait qu'il devint le roi Louis XII. Précisons que se sont engagés à ses côtés Commynes et Odet d'Aydie; le premier est emprisonné; le second voit ses biens confisqués, mais peut se réfugier en Bretagne. En 1491, une dernière trahison — il livre Nantes au roi — lui permet de rentrer en grâce et de finir tranquillement ses jours en 1493, après trente-deux ans de «pratiques» et d'«intelligences», comme on le disait en ce temps pour désigner intrigues et complots de toutes sortes.

Mais finalement le roi gagne. Telle est la leçon à retenir de ces soixante années; et ne singularisons pas, comme cela a été fait trop souvent, le règne de Louis XI; celui-ci n'eut, dans cette affaire, pas plus de mérite que son père ou que ses enfants. Ne confondons pas autorité et autoritarisme, vitesse et précipitation!

4. Violence et ordre public

On pense naturellement à la crise, à la guerre comme facteurs de violence. Même sans elles la violence est partout dans la société médiévale.

De la violence à la criminalité.

De Normandie en Lyonnais, les historiens des campagnes ont relevé les beuveries dominicales et les rixes qui s'ensuivent, les larcins divers, les nombreux délits liés à la paisson des animaux «égarés» dans les champs du voisin, les fraudes et empiétements sur les propriétés, etc. Cela conduit parfois, comme en Lyonnais, à de véritables guerres de villages, poursuivies des décennies durant, alors que le motif en est depuis longtemps oublié. Bref, c'est la «guerre des boutons».

Dans la ville aussi la violence est endémique, mais il ne faut pas prendre pour argent comptant la vision romantique de la «cour des miracles», d'un «ghetto» du crime et de la brutalité; il y a tout au plus des quartiers chauds, comme le quartier du Temple à Paris.

De la violence au crime il n'y a qu'un pas. Si l'on s'en tient aux coutumiers, les crimes relèvent de la haute justice et sont passibles de la peine de mort; ce sont généralement : l'homicide et le meurtre (qui se distingue par la traîtrise, le secret), le rapt, l'incendie volontaire et le viol. Certains incluent le vol dans la liste des crimes punis de mort et l'on verra que ce fut en effet un enjeu politique au tournant des XIVe et XVe siècles. Entendons-nous cependant : la plupart des cas de vol évoqués dans les documents judiciaires sont des peccadilles relevant de la basse justice, royale comme seigneuriale ; ils ne sont sanctionnés que d'amendes. Les crimes ainsi définis sont irrémissibles. En principe !

A la suite des études de B. Geremek, on a insisté sur l'existence de milieux criminogènes et sur le lien entre criminalité et marginalité. Faut-il voir dans le vagabondage par exemple un indice de criminalité ? Certes, vers 1355 qualifie-t-on les coquillards de Dijon de « compagnons oiseux et vagabonds ». La crise a joué son rôle, bien sûr, jetant sur les routes et entassant dans les villes des ruraux en quête de sécurité ou de ressources, mais aussi des gens cherchant à tirer profit de la demande de la main-d'œuvre et du haut niveau des salaires. Or en France (mais pas en Angleterre), le vagabondage a été traité en problème social, non en problème d'ordre public : le manque de bras dans les campagnes justifie que l'on chasse des villes pour les remettre au travail les désœuvrés. Ce n'est qu'en 1422 qu'une ordonnance traite la question en termes de danger pour l'ordre public (vols, maraudages). Pourtant le thème de l'inutilité sociale perdure : en 1496, la galère rédemptrice attend le vagabond expulsé de la ville.

Comme la violence, le crime n'est donc pas l'apanage de catégories « marginales » spécifiques. L'infamie ne conduit pas tout droit à la marginalité, encore moins au crime. En cette fin du Moyen Age, le lépreux, le mendiant, qui reçoit l'aumône en des lieux précis et rituels, la prostituée surtout sont rejetés en paroles, mais intégrés dans les faits à la société, où ils exercent une « fonction », nous le verrons.

Si la marginalisation ne conduit pas automatiquement au crime, l'inverse ne va-t-il pas de soi ? Pas davantage. Les criminels appréhendés par les lettres de rémission étudiées par C. Gauvard sont des gens comme tout le monde, ou presque, qui ont commis leur délit chez eux ou dans des lieux voisins, qui sont en partie protégés par leurs parents et amis (ceux qui justement vont intervenir pour demander au roi la rémission du crime) ; ils sont nobles, bons bourgeois ou paysans.

Le plus souvent il s'agit d'une rixe suivie d'homicide ou de viol. La rixe répond à l'injure et il s'agit toujours, et quelle que soit la catégorie sociale, de venger son honneur. Dans le cas de viol, on ne constate aucune particularité suivant le milieu social, familial (célibataire ou marié) ou la classe d'âge. Sauf une, propre aux « jeunes » : le viol collectif, symbole rituel de virilisation.

On ne saurait oublier, enfin, que la société de la fin du Moyen Age est largement dominée par une classe sociale, la noblesse, dont le comportement et l'éthique ont été longtemps attentatoires à l'ordre public. Ont été ou sont encore ? La guerre privée n'a pas disparu, bien au contraire (il s'en livrait entre les propres conseillers de Charles VII !) ; elle est encore revendiquée comme privilège de noblesse. La guerre, dira-t-on ! Mais bien après sa fin, on trouve encore des armées privées qui n'hésitent pas, comme celles entretenues par la ville de Millau, à régler par la force une querelle avec Charles d'Armagnac (en 1465) ou le vicomte de Narbonne (1475).

La répression du crime.

Le crime est poursuivi et sanctionné. C'est l'affaire de la Justice, ou plutôt des justices, puisque la justice royale a laissé subsister justices seigneuriales et justices d'Église.

Avant de juger, il faut saisir les criminels ; or la plupart des bonnes villes sont incapables de mettre en place une véritable police. A Paris toutefois, le Châtelet, avec ses sergents et ses examinateurs, constitue une force de police (royale évidemment) valable. De même en Normandie, le sergent est un officier territorial dont la tâche principale est le maintien de l'ordre ; le vicomte, parfois le bailli viennent lui prêter main-forte pour « espier ou querir larrons ». Il existe donc, ici ou là, des structures policières.

N'est-ce pas une idée reçue que de nier leur efficacité ? Certes, les mailles du filet sont trop lâches, la corruption existe ; beaucoup de délinquants et criminels, protégés par leurs parents ou leurs amis, échappent aux poursuites, le mécanisme de la rémission le prouve. Pourtant les listes d'exploits et amendes que les assises des bailliages et les plaids des vicomtés de Normandie produisent avec régularité et abondance montrent au contraire qu'une multitude de délits, de violences et de crimes sont réprimés. Cela dans les conditions à peu près normales d'une période de trêve (celle des années 1380-1410).

L'amende sanctionne des délits variés mais aussi des actes de rébellion ou des actes où le sang coule. Les peines corporelles, mutilation ou mort, sanctionnent les crimes. L'homicide simple est puni de mutilation ou de pendaison, mais le meurtrier est préalablement traîné sur une claie. Les femmes criminelles sont enfouies vivantes (le dernier cas remonte à 1447, à Coutances) ou brûlées. Le faux monnayeur est bouilli. La décapitation n'est pas encore privilège de noble (dans les crimes de trahison) et le bourreau Capeluche — un expert ! —, condamné pour ses excès lors des violences de 1418, prit soin d'enseigner son successeur afin d'être décollé proprement.

On ne condamne guère à la prison, du moins dans la justice laïque; la prison est préventive; ou alors elle abrite (deux jours, guère plus) le condamné à mort entre le jugement et le châtiment; parfois elle remplace l'amende. Elle n'est de longue durée que pour l'étranger ou le soudard soumis à rançon.

En somme, l'amende est de loin la sanction la plus fréquente; la prison est rare et la peine de mort pas si répandue : le bailli d'Évreux dut faire refaire un gibet à Nonancourt, l'ancien, qui n'avait pas servi depuis longtemps, étant en ruine; et le bailli de Caen dut aller faire emplette d'un beau chaudron de cuivre chez les dinandiers de Saint-Lô, pour bouillir un condamné. Le tableau peut sembler statique. En fait, des évolutions sont en cours que les troubles de la première moitié du XVe siècle ont bloquées ou masquées. Dès 1450, des innovations importantes vont modifier la pratique judiciaire. C'est un problème politique, que je réserve pour un paragraphe suivant.

La canalisation de la violence.

La violence, dans la mesure où elle peut conduire au crime, n'échappe pas à la répression. Mais il est des violences tolérées, que l'on s'efforce de canaliser, selon une attitude constante au Moyen Age : la paix consiste moins à éradiquer la violence qu'à la contrôler.

Tel est le cas de la violence sexuelle, dont J. Rossiaud écrit qu'« elle est une dimension normale, permanente de la vie urbaine » (ajoutons « et de la vie des campagnes »). Ce qui est en cause surtout, c'est le viol collectif pratiqué par un groupe d'âge précis, celui des « jeunes », rassemblés en bandes ou « abbayes » de jeunesse. Ils s'en prennent aux femmes démunies (les servantes, les veuves) ; mais aussi, dans la mesure où le viol collectif est une « vengeance sociale » (J. Rossiaud), à la jeune femme d'un homme âgé, à la concubine du prêtre, etc. Le charivari organisé aux dépens de ces mêmes catégories est une version moins brutale d'une même pratique.

Cette violence rituelle est largement tolérée. C'est « Nature » qui est invoquée par tous les théoriciens des mœurs de cette époque. Les abbayes de jeunesse ont pignon sur rue et contribuent par ailleurs à l'animation de la vie civique et sociale de la ville. Mais les notables en craignent les débordements. Le bordel municipal, la « maison commune » qui accueille les « fillettes » ou filles communes, naît de cette tolérance et de cette crainte.

Entre 1350 et 1450, un peu partout en France et en Europe s'ouvrent des bordels gérés par les autorités municipales ou royales. En 1445, Charles VII confirme la décision des consuls de Castelnaudary d'ouvrir une « maison ». Les consuls avaient exposé au roi « que la dite ville est assez grande et peuplée et y affluent plusieurs jeunes hommes et serviteurs non mariez et aussi [la ville est] despourvuz de femmes ou fillettes publiques, au moins icelles femmes publiques qui y sont n'ont point d'ostel et maison expresse en laquelle elles doyvent estre trouvées et y demeurer toutes séparées des gens honnestes, ainsi que es autres villes de bonne police est accoustumé de faire, dont sordent aucunes foiz noises et inconvéniens... ». Texte limpide. Il s'agit d'ordre public, et, sur le plan des mœurs, de faire la part des choses : « Nature » ira se défouler au bordel et laissera en paix les femmes des notables.

Pour J. Rossiaud, la prostituée, — bien souvent une femme violée et devenue de ce fait une « femme diffamée » — n'est pas une marginale car elle assure une fonction (l'argument n'est pas nouveau, Aristote, saint Augustin l'utilisaient). La « fille commune » est intégrée à l'espace civique et familial (elle participe aux fêtes publiques ou privées) ; et à la cour de Charles VII, les « dames de joie » de l'Hôtel offrent au roi, en mai, le bouquet du renouveau.

A la fin du XVe siècle, les choses changent. Dans l'esprit des autorités la prostitution est désormais liée au monde du crime. Comme le vagabondage, comme la mendicité. On ne se contente plus de canaliser ; on contrôle et on enferme. Le bordel devient maison close. La Chambre criminelle du Parlement, en 1473, ordonne une enquête sur les vagabonds pour mieux pouvoir sévir contre eux. Même l'Église devient centre de surveillance ; ce n'est pas à l'intention des démographes que les premiers registres paroissiaux ont été ouverts ! Changement des mentalités, sans doute ; et d'abord de mentalité politique.

Le roi garant de l'ordre public.

C'est loin d'être une idée neuve ! Mais aux XIVe et XVe siècles, on passe peu à peu de la théorie à la pratique, malgré les désordres du temps, sous la pression de l'opinion. En 1315-1316, les ligues nobiliaires rejetaient les ingérences de la justice royale. En 1356-1358, la révolution parisienne et la Jacquerie sont en partie un mouvement de protestation contre l'impuissance royale en matière de maintien de l'ordre. En 1439, les États d'Orléans d'un côté, des hommes impliqués dans l'administration royale comme les Jouvenel de l'autre pressent le roi d'agir contre les désordres.

Cette volonté royale, sensible dès Saint Louis, n'a jamais faibli ; quelques exemples le prouvent. Je citerai d'abord la définition des cas royaux, de la lèse-majesté et de la trahison dont témoignent ces procès politiques analysés précédemment. L'ordonnance de 1477 est à cet égard fondamentale, qui définit et élargit la notion de complicité. La construction d'un monopole royal du droit de gracier va paradoxalement dans le même sens. Un édit de Louis XII en 1499 l'affirme : seul le roi peut gracier et par là même effacer des crimes que l'ordonnance de 1357 (imposée par les États) définissait comme irrémissibles.

Au cours des XIVe et XVe siècles, on assimile de plus en plus superstition, sorcellerie et maléfice à l'hérésie; significativement, on donne aux sorciers le nom de vaudois. Nous n'en sommes pas encore à la grande chasse aux sorcières des temps modernes, mais la poursuite des «vaudois» du Dauphiné entre 1430 et 1440 (une centaine de sorciers et une cinquantaine de sorcières furent brûlés) ou la répression de la Vauderie d'Arras en 1459-1460 en sont les prémices. Ces procès sont engagés par l'Inquisition, mais les juges laïcs ne se contentent plus d'allumer le bûcher; ils y prennent une part directe, l'hérésie et la sorcellerie étant assimilées au crime de lèse-majesté. Un juge laïc du Dauphiné justifie cette intervention de la justice royale par l'indulgence de la justice d'Église face à ce crime abominable!

Nous touchons là à un problème essentiel, celui des rapports entre justice royale et justice d'Église. On le sait, le Parlement tend à évoquer de plus en plus de causes que le for ecclésiastique considérait comme chasse gardée. On sait aussi que nombreux étaient les plaideurs qui abusaient du privilège de clergie pour échapper à la justice laïque. Les prévôts de Paris, Hugues Aubriot en 1380, Jean de Tonneville, Guillaume de Tignonville en 1405 et 1406, en prirent volontairement à leur aise avec les clercs véritables ou supposés. Vers 1400 en effet, un débat a lieu (Gerson y prend part) sur le thème du laxisme des juridictions ecclésiastiques et sur l'application de la peine de mort aux voleurs. C'est le moment aussi où les juridictions laïques empruntent à l'Inquisition la procédure «extraordinaire» : enquête engagée par les agents royaux même sans plainte préalable, secret, usage de la torture, emprisonnement prolongé.

Bref, vers 1400, dans les milieux proches du duc d'Orléans, se développe ce qu'on appellerait de nos jours une «idéologie sécuritaire» qui conduit au renforcement de la police (Châtelet de Paris), à une sévérité accrue des juges et à l'extension de la peine de mort. Cela s'accompagne de développements sur l'exemplarité de la peine et sur l'incorrigibilité de certains criminels. Or, contrariées un temps (le réformisme bourguignon s'y oppose, qui limite les pouvoirs des baillis et du prévôt de Paris), cette idéologie et ces pratiques nouvelles triomphent dans la deuxième moitié du XVe siècle.

5. La politique religieuse

Le pape, le roi et l'Église gallicane.

Le pouvoir pontifical s'est affaibli pendant le schisme, et le roi en a profité pour accroître son autorité sur un clergé français partagé entre la soumission traditionnelle à Rome et l'autonomie, par rapport au pape certes, mais aussi par rapport au roi. En 1417, le schisme est résolu. Le nouveau pape, Martin V, entreprend aussitôt de rétablir son autorité face au concile, dont il est prévu qu'il se réunisse désormais périodiquement, et face aux États. Le 2 mai 1418, il conclut avec la « nation » française du concile de Constance (c'est-à-dire la délégation du clergé de France) un concordat qui lui est assez largement favorable et qui contredit sur bien des points l'édit très gallican que le gouvernement armagnac venait de publier en mars. Sitôt au pouvoir, les Bourguignons rendent le concordat obligatoire ; le régent Bedford, en dépit de quelques difficultés en 1424-1425, l'accepte aussi. Dans la France de Bourges, les pressions gallicanes (qui existent aussi à Paris, au sein du Parlement) sont contrebalancées par l'attitude du clergé languedocien, largement ultramontain, c'est-à-dire favorable au pape. Charles VII finalement reconnaît sous une forme modifiée le concordat de 1418 ; les bulles de Genazzano, le 21 octobre 1426, entérinent cette reconnaissance.

Pour comprendre l'attitude du roi, qui n'est pas du tout hostile à un accord avec la papauté, il faut bien préciser les enjeux. Entre le roi et le pape, entre le roi et son clergé, trois sortes de problèmes sont en discussion. Des problèmes financiers qui concernent les revenus des bénéfices vacants, le droit de dépouille et la levée des annates, décimes, procurations, menus et communs services sur les revenus du clergé. La politique béneficiale, avec la nomination aux bénéfices majeurs (élection et droit de réserve du pape) et aux bénéfices mineurs (droits respectifs du pape et des collateurs ordinaires, roi, princes, seigneurs, établissements ecclésiastiques qui sont les patrons, car fondateurs, des églises), ainsi que la question des abus du droit d'expectative et des nominations en commende. Enfin la question des appels en cour de Rome.

Le concordat de 1418 sous ses diverses formes donnait les solutions suivantes : le pape renonçait aux revenus des bénéfices vacants, aux dépouilles (héritage des clercs défunts) et aux procurations (droits payés par les paroisses et abbayes lors des visites canoniques); il ne percevrait à son profit de décimes sur les revenus du clergé que pour des causes graves, dont il était seul juge (on sait que depuis le début du XIVe siècle la papauté avait abandonné au roi l'essentiel de cet impôt); il remettait au clergé de France la moitié des menus et communs services (gratifications diverses pour les familiers du pape et des cardinaux et droit équivalant au tiers des revenus du bénéfice perçu sur les nouveaux évêques et abbés). Il respectait le droit d'élection et partageait avec les collateurs ordinaires la nomination aux bénéfices non électifs (en 1425 le droit de ces derniers fut ramené à 2 bénéfices sur 6). Le pape limitait les grâces expectatives (promesse de concéder un bénéfice avant qu'il ne soit vacant) et réduisait le nombre des bénéfices qu'il pouvait donner en commende (jouissance des revenus d'une abbaye sans obligation d'y résider).

En 1426, Charles VII obtint le droit de nommer à 300 bénéfices. Il fut alors précisé que les tribunaux royaux, donc le Parlement, continueraient à connaître des causes bénéficiales dans leurs aspects matériels.

L'objectif constant de la royauté, de Charles VII à François Ier, fut de parvenir à un bon accord avec la papauté, un accord établissant une sorte de « condominium » sur l'Église de France. Mais en cas de mauvaise volonté du pape, le roi n'hésitait pas à lui opposer les libertés de l'Église gallicane et à prendre la tête de l'Église de France.

En somme, là où les gallicans convaincus voient une fin le roi voit un moyen. Il en est ainsi de ce texte — surfait — qu'est la pragmatique sanction.

La pragmatique sanction de Bourges.

Martin V meurt en 1431 ; son successeur, Eugène IV, entre en conflit avec le concile réuni à Bâle qui entend réformer l'Église et limiter les pouvoirs et « exactions » du pape. Les choses s'enveniment si bien que, en 1439, le concile, ou ce qu'il en reste, dépose le pape et crée un schisme, heureusement moins grave que le précédent. C'est dans ce contexte que Charles VII cherche à obtenir des améliorations au concordat de 1426. Il s'appuie sur le concile, sans pour autant rompre avec le pape. Il espère gagner sur tous les tableaux, tout en apparaissant comme le défenseur de l'unité de l'Église.

Il réunit donc à Bourges, le 5 juin 1438, une assemblée du clergé de France qui examine les décisions du concile de Bâle, les adopte ou les modifie. Le résultat en est la « pragmatique sanction » (décision solennelle d'une autorité civile en matière religieuse, conformément à la tradition), publiée le 7 juillet. Elle se présente comme un règlement d'ensemble du gouvernement de l'Église de France ; elle n'affranchit pas cependant cette dernière de l'autorité pontificale, toujours reconnue (quoique la supériorité du concile soit affirmée en matière de foi), mais elle l'en émancipe fortement.

L'élection devient la règle pour les bénéfices majeurs (évêques et abbés), le roi pouvant présenter des « sollicitations bénignes » en faveur de ses protégés ; le pape ne jouira plus d'aucune réserve, d'aucune grâce expectative, ni du droit de créer des bénéfices ; il n'aura même plus le pouvoir de consacrer les évêques, sauf ceux se trouvant à Rome. Les annates (droits versés par un clerc lors de son installation dans un bénéfice mineur) sont supprimées. Enfin, l'appel en cour de Rome est maintenu, mais une fois les juridictions du royaume épuisées ; on ajoute à celles-ci une juridiction nouvelle, celle de l'Église primatiale de Lyon, ultime rempart avant Rome. Il n'est pas question cependant d'enlever toutes ressources au pape, mais ses prélèvements sur le clergé de France sont réduits au cinquième de ce qu'il percevait auparavant.

Le pape, naturellement rejette la pragmatique et n'aura de cesse qu'il n'en obtienne l'abrogation. Le roi n'est pas non plus partisan fanatique d'un texte qui limite par trop ses interventions « bénignes ». D'ailleurs les discussions ne furent jamais rompues : en 1444-1445, l'on parvint presque à un accord. Dans les faits, Charles VII a une attitude fort pragmatique, si je puis dire ! Respecter le texte quand ça l'arrange ; le violer quand il le gêne et ne pas hésiter alors à s'appuyer sur le pape. En 1439, il soutient l'évêque élu par le chapitre d'Angers contre le candidat nommé par le pape ; mais en 1447, il fait nommer par le pape celui dont le chapitre de Meaux n'a pas voulu.

Pour Charles VII la pragmatique sanction n'est qu'une monnaie d'échange. Mais comme il n'y eut pas d'échange, Charles VII la conserva !

A la recherche d'un concordat.

Louis XI partageait les idées de son père quant aux rapports du roi avec le clergé de France et avec la papauté ; il poursuivait le même objectif : contrôler le haut clergé. La pragmatique sanction n'en donnait guère les moyens car, et c'est normal étant donné le contexte qui l'avait vue naître, elle introduisait massivement les idées conciliaires dans le fonctionnement de l'Église de France. Cela ne pouvait satisfaire ni Charles VII, ni Louis XI. Il n'est donc pas surprenant que l'un des premiers actes de Louis XI ait été de l'abroger, le 27 novembre 1461. Mais Louis XI se montre maladroit ou inconséquent en supprimant la pragmatique sans obtenir la moindre contrepartie du pape.

A vrai dire, la politique poursuivie par Louis XI n'est pas très cohérente et paraît trop guidée par l'intérêt immédiat. N'ayant rien obtenu de la papauté (il n'a pu imposer son candidat sur le siège épiscopal de Nantes et a dû s'incliner devant les droits du duc de Bretagne soutenu par le pape), il rétablit en partie le contenu de la pragmatique par une série d'ordonnances publiées en 1463 et 1464. Aussi les relations avec les papes Pie II et Paul II ne sont guère satisfaisantes et les problèmes posés se règlent au coup par coup. Le roi traite les évêques sans ménagements, les réprimande s'ils sont trop favorables au pape, les soumet à des amendes et les emprisonne en cas d'insubordination. Naturellement, il ne se gêne pas pour intervenir dans les nominations aux bénéfices majeurs, bafouant le régime d'élection.

Des relations plus confiantes avec le pape Sixte IV aboutissent, le 31 octobre 1472, à ce qu'on appelle abusivement le « concordat d'Amboise », car il ne s'agit que d'une ordonnance interprétant dans le sens le plus favorable au roi la bulle de Sixte IV datée du 13 octobre. La collation des bénéfices était à nouveau partagée entre le pape et les collateurs ordinaires, encore que, du fait de la multiplication des cas de réserve en faveur du pape, il s'agissait d'un faux équilibre. Pour les bénéfices majeurs, l'Église gallicane faisait les frais de l'accord, puisque le pape intervenait à nouveau dans leur provision, en s'engageant à être agréable au roi et à le consulter. Sur le plan juridictionnel enfin, toutes les clauses concernant les bénéfices devaient être jugées en première instance dans le royaume, et en appel à Rome, sauf celles concernant les cardinaux qui relevaient de Rome directement.

Les gallicans protestèrent en vain car ce régime plaçait l'Église sous la double autorité du pape et du roi. Mais le roi n'était guère partageux et les problèmes politiques (relations franco-bourguignonnes, affaires italiennes) brouillèrent constamment les relations avec Rome. Aussi le concordat ne fut guère appliqué. La conjuration des Pazzi et l'assassinat de Julien de Médicis à Florence servirent de prétextes à Louis XI pour mettre en cause la responsabilité du pape et, en conséquence, rompre avec l'esprit concordataire en multipliant les obstacles à l'intervention de celui-ci et de ses légats en France. Sans pour autant en revenir aux « libertés de l'Église gallicane ».

Bien que brouillonne, cette politique permet au roi de maintenir l'essentiel : sa mainmise sur l'ensemble du haut clergé. Celui-ci est soumis. Adhère-t-il pleinement à la politique royale ? C'est moins sûr.

La question du retour à la pragmatique sanction est posée par les États généraux de 1484. Les Beaujeu comme la majorité des évêques ne le souhaitent pas. On élude la question en promettant de réformer les abus.

Les guerres d'Italie n'ont pas favorisé la solution du problème de l'autorité sur l'Église de France, du moins dans un premier temps. Mais la victoire de Marignan changea tout.

François Ier accepta la proposition du pape Léon X de discuter de l'organisation de l'Église de France. Un concordat fut conclu à Bologne le 18 août 1516, qui enterrait définitivement la pragmatique sanction de Bourges. Les droits du pape étaient garantis et le roi se voyait accorder la nomination à 10 archevêchés, 80 évêchés, 527 abbayes, un millier de prieurés. Seules quelques grandes abbayes conservèrent, pour peu de temps, le droit d'élire leurs abbés. Le gallicanisme royal l'avait emporté. Mais l'autre gallicanisme ne baissa pas les bras encore.

6
La reconstruction de la France

1. Les Français à l'œuvre

Le bonheur de la paix retrouvée.

« Les marches et pays du Royaume furent plus sûrs et mieux en paix, en dedans les deux mois suivants, qu'ils n'avaient été XXX ans auparavant. Il sembla à plusieurs marchands, laboureurs et gens populaires, qui de longtemps avaient été en grandes tribulations du fait de la guerre, que Dieu notre créateur, principalement, les eût pourvus de sa grâce et miséricorde » (Mathieu d'Escouchy). Je ne sais si c'est précisément en 1445, avec les trêves de Tours, que les Français ont éprouvé ce sentiment de bonheur de la paix retrouvée. Mais il fut largement répandu.

Pourtant le bilan des trente années de guerres et de désordres est lourd : « démoli », « ruiné », « non-valeur », « dépopulé », ces mots reviennent sans cesse. Le manque d'hommes apparaît comme le fait majeur ; partout la courbe démographique a atteint son point le plus bas dans les années 1430-1440, à Périgueux, dans les campagnes cauchoises, où l'on ne retrouve plus que 29% de la population d'avant la peste noire, dans les montagnes pyrénéennes, où la courbe, « en fond de baquet », se traîne à l'indice 25, contre 100 en 1280-1300. Un mémoire rédigé en 1448 décrit la situation de Compiègne : les habitants « ont esté les ungs tuéz et murtris, les aultres mors de famine et les aultres fuiz et absentez hors du pays et demoura ladicte ville très pou abitée [...]. Mais se commence à repeupler, et n'y a point à present dedens ladite ville plus hault d'environ 400 mesnages, qui sont tous povres, et n'y a guère gens de puissance eu regart au temps passé » (où il y avait 1 200 feux !).

Nous ne possédons pas de document comparable à l'*État des paroisses et des feux* qui permette de chiffrer la population de la France au sortir de la crise. Le chiffre de 10 millions d'habitants (moitié moins qu'en 1328), que l'on donne le plus souvent, me semble encore trop optimiste. Pourtant, paradoxalement, le phénomène des villages désertés, si répandu ailleurs (je pense à l'Angleterre ou à l'Empire, en Alsace par exemple), « paraît, chez nous, réglé par la négative, du moins par l'insignifiance » (R. Fossier). Le réseau paroissial est resté quasiment intact.

La production, celle des céréales surtout, s'est effondrée. La friche a regagné du terrain et Thomas Basin comme l'Anglais John Fortescue ont décrit les « déserts » du nord de la France. La forêt, la forêt climax, s'est reconstituée en haut Languedoc. Le gibier foisonne mais aussi les loups : le *Journal d'un bourgeois de Paris* les signale aux abords de la ville, et dans les comptes royaux les mentions des primes versées aux tueurs de loups se multiplient. Inutile de s'appesantir, enfin, sur l'ampleur des destructions matérielles : maisons et églises en ruine sont légions.

Tout n'est pas si noir cependant. On vit plus à l'aise dans des exploitations plus larges : en Bourgogne, les micro-exploitations de 4 à 5 journaux (2 hectares) de 1409 ont fait place à des exploitations de 10 à 20 journaux en 1455. En Languedoc, où leur nombre a diminué de moitié, on a désormais une majorité de solides exploitations moyennes. De plus, on ne cultive que les meilleures terres. La main-d'œuvre est rare, mais les salaires sont élevés. Les villes, soumises à la violence des épidémies mais bien protégées par leurs murailles, ont su tirer profit de la situation : au cours d'un procès, un avocat montre du doigt les habitants de Saint-Maixent, « qui, par le fait des guerres qui ont longuement demeuré en nostre dit royaume, se sont fort enrichis ».

Il y a donc des bases solides pour un nouveau départ. La tâche est immense, mais tous se sont mis au travail, paysans, seigneurs, gens d'Église, pour ce qui apparaît bien comme « l'une des entreprises collectives les plus impressionnantes de notre histoire » (J. Glénisson).

La chronologie.

Reconstruire, c'est repeupler et remettre en exploitation. Citons Mathieu d'Escouchy : « Laboureurs et autres gens du plat pays, qui étaient restés longtemps en grande désolation, s'efforçaient de tout leur pouvoir à labourer et réédifier leurs maisons, [...] à défricher et essarter leurs terres, vignes et jardins [...] ; et tant continuèrent, avec l'aide des seigneurs, gentilshommes et gens d'Église sous lesquels ils avaient le leur, que, à bref comprendre, plusieurs villes et pays, qui longtemps auparavant avaient été comme inhabités, furent repeuplés assez abondamment. »

La croissance démographique commande tout ; elle fut lente, mais s'amorça dès la décennie 1420-1430, avec une reprise de la fécondité qui aboutit à une véritable explosion de la natalité à partir de 1450 (4,8 enfants par famille à Figeac, 5,1 à Lyons en Normandie, contre 1,4 en moyenne entre 1330 et 1410). A partir de 1460, des adultes jeunes arrivent en masse sur le marché du travail.

Il est difficile de donner un point de départ précis au phénomène de reconstruction proprement dit. Dès 1400 en Auvergne ? La province échappe en partie à la guerre, mais pas aux épidémies ; et la pénurie des bras bloque la reprise, ici comme ailleurs. Peut-on faire la reconstruction dans une seule province, car partout le démarrage a été laborieux ? Les premiers signes se manifestent vers 1425 en Lyonnais, 1440-1445 en Cambrésis, en Caux, en Vexin, en Beauce, ces riches pays à blé ; mais la Sologne pauvre, le Quercy calcaire sont aussi précoces. En revanche, la Saintonge, le Limousin, le Poitou, le Maine, la Provence, le sud du Bassin parisien ne commenceront vraiment la reconstruction qu'en 1460. Un seigneur de Saintonge méridionale, Bertrand Ardillon, a passé 119 contrats d'accensement avec des paysans : 9 le furent entre 1463 et 1469 et tous les autres entre 1470 et 1480. En Champagne, les églises rurales, dont les deux tiers étaient ruinées au sortir de la guerre, sont toutes remises en état en 1475-1480.

Seigneurs et paysans.

La seigneurie est toujours là ; elle a été touchée, mais pas coulée. Sur le causse de Gramat les limites ont été effacées, mais pas la mémoire des limites ; la reconstruction commence ici par le bornage (Charles VII légiféra d'ailleurs à ce sujet). Dans le Maine occupé, les seigneurs avaient disparu entre 1415 et 1450 et les nouveaux venus commencèrent par reconstituer les titres de propriété. En Bordelais, la seigneurie a pu perdre quelques censives transformées en alleux libres de tous liens : ce ne sont que coups d'épingle. Partout la reconstruction s'est faite dans le cadre seigneurial ; il n'y eut pas d'alternative. La paysannerie française ne connut pas d'agitation millénariste ; il n'y eut pas de guerre des paysans.

La seigneurie associe la réserve seigneuriale et des tenures (les censives) paysannes soumises à des redevances et des services ; s'y ajoute l'exercice de droits tirés de la possession du ban. Comment cela a-t-il évolué ?

Le seigneur est revenu de guerre ; elle ne paie plus. Bertrand Ardillon, ce bâtard noble de Saintonge, a quitté les compagnies d'ordonnance ; il est rentré au pays pour devenir procureur de la dame de La Roche en 1459 ; il y gagne, en 1463, le fief de Clérac (1 600 hectares), qu'il reconstruit en vingt ans, établissant une réserve et multipliant les censives. Les seigneurs lyonnais, normands, auvergnats ont maintenu leurs réserves, tandis qu'en Quercy leurs homologues la reconstituent patiemment, en rachetant des censives, qui leur appartenaient déjà ! Vivre de ses champs, boire le vin de ses vignes, abriter sa famille dans son « repaire » (c'est un mot du Sud-Ouest), tel est, encore et toujours, l'idéal du seigneur, même si, par souci de rentabilité, il abandonne parfois le faire-valoir direct pour la ferme (en pays de Caux) ou le métayage.

La crise a provoqué un déracinement de la classe seigneuriale. Celle-ci s'est profondément renouvelée, comme en Sologne où la noblesse de cour qui suit le roi à Tours et dans les châteaux de la Loire s'est implantée. Le monde paysan a connu le même déracinement ; l'homme de ce temps, quelle que soit sa condition, a la bougeotte. Dans la seigneurie de

Vaussais en Poitou, il y avait 32 tenanciers en 1402; il y en a 101 en 1476, mais on ne retrouve parmi eux que 8 noms de famille déjà indiqués en 1402. En Saintonge, la majorité des paysans engagés par Bertrand Ardillon sur son fief de Clérac sont des autochtones; pourtant de nombreux Bretons se sont installés dans la région. Ces Bretons qui repeuplent, avec des Saintongeais (les « gavaches »), l'Entre-deux-Mers. En région parisienne, on afflue de partout et le Chartrain accueille des migrants de Normandie, du Maine, de Bretagne et de Limousin. Cette dernière région fut un véritable réservoir qui alimenta des courants migratoires dans toutes les directions. Le Quercy a connu un renouvellement sans précédent de sa population : Pierre Descoulha et sa sœur, des Rouergats, se sont installés à Sauzet, près de Cahors ; ils ont un frère à Gaillac, un autre à Maguelonne en Languedoc, tandis qu'un dernier est resté au pays, avec les parents. On cherche des terres plus riches, des conditions plus favorables. Puis, la production reprenant, les nouveaux venus s'enracinent et la stabilité revient.

Le seigneur, cette fois, a fait des concessions. Il maintient un lien organique, même ténu, entre réserve et tenures. En Saintonge par exemple, où les États de la province ont édicté les règles d'accensement des tenures, le paysan reçoit un « maine », lieu d'habitation et centre d'exploitation, avec un verger, un jardin, des vignes et des champs, à charge de reconstruire une maison et de remettre le fonds en exploitation dans un délai de deux à quatre ans; il acquitte un cens perpétuel et un champart modique sur les céréales; il peut être astreint à deux jours de corvée par an. Tel est le bail à cens perpétuel, que l'on retrouve, à peine modifié, sous le nom de bail à fief en Bordelais ou de bail à rente foncière en Sologne, et dans bien d'autres régions. En Quercy, les « villages » (l'équivalent du maine saintongeais) de la petite vallée de Lascabanes ne paient point de champart et sur le vaste causse de Gramat les cisterciens et les hospitaliers procèdent à des accensements collectifs « à cens et à acapte » (dont la perception est également collective).

Parfois le seigneur rompt tout lien, autre que financier, entre réserve et censives, faisant de ces dernières des exploitations pratiquement autonomes, qu'il baille à ferme ou en métayage. En Sologne, le bail à ferme de longue durée (cinquante-neuf ans, deux ou trois vies) fut le principal instrument de la reconstruction; les Hospitaliers du Grand Prieuré de France (France du Nord) utilisent aussi le bail à long terme, quitte à tenter de le raccourcir lorsque la situation se stabilise. Les baux de métayage (où le preneur verse une part de sa récolte) sont plus courts (quatre ans en Poitou). Le métayage, bien que peu utilisé, était le moyen le mieux adapté lorsque manquaient les capitaux de départ.

Le seigneur a concédé enfin largement les droits d'usage, car on a assisté à un retour en force du «saltus» (la nature sauvage). En 1401, Jean de Lannoy, grand maître des Eaux et Forêts, déclare aux paysans de Cessenon, dans la Montagne Noire : «Allez dans la forêt, coupez-y les arbres, essartez, charbonnez, défrichez, fabriquez-y des cendres, plâtres, chaux; faites-y paître le bétail gros et menu, chassez les chevreuils, les perdrix, lapins, sangliers et autres fauves; pêchez dans l'Orb et le Vernazobre, selon votre bon plaisir...»; et cet appel est renouvelé en 1444 et 1469.

Comparsonneries et frérèches.

Les malheurs comme les nécessités de la reconstruction ont suscité, souvent, la solidarité. Des formes d'associations paysannes qui avaient disparu ont resurgi, sous les noms de «comparsonneries», «parsonneries» ou «frérèches».

En Limousin, les accensements collectifs se sont multipliés à partir de 1431, et avec eux des parsonneries; celles-ci se sont maintenues très avant dans le XVIe siècle, peut-être parce que, dans ce pays pauvre, la reconstruction fut lente et difficile et que la structure d'habitat dispersé les favorisait : le «village» est un hameau au terroir étendu. Ailleurs, sur le causse de Gramat par exemple, le développement de communautés à base familiale accompagne les accensements collectifs conclus en 1457; mais, dès 1484, le terroir reconstruit est partagé en exploitations individuelles et on en revient à la cellule conjugale. L'association peut d'ailleurs n'être qu'un moyen de se procurer un capital de départ : c'est le cas pour ce paysan saintongeais qui dissout la frérèche constituée un an auparavant avec son beau-frère, car « il avait considéré en luy [...] qu'il voyait plus faire son profit ailleurs ».

Tel est le processus général ; il peut y avoir des exceptions, comme en Auvergne où les communautés ne se sont développées ni pendant la période des difficultés, ni dans la phase de reconstruction proprement dite, mais après, probablement pour éviter la division de l'exploitation. Puis le surpeuplement aurait provoqué la dissolution de la famille large et la division.

Ces associations se rangent en deux groupes : les unes sont inégalitaires et de type patriarcal ; les autres sont égalitaires. Comme on le dit en Saintonge, le parsonnier est « accueilli » ou « reçu », établi et affilié dans le premier cas, « aparsonné, associé et accompagné ensemble » dans le second. Les communautés inégalitaires du Languedoc subordonnent les couples formés par les enfants à l'autorité paternelle ; les autres associent souvent des frères, qui apportent chacun leurs biens à la frérèche ; le partage du fonds comme des acquêts se fait sur une base strictement égalitaire en cas de dissolution de la communauté. En Limousin, les frérèches se sont élargies parfois aux cousins, aux neveux, voire à des étrangers à la famille. Dans les Cévennes, on a des contrats d'affrèrement entre époux qui se promettent « d'être au service l'un de l'autre, jour et nuit comme des frères » !

On remarque au cours du siècle une double évolution : certaines frérèches égalitaires larges du Limousin évoluent vers des comparsonneries inégalitaires, du fait que le seigneur traite avec l'un des membres, seul cité dans le contrat et promu ainsi au rang de chef d'exploitation ; en Languedoc au contraire, on constate après 1440 un « véritable délire de fraternité » (E. Le Roy Ladurie), aux dépens des structures patriarcales et du « joug des vieux ».

Les régions de montagne, où la vie est rude et la reconstruction difficile, furent le terrain privilégié de ces associations. Mais plus largement, ces communautés furent aussi pour les paysans un moyen de pression face au seigneur et un moyen de défense contre la pression fiscale de l'État : cette grande maison de la campagne de Caen où dix couples et leurs enfants (soixante-dix personnes) vivaient « à feu et à pot » ne formait, fiscalement, qu'un seul feu.

D'ailleurs on rejoint ici la communauté villageoise : en Lyonnais les seigneurs ont peu cédé aux revendications individuelles des paysans ; en revanche, ils ont dû renoncer à la « reconnaissance à nouveau seigneur » qui concernait l'ensemble de la communauté villageoise. La démarche collective, quelle que soit l'institution, a révélé son efficacité.

Une « réaction seigneuriale » à la fin du XVe siècle ?

La reconstruction des campagnes est pratiquement achevée partout à la fin du XVe siècle. Mais nous ne retrouvons pas (pas encore) la situation d'avant 1348. La récupération démographique n'est pas complète, il s'en faut d'un bon tiers, et la fin du siècle est même marquée par une pause, voire un recul. Mais la reconquête des sols est faite. Aussi les exploitations sont-elles plus grandes ; les minuscules parcelles des brassiers et manouvriers ont disparu. De la Normandie au Languedoc, on est passé « du monde de la bêche à celui de la charrue » (G. Bois) ; en Languedoc, l'antique araire est modernisé et rendu plus efficace par l'adjonction d'un versoir (ou « mossa », d'où le nom d'« araire à mousse ») fabriqué par les artisans de la région toulousaine.

La paysannerie moyenne utilise peu de salariés agricoles, peu de produits industriels ; une fois la charrue payée, elle profite à plein de l'augmentation des prix céréaliers qui s'accélère au cours du siècle. Les seigneurs, en revanche, connaissent des difficultés de trésorerie : les salaires restent à un niveau élevé ; les prix industriels n'amorcent leur baisse séculaire qu'à la fin du XVe siècle ; alors seulement la hausse des prix agricoles devient suffisante pour qu'ils puissent redresser leurs comptes. Il ne faut pas dramatiser, les profits se reconstituent quand même : les Hospitaliers du nord de la France disposent à nouveau de fonds pour faire la charité, mission à laquelle ils avaient dû renoncer pendant la crise.

Le seigneur s'est vite aperçu qu'il ne tirait pas tout le profit possible du labeur paysan. Il a cherché à revenir sur les avantages concédés, soit en raccourcissant les baux de fermage, soit en renégociant les conditions du bail à cens perpétuel, ce qu'il ne pouvait faire qu'en prouvant qu'il avait été « déçu » (ou trompé). Les Hospitaliers de Cras, en Quercy, ont pu ainsi faire modifier à trois reprises, de 1448 à 1462, un accensement collectif passé en 1444, qui « les décevait beaucoup et qui avait été passé par quelqu'un qui n'en avait pas le pouvoir ». Pourtant, il me semble excessif de parler de « réaction seigneuriale », car si les seigneurs ont raccourci les baux et augmenté les cens, ils ne sont pas revenus à des redevances et services désuets. A terme, cela va être payant : au XVIe siècle l'âge d'or du hobereau succède à l'âge d'or du laboureur, initiateur et premier bénéficiaire de la reconstruction avant d'en devenir la victime.

Les limites de la reconstruction.

La reconstruction ne fut pas réactionnaire, mais elle fut conservatrice. Elle ne s'est accompagnée d'aucune mutation technologique ; il y a plus d'équipement, mais c'est le même, pour le même travail de la terre. La vigne et l'élevage, mais aussi des cultures nouvelles, oléagineux, safran, plantes industrielles comme le chanvre ou la guède, se sont développés en fonction des sollicitations du marché, c'est vrai. Cependant, dès que la pression démographique se fait plus forte, on en revient aux céréales, car, quoi qu'on ait pu dire de l'accroissement de la consommation de viande, le pain demeure essentiel pour nourrir les hommes de ce temps.

Le marché ne contredit pas les nécessités de l'autosubsistance car, du fait de l'augmentation des prix, la céréaliculture redevient rentable. La France rurale n'est pas restée à l'écart du marché et la Normandie, la Picardie, l'Ile-de-France s'intègrent au vaste espace économique de l'Europe du Nord-Ouest. Cela étant, la stagnation technologique va provoquer au XVIe siècle les mêmes blocages, le même plafond dans la production qu'au début du XIVe siècle ; avec les mêmes conséquences, le drame de la peste noire en moins.

Sur le plan social non plus il n'y a guère de changements. Le servage avait beaucoup reculé au XIIIe siècle, au point de ne plus constituer que des noyaux résiduels. On retrouve ceux-ci, un peu amoindris, après 1450, en Champagne, en Livradois, en Bourbonnais, en Bordelais, en Béarn. Certes, il s'agit souvent d'un servage réel, lié à l'occupation d'une terre, comme dans les Dombes ou dans les monts du Lyonnais ;

l'affranchissement n'est pas rare et l'on peut faire de belles carrières au Parlement ou ailleurs. Il n'empêche, les contraintes subsistent comme celles qui obligent les serfs du chapitre de Chartres à assurer la protection intérieure de la cathédrale la veille des pèlerinages du 15 août et du 8 septembre; et le désir d'effacer la macule servile demeure suffisamment fort pour pousser certains serfs à s'instruire. Signe des temps nouveaux, le savoir rend libre.

La bourgeoisie des villes a aidé à la reconstruction. Tourangeaux et Poitevins ont investi dans les campagnes voisines; ils ont placé de l'argent sous forme de rentes; ils ont acheté et mis en valeur des terres. En fait, le mouvement qui porte les plus riches des citadins à s'établir à la campagne est ancien, puisqu'il s'amorce dès le début du XIVe siècle et il ne doit pas être exagéré, même s'il prend un peu d'ampleur à la fin du XVe siècle. Il ne faut pas y voir la volonté d'une classe sociale d'en supplanter une autre, mais un moyen, un de plus, pour les bourgeois d'accéder à la noblesse ou, mieux, de s'y faire reconnaître. C'est en termes de noblesse ancienne-noblesse nouvelle qu'il faut analyser le phénomène. La seigneurie a bien résisté à la crise; les structures sociales aussi. A la fin du XVe siècle, c'est toujours le même face-à-face : seigneurs et paysans, en Bordelais comme dans toutes nos campagnes.

2. La France dans l'économie européenne

Les avatars de l'isthme français

Les foires de Champagne ont été le principal nœud du commerce et de la finance européenne au XIIIe siècle et encore au début du XIVe. Italiens et Flamands y échangeaient leurs produits et ceux de leur domaine commercial, oriental ou hanséate. Les Français n'y étaient point passifs : toiles et draps de Champagne, de Normandie et du Berry partaient à dos de mule vers le Midi et l'Italie. Enfin, les foires de Champagne étaient devenues une place de change et de crédit, au point que leur fonction financière supplanta leur fonction commerciale.

Or ces foires ont perdu toute importance au cours du XIVe siècle. En 1428, les moines de Saint-Pierre-de-Lagny indiquent que les foires ne sont plus « tenues depuis 60 ans oudit lieu de Lagny ». Pourquoi ?

L'ouverture de la route maritime directe, entre la Méditerranée et les Pays-Bas par Gibraltar, n'a pu, à elle seule, provoquer le déclin. L'essor de la draperie italienne et la crise politique franco-flamande dans le premier tiers du XIVe ont eu au moins autant d'importance. La guerre de Cent Ans enfin, a fait du royaume une région troublée, que les marchands évitent. La liaison terrestre nord-sud demeure cependant, mais elle passe désormais plus à l'est, hors de France. La place de Paris en effet, si elle a pu, un temps, prendre le relais financier des foires de Champagne, grâce à la présence de banquiers italiens, lucquois en particulier, n'a jamais pu prétendre à leur rôle commercial. En revanche, les deux foires de Chalon-sur-Saône, qui se tiennent l'une au moment du carême, l'autre en été, deviennent ce relais entre Flandre et Italie. Bien protégées par le conduit des foires que garantissent les ducs de Bourgogne et de Savoie, elles sont fréquentées sans interruption au XIVe siècle (une seule attaque, en 1365). Bien situées au contact de plusieurs États et principautés, elles attirent les marchands et produits de l'Italie septentrionale (armes, chevaux, futaines), des Pays-Bas (draps) et d'Allemagne et redistribuent des produits de la région, draps, toiles de Verdun-sur-le-Doubs, sel de la Comté, vins de Bourgogne, grains, vers Paris et les Pays-Bas, Avignon et l'Italie. Elles connaissent leur apogée vers 1360. La guerre civile leur est fatale, Lyon, aux mains des Armagnacs puis de Charles VII, coupant les routes du Sud ; dès lors, les Milanais ne viennent plus. Les foires disparaissent vers 1430, quand la liaison avec Paris et la Champagne est interrompue.

Genève profite du déclin de Chalon, mais surtout exploite de nouvelles liaisons, entre l'Italie et la Bourgogne, entre l'Italie et la haute Allemagne, puis entre celle-ci et le Languedoc et la Catalogne. Pourtant Genève est hors du royaume. L'isthme français serait-il donc mort ? Non, le succès de Lyon à la fin du siècle le prouve. Mais il est différent et de toute façon déporté à l'est.

En fait, et la guerre l'explique assez, il n'y a pas un seul espace économique en France. Du point de vue commercial aussi, il y a une France anglo-bourguignonne et une France de Bourges. La première est centrée sur Paris, qui reste un gros marché de consommation ; la foire du Lendit était au XIVe siècle une grande foire à draps, mais elle s'effondre au XVe pour renaître en 1444, comme grand marché régional de la France du Nord-Ouest. Pourtant, dans cette période troublée, l'axe Yonne-Seine-Oise fonctionne relativement bien : c'est la route des vins de Bourgogne, des tissus de Normandie, des grains du Nord et de l'Ile-de-France.

Au sud, Toulouse animait un riche marché régional, avec des débouchés, pour les draps du Languedoc, en Catalogne et en Italie. En 1345, Philippe VI créa en Languedoc des foires générales pourvues de franchises et de privilèges, qui finirent par se fixer à Pézenas et Montagnac (cinq foires en 1400) ; c'était là que Provençaux et Dauphinois, Savoyards et Piémontais, Catalans et Aragonais venaient acheter les draps de Toulouse ou de Limoux. Des Narbonnais et des Montpelliérains se lancent dans l'aventure maritime et exportent ces produits en Italie du Sud. Des firmes italiennes comme celle des Datini de Prato y ont des facteurs. La perte du marché catalan à la fin du XIVe siècle (du fait de l'industrialisation du principat) n'affecte pas sensiblement l'activité des foires. Montagnac et Pézenas possèdent deux atouts : le monopole de la diffusion des épices orientales en France et le passage des marchands d'Allemagne du Sud, qui se rendent en Catalogne.

Enfin, la présence quasi ininterrompue d'une cour princière (Berry), puis royale dans les régions ligériennes a stimulé industrie et commerce à Poitiers, Tours, Bourges. C'est de là qu'est parti le mouvement de renouveau du grand commerce international français.

Jacques Cœur.

Jacques Cœur fut arrêté le 31 juillet 1451 et condamné le 29 mai 1453. Ses biens et ses avoirs furent confisqués et inventoriés par le procureur général Jean Dauvet. Il a relevé, dans un copieux journal de près de mille feuillets, toutes les traces des activités de celui qui fut, selon Thomas Basin, « un homme industrieux et avisé [...] de grande et vive intelligence [...] qui, le premier de tous les Français de son temps, équipa et arma les galéasses qui, chargées de lainages et d'autres produits du royaume, gagnaient Alexandrie d'Égypte [...] et en rapportaient, en remontant le Rhône, des étoffes de soie et toute espèce d'aromates [...]. Avant lui, un tel commerce était depuis longtemps tout à fait insolite, car ces marchandises étaient amenées en France par les soins d'autres nations : Vénitiens, Génois, Barcelonais... ».

Il était le fils d'un pelletier ou fourreur installé à Bourges, ville restée prospère avec sa draperie et ses foires. Né entre 1395 et 1400, il fit ses premières armes dans les Monnaies de Bourges, vers 1425-1429, avant de se lancer, en 1432, dans un voyage au Levant sur un bateau affrété par des marchands narbonnais. Au retour, il fut victime d'un naufrage en Corse et mis à rançon. Son objectif est désormais clair : développer le commerce entre la France et l'Orient; se passer de l'intermédiaire italien en créant sa propre flotte.

Pour rassembler les produits exportables, Cœur installe des facteurs et correspondants un peu partout en France et à l'étranger : Bruges, où arrive la laine d'Écosse, Aragon, Italie, Genève : « Il n'est guère de royaume ni de provinces ou je n'aye mes changes », dit-il. Tous les produits l'intéressent : draps, toiles, laine, cuirs, grains, armes. Il s'associe à un armurier milanais à Tours; il investit à Florence et s'inscrit à l'art de la soie. Il fait construire une flotte et arme des navires : on en connaît six, du *Notre-Dame et saint Denis* à la *Rose*, ce dernier destiné à la liaison Méditerranée-Atlantique, et qui est encore en chantier à Collioure au moment de son arrestation. Il fait d'abord de Montpellier le centre de ses opérations maritimes, puis s'établit à Marseille, dont le port est bien meilleur. D'Alexandrie, où il a un comptoir, il rapporte épices, coton, soieries, qui remontent par le Rhône ou par la route, le « grand chemin », jusqu'à Bourges, Paris, Bruges. L'isthme français est à nouveau fréquenté.

Tours et Bourges sont les centres principaux d'un grand marché de consommation. Là est la cour. Depuis 1440, Cœur est argentier du roi, c'est-à-dire qu'il est à la tête d'un vaste bazar chargé de fournir au roi et aux courtisans tout ce dont ils ont besoin, de la plume d'autruche à l'armure de luxe milanaise ornée de soieries rares. Magasin et banque, car Cœur prête au roi et aux grands. Dauvet eut d'ailleurs beaucoup de mal à débrouiller les affaires financières de l'argentier.

Le problème de Jacques Cœur (et de bien d'autres à l'époque) fut de trouver des capitaux ; il a très bien compris le rôle fondamental de la circulation monétaire, ce qui l'a poussé à investir dans les mines de plomb argentifère du Lyonnais ou à spéculer sans vergogne sur les monnaies d'argent en Orient. C'est également la raison de sa mainmise sur le trafic du sel entre salines du Midi et Lyon, à partir du poste stratégique de visiteur général des gabelles, qu'il occupe en 1447. Le roi eut l'avantage d'une gabelle au rendement amélioré ; mais il y a fort à parier que l'argentier y gagna plus que lui ! Jacques Cœur cependant ne put éviter ni les créances non recouvertes, ni les capitaux immobilisés sous forme de joyaux, ni ceux qui le furent parce que, homme de son temps, anobli par le roi, il jugea bon d'investir dans la terre pour parachever son ascension sociale.

Mais sa richesse et son luxe en indisposèrent plus d'un. Si l'on renonça à l'accuser de l'empoisonnement d'Agnès Sorel, ses malversations, fût-ce pour la bonne cause du commerce extérieur français, n'étaient que trop réelles. Arrêté et jugé selon une procédure extraordinaire, il échappa à la condamnation à mort grâce à son ami le pape Nicolas V. Il s'évada et put gagner Rome ; le successeur de Nicolas V, Calixte III, lui confia le commandement militaire d'une croisade contre les Turcs. C'est comme croisé que mourut à Chio, le 25 novembre 1456, celui qui toute sa vie avait commercé avec les Infidèles, avec la permission de la papauté !

Un précurseur traditionaliste, pas un innovateur, tel fut Jacques Cœur. Ne lui reprochons pas de n'avoir pas découvert l'Amérique, personne ne l'avait fait encore ; ni d'avoir pensé surtout à la Méditerranée, tout le monde y pensait encore. Il est un de ceux qui ont replacé le royaume dans le grand commerce international. Thomas Basin avait vu juste. Ses ambitions et ses entreprises lui ont survécu, par la volonté de ses collaborateurs dévoués, son gendre, Jean de Villages, ou son principal adjoint, Guillaume de Varye ; par la volonté du roi, Charles VII et surtout Louis XI. Les « gallées de France », sous la direction de Varye, puis de Pierre d'Oriole, ont continué leurs voyages vers Rhodes, Alexandrie et Beyrouth. La compagnie est privilégiée par le roi et se voit reconnaître le monopole d'importation des épices par mer. Se pose alors le problème de la concurrence avec les foires de Lyon et, en toile de fonds, le dilemme : protectionnisme ou libéralisme commercial?

D'Oriole vend ses navires vétustes à Michel Gaillart en 1476; celui-ci cherche à mobiliser des capitaux pour rénover sa flotte et obtenir le maintien d'une compagnie à monopole. Une assemblée des villes, en 1481, y est peu favorable. Finalement, le 27 juillet 1481, le roi met fin aux privilèges de la compagnie du Levant. Est-ce le triomphe du libéralisme commercial? Pas si sûr, comme le montre l'histoire des foires de Lyon.

Lyon et l'Atlantique.

L'avenir du commerce français se situe aux lisières du royaume : Marseille, annexée en 1481; Lyon et ses foires; le commerce atlantique. Jacques Cœur avait pressenti l'intérêt de Marseille; avec amertume, Aigues-Mortes et Montpellier durent se rendre à l'évidence.

On a vu comment Genève a pris le relais des foires de Chalon pour devenir la grande place d'affaires et de commerce de la liaison terrestre Méditerranée-nord de l'Europe. Les marchands français viennent y proposer leurs produits textiles. Or, le 9 février 1420, Charles VII récompense ses fidèles Lyonnais en leur accordant deux foires de six jours chacune, avec les privilèges des grandes foires internationales. Qu'est-ce à dire? Il est présomptueux, en tout cas prématuré, de vouloir concurrencer Genève! Aussi les foires de Lyon végètent-elles. La paix avec la Bourgogne va les favoriser : Lyon est dans une situation remarquable, sur un axe Rhône-Saône désormais ouvert et au débouché des routes alpestres et jurassiennes. En 1444, Charles VII persévère en allongeant la durée des foires et en en concédant une troisième : « Les dites foires ont principalement esté ordonnées et establies pour remettre en nostre royaume le cours des marchandises. »

Le succès vient; les marchands italiens s'y établissent, les Français prennent l'habitude d'y passer, les Allemands aussi.

Louis XI crée une quatrième foire. Mieux, il engage la lutte contre Genève, que les banques italiennes commencent à abandonner, en interdisant aux marchands français d'y aller et en faisant coïncider le calendrier des foires de Lyon avec celui des foires de Genève. N'entrons pas dans le détail des réactions de Genève et de la Savoie; passons sur l'attitude parfois hésitante de Louis XI, plus soucieux de politique monétaire (empêcher le métal précieux de sortir de France) et de politique tout court (ses rapports avec la Bourgogne, avec la Savoie, avec les cantons suisses) que de politique commerciale. Toujours vigilante, Lyon finit par l'emporter parce qu'elle offrait aussi les produits variés d'un vaste arrière-pays.

L'adversaire le plus sérieux de Lyon vint du royaume, de ces villes prospères vivant des productions et des échanges de leur région et qui pensaient pouvoir se hisser, si le roi les y aidait, au rang de places de commerce internationales : Bourges, Tours (où Louis XI fit installer des ateliers de soie), Troyes, Rouen et, pour des raisons plus évidentes, les villes du bas Languedoc. Elles l'emportent aux États généraux de 1484. On reproche à Lyon d'être la porte d'entrée des produits de luxe italiens, les soieries qui concurrencent le bon drap français; de rivaliser avec le Languedoc et ses foires dans l'importation des épices; d'appauvrir le royaume par l'évasion des métaux précieux — il faut bien payer aux Italiens ces importations coûteuses. L'enjeu de la lutte est clair : nationalisme économique contre libéralisme, avec toutes les contradictions que cela comporte : Montpellier, libérale en Méditerranée (elle a applaudi à la suppression du monopole des Galées de France), est farouchement nationaliste à Lyon, défense du monopole languedocien des épices oblige!

Lyon se défendit bien, produisant des arguments qui donnaient raison à Charles VII : « Par les foires et les marchés les pays s'enrichissent et les terres engraissent »; car Lyon vendait français et faisait produire français, autant qu'elle achetait étranger! Les réalités économiques s'imposèrent : jamais un marchand italien ne mit les pieds aux foires de Bourges. Lyon retrouva ses foires, deux en 1487, quatre en 1494. Il n'est décidément de bonnes foires qu'en frontière.

De l'autre côté du royaume, la façade atlantique commençait à s'animer. La guerre avait été terrible pour les affaires de Dieppe, Rouen, La Rochelle, Bordeaux; seuls les nombreux ports bretons, la neutralité du duché aidant, avaient tiré leur épingle du jeu. Les corsaires anglais rendaient l'escale des ports français bien risquée.

Pourtant on les fréquentait. L'hiver, d'importantes flottes hanséates partaient de Bruges (en 1449 les Anglais s'emparèrent de cinquante bateaux) pour charger le « sel de la baie » de Bourgneuf; elles achetaient aussi du vin de Poitou et d'Aunis à La Rochelle, mais les Castillans les exclurent par la force, en 1419 (il y eut un traité en 1443), de ce marché.

Les Castillans furent très présents dans les ports français (excepté entre 1418 et 1450 en Normandie) pendant la majeure partie de notre période. Ils fournissaient de la laine aux artisans normands et poitevins (les Lyonnais venaient aux foires de Fontenay-le-Comte s'approvisionner en draps qu'ils revendaient à leurs foires); ils déchargeaient du fer des provinces basques et, c'est le fait nouveau de cette fin du Moyen Age, des produits du Sud, de l'Andalousie et du Portugal (huiles, thon, fruits secs ou frais, vins forts), ainsi que le sucre de canne des îles de l'Atlantique, Madère et Açores.

Les Italiens sont plus rares, mais on en trouve à La Rochelle ou à Nantes; il faut dire que leurs principales lignes de navigation, qui unissent directement les ports de la péninsule, Séville et Lisbonne, à l'Angleterre et aux Pays-Bas, passent très au large des côtes françaises.

Italiens, Castillans, Hanséates... Et les Français? Distinguons le marchand du propriétaire de navire et du marin. Il y a des marchands français, nantais ou rouennais, mais il y a peu d'armateurs : petits chantiers navals de Dieppe, disséminés le long des quais, des ports bretons ou de Méditerranée; pourtant les marins bretons, qu'ils soient marins-paysans ou marins spécialisés comme en Cornouaille, deviennent de véritables rouliers des mers, comme les marins de la côte basque, de Bayonne à Santander.

A Rouen, en Bretagne, à La Rochelle, à Bordeaux, les activités portuaires ne démarrent vraiment que dans le dernier quart du XVe siècle. C'est bien tard pour se faire une place parmi les grands; mais c'est le signe, là aussi, de la reconstruction économique.

3. Une France qui innove : l'« orologeur » et l'imprimeur

On a relevé la stagnation technologique dans l'agriculture ; on a fait la même constatation pour l'industrie textile comme pour l'industrie du bâtiment. Le fait est général, européen. Mais il est d'autres secteurs où l'invention technique provoqua de profonds bouleversements dans la production comme dans les façons de penser. La France ne fut peut-être pas à la pointe du progrès (la guerre eut comme souvent des effets très contradictoires), mais elle fut partout présente. Avant de me pencher sur trois secteurs importants, je rappelle ces quelques faits médicaux : Gilles le Muisit, abbé de Tournai, accepta de se faire opérer de la cataracte par Jean de Mayence ; l'opération réussit et, dit-il, « je revoyais le ciel, le soleil, la lune, les étoiles... ». Il avait quatre-vingts ans et l'on était en septembre 1351, après les années terribles de la grande peste.

La grande peste justement ; l'Église jusque-là interdisait la dissection. On fit une exception : le pape permit l'expérience ; puis la pratique s'en généralisa à Montpellier. Plus tard, dans la seconde moitié du XVe siècle, on autorisa un chirurgien à « ouvrir » un condamnné à mort qui souffrait de la pierre : on ouvrit, on vit, on enleva les cailloux ; notre homme fut recousu et comme il se remit fort bien de cette « opération », il fut gracié.

Les mines et la métallurgie.

L'Europe connut un boom minier de 1450 à 1520, après un siècle de stagnation. Des innovations techniques en Saxe, Bohême et Tyrol, les régions de pointe dans ce domaine, sont la cause de cet essor.

La France, sans être un grand pays minier, suit le mouvement. Ne parlons pas du charbon de terre, que l'on commence à exploiter dans les Cévennes (Alès est le plus ancien bassin français). Mais les gisements métalliques sont nombreux en Normandie, en Chartrain, en Châtillonnais, en Oisans, dans les Pyrénées, en Lyonnais, où des fouilles sont en train de mettre au jour les infrastructures des mines de Jacques Cœur. Les mines de Pampailly, Saint-Pierre-la-Palud, Joux et Chessy avaient été mises en exploitation en 1385-1388, au moment de la première reconstruction, grâce à des investissements lyonnais. L'exploitation fut abandonnée en 1415. Jacques Cœur la reprend en 1444 avec l'aide de deux maîtres mineurs locaux et d'une riche famille du patriciat lyonnais. Il concentre ses efforts sur la mine de plomb argentifère de Pampailly, la seule intéressante. Lors de son arrestation, les mines sont saisies, exploitées un temps en régie directe par l'État, puis restituées à ses héritiers, en 1457. D'importants travaux ont été entrepris, notamment le creusement d'un grand « voyage » (ou galerie) qui facilite l'évacuation des eaux et permet une exploitation moderne, profonde, avec transport horizontal par chariots et roulage. A la surface, des forges fabriquent le matériel nécessaire aux mineurs, et des « martinets », ou fonderie, traitent le minerai extrait. Cette mine fut rentable et exploitée jusqu'à la fin du siècle.

La sidérurgie connaît un progrès important avec le développement du procédé de réduction indirecte par haut fourneau, qui permet l'étape de la fonte, et une production accrue. Le chapitre cathédral de Chartres remet en exploitation ses « minières » de la forêt de Senonches après 1454 ; il importe aussi des minerais basques de forte teneur et introduit la technique nouvelle le long de l'Eure. La demande de fer est très forte. Les campagnes en reconstruction réclament charrues, fers à cheval, clous. Les chantiers urbains utilisent de plus en plus de fer. Enfin, le développement de l'artillerie et de l'armurerie donnèrent un coup de fouet considérable à la métallurgie : Jacques Cœur — encore lui — était associé à un armurier milanais à Tours et il y avait d'importants ateliers à Bourges et dans beaucoup de villes.

Dans les mines, dans la métallurgie, la France fit appel au savoir-faire d'artisans étrangers, venus de l'Empire et d'Italie. A Pampailly, les mineurs allemands sont nombreux et un maître allemand est recruté pour creuser le grand « voyage » ; à Chartres, sept sur douze des maîtres de forge sont allemands. Le routier Perrinet Gressart a acheté le château de La Motte-Josserand, en Nivernais; la mine de fer et la forge voisine sont dirigées par Hans de Berne.

Ces spécialistes très recherchés touchent des salaires élevés, ce qui a contraint à innover pour réduire les coûts de revient. Le secteur minier est rentable : on y voit un Jacques Cœur engager 10 000 livres; des bourgeois des villes, des établissements religieux et des ouvriers mineurs y investissent également. On retrouve une situation comparable à celle de l'imprimerie.

L'imprimerie, une grande invention médiévale.

La demande de livres, ralentie pendant la guerre, reprend de plus belle après 1450; la copie manuscrite, devenue pourtant rapide, ne peut satisfaire que la clientèle limitée des universités et des cours princières : Charles V, Jean de Berry, Philippe le Bon ont collectionné de superbes manuscrits, « historiés » (décorés) par les plus grands peintres du temps. L'usage du papier se répand au XIVe siècle et des moulins à papier sont établis un peu partout : en 1473, on en connaît à Chartres et Nogent-le-Roi, le long de l'Eure; et l'inévitable Jacques Cœur fut crédité de l'établissement de celui de Rochetaillée, près de Lyon. La généralisation de ce nouveau support fit baisser les prix : un livre en papier coûte, à surface égale, treize fois moins cher qu'un livre en parchemin, dans la seconde moitié du XVe siècle.

Mais c'est la nouvelle technique de l'imprimerie qui va révolutionner le monde de l'édition et de la culture. On connaissait la xylographie, procédé rudimentaire d'impression à partir d'une planche de bois incisée de lettres et d'images; elle a fourni aux prédicateurs ces images pieuses qu'ils ont répandues à profusion dans les campagnes. La mise au point par l'orfèvre mayençais Johannes Gensfleisch, dit Gutenberg, du système des caractères mobiles et de la presse (peut-être à Strasbourg, où il est signalé en 1438) fut décisive et aboutit, en 1450, à la première impression de la Bible. A partir de l'Allemagne, l'imprimerie, en trente ans, se répand dans toute l'Europe.

En France, la première presse est installée dans la bibliothèque du collège de la Sorbonne par Guillaume Fichet, un Savoyard érudit et humaniste, et Jean Heynlin, un Allemand, avec l'objectif de produire des classiques de l'Antiquité. Mais l'initiative déborde bientôt le Quartier latin : des imprimeurs — beaucoup sont allemands — s'installent à Paris et travaillent pour le compte d'éditeurs, dont le modèle fut Antoine Vérard. Lyon fut le deuxième grand centre de l'imprimerie en France ; les foires et une vie de relations intense facilitent la diffusion des innovations. L'initiative est partie des milieux marchands (rôle de Barthélemy Buyer par exemple) et elle aboutit à la création d'une véritable industrie du livre.

La diffusion est rapide car il est facile de déplacer le matériel d'impression : l'éditeur parisien Jean Dupré, premier éditeur de missels et autres livres religieux de France, transporte ses presses à Chartres pour y imprimer un missel commandé par le chapitre cathédral ; lui-même est en relation avec Venise. Le même chapitre chartrain passe des commandes à Jean Haman, un Allemand du Palatinat, installé à Venise, puis à des imprimeurs allemands de Paris. On imprimait au Mans avant 1500 alors que la première presse ne fut installée qu'en 1545. Bien des villes de l'Ouest l'avaient devancée, Angers, Poitiers, Rennes, Rouen, etc. Si bien qu'en 1500 trente-six villes françaises disposaient de presses. Mais Paris et Lyon procuraient 80% des éditions et leur domination fut assurée pour longtemps. Le royaume figurait au troisième rang, derrière l'Empire et l'Italie, tant pour les lieux d'impression que (et surtout) pour le nombre des éditions.

On imprima d'abord les œuvres les plus connues, les plus diffusées déjà sous forme manuscrite, du Moyen Age : la Bible, *les Quatre Livres des sentences* de Pierre Lombard, l'œuvre de Vincent de Beauvais (en 1475 à Strasbourg), l'histoire de la première croisade de Robert le Moine (un des tout premiers livres imprimés à Paris en 1472). Dans le remarquable musée de la Banque et de l'Imprimerie de Lyon, un tableau présente les premières œuvres imprimées par la vingtaine d'éditeurs lyonnais de la fin du XVe et du début du XVIe siècle : tous les « best-sellers » du Moyen Age y figurent, parfois plusieurs fois.

L'imprimerie eut très vite d'autres utilisateurs, car elle se révéla tout de suite un fameux moyen de transmettre les nouvelles : les ordonnances royales furent imprimées et diffusées, des lettres de propagande de toutes sortes sortirent des presses. Ironie de l'Histoire, lorsque Charles VIII rompit la promesse de mariage qui le liait à Marguerite d'Autriche, fille de l'empereur Maximilien, pour pouvoir épouser Anne de Bretagne, les ambassadeurs allemands se plaignirent des Français qui « impriment des lettres qu'ils appellent instructions et informations, et qu'ils répandent par tout le royaume » pour faire connaître et justifier la nouvelle. L'avalanche luthérienne ne leur était pas encore tombée sur la tête !

La mesure du temps.

C'en est fini, à notre époque, des heures à durée variable — douze heures de jour, douze heures de nuit, hiver comme été ; on connaît encore les heures canoniales, dans les couvents notamment, prime, tierce, etc. Mais dans une lettre de rémission accordée au poète François Villon en 1456, celui-ci explique qu'il était « assis pour soy esbattre sur une pierre située soubz le cadran de l'oreloge Saint Benoist le Bientourné[...] et estoit environ l'eure de neuf heures ».

L'invention de l'horloge mécanique à échappement, capable non seulement de sonner les heures mais aussi de « garder le temps », remonte à la deuxième moitié du XIIIe siècle. Elle repose sur un mécanisme arrêt-départ, qui découpe le temps en battements réguliers, transmis, par l'alternance blocage-déblocage, à un indicateur visuel (cadran) ou auditif (sonnerie, cloches) ; ce mécanisme relâche ainsi régulièrement une énergie accumulée au moyen d'un système de poids ou d'un ressort. Les progrès réalisés dans la métallurgie, — l'usage du laiton qui permet des mécanismes plus fins, l'usage de l'acier pour le ressort —, ainsi que l'habileté croissante des spécialistes furent à l'origine d'une précision plus grande et d'une miniaturisation toujours plus poussée : à la fin du XVe siècle, les premières montres apparurent.

L'usage de l'horloge mécanique se généralise à la fin du Moyen Age sous deux formes, apparues presque en même temps : les grosses horloges publiques à cloches ; les horloges privées, plus petites et transportables (Charles V en possédait une, fabriquée pour son aïeul, Philippe le Bel), puis les montres. Chacun peut mesurer et donc disposer de son temps.

Églises, beffrois des villes, tours des châteaux s'équipent, à grands frais, d'horloges. En 1356, l'horloge du château royal de Perpignan est montée en neuf mois par des horlogers d'Avignon ; en 1379, un « orologeur » de Lille construit l'horloge du château de Nieppe, pour la comtesse de Bar, dame de Cassel. Charles V, toujours à l'affût des nouveautés, fait installer par le Lorrain Henri de Wic l'horloge du palais de la Cité qui orne encore la tour du quai de l'Horloge. Il y eut deux périodes dans l'installation des grosses horloges publiques dans les villes de France : le dernier tiers du XIVe siècle à Bourges, Poitiers, Sens, Angers, Niort, Saint-Jean-d'Angély, Saint-Flour, Rouen, Chartres, où l'on installe en 1392 une horloge « aussi comme celle du palays de Paris » ; la deuxième moitié du XVe siècle, après la guerre, naturellement, où de petites villes s'équipent alors, comme Châtellerault, La Rochelle, Saint-Maixent, Loches ; à Auxerre, le comte de Nevers Jean de Bourgogne autorise en 1457 la construction d'une horloge publique ; les travaux s'étalent de 1460 à 1483.

Faute de pouvoir faire un tel investissement, les villes se contentaient d'horloges plus petites, placées dans les églises (à Chartres, à Auxerre, avant la grosse horloge). A l'origine, l'horloger, souvent étranger, n'était guère spécialisé ; il était aussi canonnier, plombier, comme ce Pierre Cudrifin, de Fribourg, qui construisit l'horloge de Romans en 1422 et devint ensuite premier canonnier du roi. Mais la spécialisation gagne : Étienne Plaisance, un Italien, installe à Chartres en 1400 une fabrique de petites horloges domestiques.

Répandue et recherchée, l'horloge s'offre en cadeau ; le cardinal Pierre d'Ailly lègue une horloge valant 10 écus à l'église de Compiègne où il fut baptisé. Elle est une prise de guerre : après la bataille de Roosebeke, la ville de Courtrai est pillée et brûlée « et fut abatu l'orloge de la dite ville qui estoit le plus bel que on sceust nulle part » (partie inédite des Chroniques de Saint-Denis). Le duc de Bourgogne la fit remonter à Dijon.

L'intérêt fondamental de cette mesure du temps, dans la vie quotidienne et dans les mentalités, a été souvent souligné. Le travail des mineurs de Pampailly est rythmé par une horloge garnie de cloches, comme le travail de l'artisan de la ville l'est par l'horloge du beffroi ou de l'église. Du reste, cette nouvelle mentalité, née de l'horloge mécanique et qui consiste à refuser la soumission au temps naturel, pénètre les campagnes avant même que l'instrument « moderne » qu'est l'horloge n'y soit introduit : en 1393, les vignerons d'Auxerre refusent de travailler du lever au coucher du soleil comme le voudraient leurs employeurs ; ils débrayent à l'heure de none sonnée par les cloches de la cathédrale, soit à trois heures de l'après-midi.

Indiquons enfin que l'horloge connut aussi une utilisation militaire : c'est pour l'exactitude de son service de guet que la ville d'Auxerre fit l'achat, en 1411, de l'horloge à ressorts et à sonnerie qu'elle installa dans une église. Un peu avant, en 1402-1405, la ville voisine de Chablis avait installé sur ses murs un « gros orloge » pour aider à l'organisation du guet.

4. Un retard culturel ?

Pour conclure ce chapitre consacré à la vitalité de la France après la guerre, je voudrais attirer l'attention, sans prétendre en faire une histoire exhaustive, sur quelques faits de la vie intellectuelle et artistique et montrer combien fut brutal, dans ces domaines, le coup d'arrêt imposé par la crise dans une évolution jusque-là féconde.

L'humanisme français.

Entendons par humanisme une attitude qui privilégie l'homme, qui exalte sa liberté par rapport aux autorités, qui le met au contact direct des œuvres d'art ou des textes (et notamment ceux de l'Antiquité, le « modèle ») ; une attitude marquée par un goût nouveau pour le « beau » et pour la nature (on a pu parler de la naissance alors d'un véritable sentiment de la nature).

Croit-on vraiment qu'il ait fallu attendre les guerres d'Italie, l'extrême fin du XVe siècle donc, pour que soit brutalement révélée une culture d'avant-garde? Déjà sous Jean le Bon et Charles V, certains lettrés firent un accueil chaleureux au grand François Pétrarque, installé à Avignon et venu à Paris en 1360 comme ambassadeur du pape. Une première génération humaniste apparut alors avec Pierre Bersuire ou Philippe de Vitry. Pétrarque fut sceptique et il polémiqua durement avec certains Français, ironisant sur le style par trop barbare de leurs poètes et de leurs orateurs.

Cette polémique entraîna une émulation fructueuse, les Français, dans le vif désir d'égaler les maîtres italiens, se mettant à leur école. A Paris, le collège de Navarre, fondé en 1304 pour accueillir des étudiants d'origine champenoise, devint le foyer des humanités : l'on y apprit le beau style, l'on y enseigna la rhétorique, dédaignée par les programmes universitaires; Jean Gerson, l'une des principales figures de l'Église de ce temps, fut formé dans ce collège. Avignon, même au temps du schisme, maintint le contact avec l'Italie. Un véritable cénacle se forma dans les milieux des chancelleries pontificale et royale : Jean Muret, familier de Clément VII et Benoît XIII, Nicolas de Clamanges, Jean de Montreuil ou les frères Col en furent les animateurs. Ne négligeons pas, enfin, le rôle, dans l'entourage de Louis d'Orléans, des Italiens : Ambrogio Migli, son secrétaire, par exemple.

Se développe ainsi un humanisme français original, qui concilie la culture religieuse traditionnelle avec l'apport des œuvres de l'Antiquité classique païenne (Nicolas de Clamanges s'intéressa au grec). « Nationalistes », mais fervents admirateurs de l'Italie, nos humanistes échangent une correspondance assidue avec Coluccio Salutati, chancelier de Florence, ou Leonardo Bruni; ils cherchent à retrouver la pureté du latin de Cicéron et demandent des modèles de lettres; ils échangent des manuscrits; ils collectionnent les œuvres de l'Antiquité.

Ce foyer humaniste fut dispersé en 1418 : Jean de Montreuil fut victime des Bourguignons à Paris; Muret et Clamanges se retirèrent. Leur influence ne disparut pas totalement, mais il faut bien dire qu'elle fut si ténue pendant les années 1420-1450 que le décalage par rapport à l'Italie, jusque-là réduit, s'accrut fortement. Alors que le grec était enseigné sans discontinuer dans la péninsule depuis 1396, il fallut attendre 1458 — les timides tentatives de Clamanges n'ayant pas eu de suite — pour que l'université de Paris l'inscrive dans ses programmes. La production du livre manuscrit, principal support, avant l'imprimerie, des échanges d'idées, accusa un retard considérable sur l'Italie et l'Empire.

Pourtant, la reprise fut nette dès la fin de la guerre. Guillaume Fichet, bibliothécaire du collège de Sorbonne, l'un des centres les plus huppés de l'enseignement de la théologie à l'université de Paris, y fit installer, on l'a vu, un atelier d'imprimerie. Héritier de la tradition scolastique et lecteur assidu des œuvres de l'Antiquité, il se sert des techniques nouvelles pour diffuser les idées nouvelles. Les deux premiers ouvrages qu'il fait imprimer sont les *Lettres* et *L'Orthographe* d'un humaniste italien, Gasparino Barzizza de Bergame; ensuite sortent des presses d'autres œuvres contemporaines et des textes de l'Antiquité (Cicéron avant tout, dont il regrette que plus personne ne le connaisse alors) qui, tous, ont trait à l'art du discours et du bien dire. Il publie ainsi sa propre *Rhétorique*, ouvrage dans lequel il rend hommage à Clamanges, nouant ainsi le fil qui le rattache au premier humanisme français.

Il y eut décalage et retard. Il n'y eut point rupture.

Fouquet.

Au début du XVe siècle, au moment où s'épanouit le premier humanisme, la peinture française connaît une véritable floraison, avec un centre parisien où s'illustrent les Maîtres de Boucicaut, de Bedford et de Rohan et les centres si importants de Bourges et Dijon, où les ducs de Berry et de Bourgogne font travailler Jacquemart de Hesdin et les frères Limbourg.

La miniature française, riche d'une longue tradition depuis Jean Pucelle (début du XIVe siècle), s'est ouverte aux innovations de Giotto et Duccio sur l'espace (il y a des artistes italiens en France, on achète des peintures italiennes), avant d'être fécondée par les peintres des Pays-Bas. Ceux-ci ont apporté le goût du portrait réaliste que l'on remarque dès le temps de Charles V, ainsi que l'art du paysage, un paysage réaliste dans son appréhension, mais transfiguré par la lumière et la couleur. L'individu et la nature, deux thèmes par excellence de l'humanisme.

Jean Fouquet va transcender ces deux traditions. Il est né à Tours vers 1415-1420; il a connu les œuvres des maîtres parisiens. Surtout, il est allé à Rome, où il a fait le portrait du pape Eugène IV, et à Florence, de 1444 à 1446. De retour en France, il a travaillé en Touraine, pour le compte du roi et de certains conseillers importants comme Étienne Chevalier. Il fréquente des peintres des Pays-Bas, Vulcop, Jacob de Littemont, qui sont au service de Charles VII. Les premiers tableaux de Fouquet, le portrait du bouffon Gonella, celui d'Eugène IV, tous deux effectués en Italie, sont fortement influencés par l'art flamand. Mais ensuite, dans le *Diptyque de Melun* et le *Livre d'heures*, tous deux commandés par Étienne Chevalier, maître des comptes puis trésorier du roi, Fouquet intègre les leçons de l'Italie à la tradition du Nord, pour produire un art totalement original capable à son tour d'influencer les autres.

Fouquet a ainsi introduit en Italie, qui ne connaissait que le portrait en buste et le profil de médaille, le portrait à mi-corps avec représentation du visage de trois quarts, dont le tableau représentant le chancelier Guillaume Jouvenel des Ursins constitue l'exemple le plus achevé. Car, alliant le souci de la grande forme au réalisme, il innove en peignant un personnage qui est à la fois individu et représentant d'un groupe, d'un milieu, d'une fonction. A ce propos, le fameux *Portrait de Charles VII*, qui présente des caractères identiques et qui est considéré par la majeure partie des historiens de l'art comme antérieur au voyage en Italie, lui est peut-être bien postérieur : il y a de fortes chances en effet pour qu'il soit une véritable effigie funéraire et qu'il ait été peint après la mort du roi en 1461. Quoi qu'il en soit, Clouet (*Portrait de François Ier*), Raphaël et d'autres en Italie adoptèrent ce parti pour leurs portraits officiels.

Fouquet a totalement réinterprété les formules italiennes de la représentation des volumes et de l'espace à la lumière des traditions de l'enluminure française. Il connaît les théories d'Alberti, la *costruzione legittima* ou perspective mathématique, mais il les assouplit en adoptant soit la construction bifocale (ce qu'on appelle la perspective cornue ou diffuse), qui dégage un vaste espace au centre du tableau, soit la perspective curvilinéaire, avec le premier plan en demi-cercle, que les frères Limbourg avaient déjà utilisée. Il dégage ainsi un fait, un instantané, au sein d'une action qui se déroule dans le temps et l'espace : ainsi la célèbre poignée de main de Charles V et de l'empereur Charles IV « sort » littéralement d'un cortège éloigné dans l'espace comme dans le temps, au passé comme au futur. Il aboutit, dans les œuvres de la fin de sa vie, à des espaces infinis (la « beauté des vides ») où la profondeur introduite par la disposition des plans est encore dilatée par les dégradés de la couleur et les jeux d'une lumière somptueuse obtenue par l'utilisation des ors.

Fouquet est bien seul, dira-t-on ! Ce n'est pas exact. A la fin du siècle, le Maître de Moulins, le Maître de Saint-Gilles ont pris le relais. Le royaume n'est pas resté isolé des grands courants novateurs qui traversent alors la peinture occidentale.

Le château français.

Dans le domaine de l'architecture, civile et religieuse, la guerre a provoqué une coupure nette : on ne construit plus, on détruit. Il ne reste quasiment rien des résidences royales du temps de Charles V. Les grandes constructions princières des ducs de Berry ou d'Orléans (Pierrefonds, La Ferté-Milon, celle-ci inachevée) n'ont pas de suite dans la première moitié du XVe siècle. La reconstruction fut donc dans ce domaine particulièrement éclatante et la France se transforma, après 1450, en immense chantier.

Le château devient une résidence ; il garde du château fort les effets verticaux : le donjon cantonné de quatre tours d'angle, la tour d'escalier hors d'œuvre, le chemin de ronde, mais ce dernier se fait promenoir ; les murs épais s'habillent de fenêtres et s'ornent d'un décor de gâbles et de pignons, d'arcs et de moulures. Le type du manoir rectangulaire avec tour d'escalier hors d'œuvre séparant deux pièces s'adapte aux vastes et austères demeures de Langeais et du Plessis-Bourré comme aux petites résidences champêtres de Coulaine et de Baugé, ou encore aux hôtels urbains, dont la « maison » de Jacques Cœur à Bourges reste le modèle incomparable. L'architecture civile française devient suffisamment sûre d'elle-même, vers les années 1480, pour intégrer naturellement les apports italiens, sans perdre une miette de son originalité.

7
La France et les Français

1. Le pays et les gens

La France et ses limites.

A la fin du XVᵉ siècle, un Français cultivé sait que la terre est une sphère. Les idées d'Aristote en la matière se sont imposées dès le XIIIᵉ siècle à l'université de Paris. Nicole Oresme, Pierre d'Ailly dans son *Imago mundi* de 1410 (ce texte, imprimé en 1480, eut les honneurs d'un commentaire critique de Christophe Colomb) ont popularisé cette conception. Gagner les Indes par l'ouest n'est pas inconcevable, d'autant plus que pour beaucoup (d'Ailly, Colomb) la surface des océans est plus réduite que ne le pensait Aristote.

Malgré tout, nombre d'Européens ne suivaient pas Mandeville qui, dans un récit de voyage partiellement imaginaire écrit en 1366, admettait que des êtres humains pouvaient vivre aux antipodes sans tomber dans le ciel ! Mais les progrès des Portugais le long des côtes de l'Afrique équatoriale donnèrent raison à Mandeville et ruinèrent la croyance que « l'excessive chaleur » empêchait la zone équatoriale d'être habitée. Les lettrés avaient parfois du mal à concilier ces vérités nouvelles avec les vérités de la foi chrétienne. Mais que pouvait penser de tout cela la France profonde ?

Les rivages de la France étaient indiqués sur les cartes marines des Génois, Majorquins et Portugais mais aussi des Dieppois sous une forme approximativement exacte. Charles V possédait une carte où figurait la France ; mais il n'y en eut de détaillées qu'à la fin du XVᵉ siècle. Est-ce à dire que les

Français étaient incapables de se représenter leur pays? Le Héraut Berry écrit, dans le *Livre de la description des pays*, qu'il y a vingt-deux journées de L'Écluse, en Flandre, à la Navarre et seize de la pointe Saint-Mathieu à Lyon; «et passe le fleuve de Loire par le milieu du royaume». Pour lui la limite des quatre rivières (Escaut, Meuse, Saône et Rhône) du traité de Verdun de 843 reste actuelle; c'est toujours l'Escaut qui «départ le royaulme de l'Empire». Pourtant elle a bougé quelque peu vers l'est et le sud et, surtout, elle s'est «épaissie» (B. Guenée), devenant une limite politique, juridictionnelle, douanière, linguistique et militaire. La limite est devenue frontière. Le Héraut Berry parle aussi des montagnes et des côtes qui bornent et protègent le pays. Au début du XVIe siècle, l'historiographe Paul Émile lance le premier l'idée de frontières naturelles et ressuscite pour l'occasion la Gaule et la frontière du Rhin. Conduisant les écorcheurs en Alsace, le dauphin Louis parlait déjà de «l'ancienne étendue [du royaume] qui estoit jusqu'au Rhin».

Dans ce royaume que l'iconographie représentait comme un jardin entouré de palissades (il a été remarqué qu'on ne représentait jamais la frontière maritime), les Français savaient se situer. La tradition historiographique héritée du XIXe siècle a prétendu que le roi, ses officiers, ses sujets en étaient incapables, perdus qu'ils étaient dans l'enchevêtrement de limites intérieures aussi vagues que changeantes. Changeantes, c'est vrai! mais toujours précises et connues. Dès 1271, le Parlement avait fixé, après enquête, les limites entre bailliages de Berry et de Mâcon; le tracé des limites des châtellenies lyonnaises, tel que l'indiquent les justiciables, est entériné par écrit au début du XIVe. On multiplierait facilement les exemples. La reconstruction des campagnes après 1450 fut aussi marquée par le rétablissement des limites et des bornages. «Qui a donc pu prétendre que les Français du Moyen Age, ces paysans, n'avaient qu'une idée imprécise des limites territoriales?» (J. Glénisson).

L'ordre selon lequel les causes venues des juridictions bailliagères sont évoquées devant le Parlement (il s'agit du rôle des assignations) est rigoureusement géographique, du Vermandois au nord aux sénéchaussées du Languedoc et d'Aquitaine au sud. En entreprenant son voyage en Languedoc en

1389, Charles VI découvrait son royaume, mais il savait où il allait.

Faute de cartes, messagers et chevaucheurs disposaient d'itinéraires précis. On utilisait également les récits de voyage et des représentations figurées. L'humanisme a fait naître le sentiment de la nature et le goût du paysage. Pétrarque a raconté son ascension du mont Ventoux; les frères Limbourg et Fouquet ont peint avec précision des paysages réels. Louis XI chargea deux peintres «de pourtraire la coste de Caux depuis le Chief de Caux jusques à Tancarville»; et lorsqu'il fut question de percer un tunnel sous le col de la Traverserette, dans le Queyras, il se fit expédier «un portrait de ladite montagne».

Climat, calamités, épidémies.

La France connut dans notre période un certain refroidissement; pluviosité accrue et température basse en hiver sont communes aux latitudes tempérées. Un radoucissement intervient au XVIe siècle, peu durable puisque les hivers rigoureux reprennent vers 1560.

Cette évolution ainsi que des manifestations plus spectaculaires ont été relevées par les historiens et chroniqueurs : la variation des littoraux et les ondes de tempête de 1375, 1399 ou 1404; les vents terribles de Noël 1390; les hivers rigoureux surtout. En 1363 «furent les rivières si fort engelées que les Anglaiz à grosses routes passèrent à cheval la rivière de Seine et coururent en Veuquessin»; l'hiver 1407-1408 fut terrible, avec ses quatre mois de gel; ensuite la débâcle emporta «les maisons des bas pays au long des rivières et tous les moulins et y ot moult de gens, femmes et enfans noiez» (Religieux de Saint-Denis); on note les «terribles hivers» de 1423 ou 1425 et l'on signale qu'en 1468 on débita le vin à la hache à Paris et que les ponts d'Orléans et Tours furent brisés par les glaces.

Des anomalies climatiques ont été relevées à Angers de 1360 à 1426 : retard ou précocité des vendanges, glaces sur la Loire, etc. Le *Journal d'un bourgeois de Paris* a relevé minutieusement déluges, inondations et pluies diluviennes (8 années, de 1415 à 1442), gel, neige et grêle (15 années sur 28) mais aussi les canicules qui mirent la Seine presque à sec en 1448.

Souvent l'épidémie suivait. Au XIVe siècle, après la peste noire, l'épidémie avait gardé son autonomie par rapport aux phénomènes naturels et à la famine. Il n'en est plus de même après 1400; alors qu'elle est fréquemment confondue avec d'autres maladies, la peste se combine avec les calamités naturelles et les famines. Le *Journal d'un bourgeois de Paris* a relevé avec suffisamment de soins ces épidémies pour que l'on puisse distinguer la grippe de 1427 ou la coqueluche de 1432-1433. Épidémies, mauvaises récoltes et hausse vertigineuse des prix céréaliers précipitent le soulèvement de la paysannerie normande contre les Anglais en 1434-1435. En 1438-1439, à nouveau, la peste frappe un peu partout : l'hôpital Saint-Jean d'Arras procède à 295 ensevelissements en 1437-1438, 802 en 1438-1439, 149 en 1439-1440 et 46 seulement en 1440-1441.

La litanie des malheurs se poursuit lorsque la paix revient; des famines et épidémies violentes marquent les années 1482, 1494, 1498; elles orientent vers le bas la courbe démographique de la fin du siècle à Périgueux comme en Artois où les guerres de la succession de Bourgogne ajoutent au désastre. L'Allemand Jérôme Münzer, qui parcourt la France en 1494-1495, rappelle que 14 000 personnes périrent de la peste à l'Hôtel-Dieu de Paris en 1481; en septembre 1494, il trouve l'université de Montpellier fermée « du fait de l'absence des docteurs et étudiants à cause de la peste juste passée ».

La lèpre est toujours là. Des maladies nouvelles apparaissent, comme la syphilis, introduite en France après 1493, à partir de l'Espagne ou de l'Italie, avant donc l'expédition de Naples; le mal n'est pas plus napolitain qu'il n'est français, mais les armées des guerres d'Italie se chargeront de le répandre.

La violence des premières pestes avait laissé populations et autorités désarçonnées. Puis les secours s'organisèrent : des villes engagèrent des médecins, à l'exemple d'Angers qui recruta Boniface de Savonnières, le « physicien » du duc d'Anjou, en 1406. Face à la famine, confréries et charités distribuèrent des secours tandis que les hôtels-Dieu recueillirent les plus démunis : on compte 46 de ces institutions en Bourbonnais au XVe siècle.

Une France qui bouge.

Guerres, famines et épidémies ont jeté sur les routes des misérables à la recherche d'un lieu sûr, d'un travail ou de quelques ressources ; des déracinés aussi, en quête des « gras profits » de la guerre. La paix revenue, la « bougeotte » des Français ne cessa pas. Le renouvellement rapide des patronymes dans les villes témoigne de l'importance des flux migratoires, une donnée fondamentale de la démographie urbaine de ce temps. Mais ce phénomène marque aussi le monde rural de la période de reconstruction : Bretons et Saintongeais dans l'Entre-deux-Mers ; Limousins un peu partout, etc.

N'imaginons pas seulement des déplacements forcés : la femme de Guillaume de Murol va écouter le célèbre prédicateur valencien Vincent Ferrier à Clermont ; la tournée de celui-ci, dans le Massif central, puis en Bretagne (il meurt à Vannes en 1419) mobilise des foules énormes. Au moment du procès de Jeanne d'Arc à Rouen, un « notable des parties de Lorraine », chargé par Pierre Cauchon d'enquêter sur la Pucelle à Domrémy, lie connaissance avec un habitant de Rouen originaire de Viéville-en-Bassigny ; plus tard, au procès de réhabilitation, un laboureur du pays de Jeanne vient dire qu'il a revu celle-ci à Reims, à l'occasion du sacre de Charles VII.

Routes et chemins ne sont sans doute pas fameux mais ils ne sont jamais négligés, du moins en temps normal. Des associations pieuses rassemblent les legs consacrés à l'entretien des ponts. Le legs de 1000 francs d'un chevalier de l'ordre de Saint-Jean-de-Jérusalem permet la construction d'un pont sur l'Azergue, sur la route de Mâcon à Lyon en 1471. Le voyageur allemand Münzer remarque le pont couvert qui franchit la Loire à Amboise.

On utilise beaucoup la voie d'eau. Le corps du roi René est transféré de Provence à Lyon par le Rhône ; de Lyon, sa dépouille gagne la Loire à Roanne, pour descendre le fleuve jusqu'à Ponts-de-Cé, près d'Angers. C'est ce même trajet, depuis Roanne, qu'empruntent les Suisses recrutés par Charles VIII pour la guerre de Bretagne. Descendre le Rhône est facile : en 1494, Münzer se rend de Lyon à Avignon en deux jours ; mais la remontée se fait par halage « au col », et il faut de 80 à 150 hommes, parfois 400, pour tirer les embarcations. Les bateaux de mer peuvent remonter la Garonne jusqu'à Toulouse; mais gagner Rouen par l'estuaire de la Seine, sous la conduite des pilotes expérimentés de Quillebeuf, exige trois marées.

La vitesse de circulation est à peu de chose près ce qu'elle était encore à l'aube du chemin de fer, au XIXe siècle. La transmission des nouvelles est rapide : Charles VIII apprend à Angers, le 29 juillet à huit heures du matin, la nouvelle de la victoire de Saint-Aubin-du-Cormier survenue la veille; sa mort, le 7 avril 1498, est connue le 12 à Milan, Ferrare et Florence, le chevaucheur ayant tué treize chevaux de poste! Un siècle plus tôt, cela était plus irrégulier : quinze jours pour faire connaître à Avignon la première crise de folie de Charles VI; mais quatre jours pour que les Parisiens apprennent la mort de Clément VII.

Marchands, voituriers et voyageurs cheminent plus lentement, mais une vingtaine de jours suffisent à un convoi de mules pour transporter des marchandises de Nîmes en Champagne ou à Paris. Jérôme Münzer, qui fait du tourisme, remonte de Toulouse à Paris par étapes de 40 à 50 kilomètres par jour. Cela correspond à la distance moyenne parcourue par les messagers et chargés de mission de la ville de Saint-Flour lorsqu'ils vont en «Alvernhe», en «Fransa» (à Paris) ou en «Langadoc». Pierre Delmas, qui fit le métier de courier durant seize ans, a parcouru 5 100 kilomètres de mars 1378 à mars 1379 et il est allé cinq fois à Paris. En juin 1436, Bernard de Champaignac accomplit en cinq jours l'aller-retour de Saint-Flour à Saint-Pourçain, soit 342 kilomètres.

Les officiers royaux sont amenés à «monter» fréquemment à Paris ou à rejoindre le roi pour les affaires de leur charge : d'août à octobre 1367, le bailli d'Amiens Jean Barreau se rend quatre fois à Paris pour un procès; quelle que soit la durée de son séjour dans la capitale, le voyage Amiens-Paris demande deux jours, à l'aller comme au retour. Louis XI, sur le modèle de ce qui existait déjà en Dauphiné, mit en place un système de relais sur les grands itinéraires (Tours-Paris-Arras, Tours-Bordeaux, Tours-Lyon), non pas en 1464 (l'acte souvent invoqué est un faux), mais en 1479. Louis XI est passé à la postérité comme le créateur de la poste. Il faut s'entendre : il ne s'agit pas d'un service public de transmission du courrier (cela demeure l'affaire des chevaucheurs des villes, de l'Université, des grands établissements ecclésiastiques, bref, des particuliers), mais de l'installation, de sept lieues en sept lieues, de relais disposant de chevaux avec des chevaucheurs « assis en poste ». La ville de Poitiers doit garder ouvertes nuit et jour deux portes de la ville pour que le chevaucheur du roi puisse pénétrer à tout moment.

L'imprimerie, presque tout de suite utilisée par le gouvernement royal pour diffuser ses décisions, eut pour effet, en en multipliant les copies et les destinataires, d'accroître les déplacements des hommes. Il y a décidément beaucoup de monde sur les routes du Moyen Age finissant !

2. La France diverse

Paysages.

On aimerait présenter dans leur diversité ces paysages français que les nombreuses thèses de ces vingt ou trente dernières années se sont attachées à recréer. Je me contenterai de souligner, à gros traits, ce qui diffère des paysages d'aujourd'hui.

Les côtes offrent parfois un tracé différent. En Flandre ou dans la baie de Somme, dans le marais poitevin, en Méditerranée aussi, l'ensablement asphyxie lentement mais sûrement les ports de Bruges, Brouage ou Aigues-Mortes. Louis XI, en 1463, subventionne les travaux de dragage du port de Dieppe qui devient un grand port harenguier du fait de la migration des bancs de harengs vers le sud, dans la Manche. Mais on ne peut sauver Harfleur, dans la baie de Seine. Sur la redoutable côte à falaises du pays de Caux, des feux signalent, la nuit, les ports de Dieppe, Fécamp, Chef-de-Caux, sur l'emplacement du Havre, qui n'existait pas encore. Charles V fut à l'origine de ces premiers phares.

Passons sur la côte découpée de Bretagne et sa centaine de ports et de havres et gagnons Guérande et ses marais salants, l'estuaire de la Loire, puis la baie de Bourgneuf qui produit un sel d'excellente qualité, le meilleur pour la conservation du poisson. Chaque année la flotte de la « baie » des Hanséates vient s'y approvisionner.

Les bateaux de mer remontent toujours la Gironde, mais au XVe siècle, le trafic de Bordeaux souffre de la diminution considérable des exportations des vins de Bordeaux et du haut pays. Au sud, Bayonnais et Basques se sont spécialisés dans la chasse à la baleine. Sur les rivages méditerranéens du Languedoc, les marais salants sont nombreux, de Capestang au bas Rhône : le sel de Peccais est dans la « part du royaume », celui des Saintes-Maries dans la « part de l'Empire ». Enfin, Marseille, célèbre pour son artisanat du corail, est le port qui monte en Méditerranée : les Galées de France en ont fait leur port d'attache.

Pénétrons dans le royaume maintenant. Une grande coupure sépare pays de la charrue et pays de l'araire, pays des rotations triennales des cultures et pays des rotations biennales ; la limite entre les deux domaines court au sud de la Loire, de la région lyonnaise à La Rochelle : par exemple, le Beaujolais est dans le domaine de la charrue, le Lyonnais et le Forez dans celui de l'araire.

La diversité des « pays » de France est moins prononcée qu'il n'y paraît car, en dépit des différences climatiques, les hommes doivent pouvoir disposer des productions vivrières de base : au nord comme au sud l'on mange du pain et l'on fait du blé ; partout l'élevage existe, toujours subordonné à la culture ; partout les arbres fruitiers fournissent des compléments indispensables ; partout enfin la vigne pousse ; ou plutôt poussait car, aux XIVe et XVe siècles, le recul des vignobles septentrionaux est amorcé. Le Héraut Berry souligne qu'en Normandie il y a « grant foison de pommes et poires, dont l'on fait le cidre et le poiré, dont le peuple boit pour ce qu'il n'y croît point de vin, combien qu'il en vient assez par mer et par la rivière de Saine ». Le même signale qu'en Artois les gens « boivent cervoise ».

La géographie des vignobles n'est pas celle d'aujourd'hui : le vignoble parisien était alors florissant et les vins du Poitou inondaient les marchés du nord de l'Europe. Le fait marquant est constitué par la croissance du vignoble bourguignon. Les cépages et les plantes méridionaux gagnent du terrain : venue d'Italie, la salade «romaine» (dite aussi laitue blanche) est cultivée à Avignon en 1389, puis à Paris; et le melon, qu'on a dit ramené de Naples par Charles VIII, poussait déjà à Avignon à la fin du XIVe siècle. Münzer relève, dans la région marseillaise, des cultures de figues, de coton, de grenades et bien entendu d'oliviers.

La France de la fin du Moyen Age produisait du pastel et du safran. Le guède est une plante tinctoriale qui donne le pastel et toutes les nuances de bleu; sa culture, florissante en Picardie, se répand rapidement en Toulousain. Quant au crocus, qui donne le safran, on le trouve en Lyonnais et Vivarais mais surtout dans le sud du Massif central, en Lauragais et en Albigeois, où le bourg de Bruniquel en a fait sa spécialité. Il est vendu aux foires de Lyon, et de là une route du safran, fréquentée par les marchands d'Allemagne du Sud, gagne l'Albigeois et la Catalogne.

L'empreinte de l'homme dans le paysage n'a sans doute pas été génératrice d'une grande diversité. Tous les voyageurs ont relevé ce goût français pour le parc enclos de murs dont Vincennes offrait le modèle «royal», mais qui existait sous des formes plus simples un peu partout. Les petits champs irréguliers, les jardins et bosquets clôturés de haies vives ou de pierres sèches laissaient peu de place aux paysages ouverts et la Beauce reconstruite n'offrait pas le même visage qu'aujourd'hui. Même la maison paysanne, malgré la diversité des matériaux employés, se rattache presque partout au modèle de la grande maison rectangulaire associant bêtes et gens. Mais, on le constate de plus en plus, la séparation entre hommes et animaux progresse, en même temps que disparaît le foyer central, au profit de la cheminée appuyée sur le mur.

Langues.

Lorsqu'il fit sa première entrée à Brive, Louis XI ne comprit pas un mot de ce que lui dirent les édiles locaux; «les Français lorsqu'ils veulent dire oui disent oïl; les Toulousains et toute la province disent oc pour oïl». L'unité linguistique de la France n'est pas réalisée encore, mais ne confondons pas les problèmes de la langue parlée et ceux de la langue écrite.

Le latin, la langue de la Vulgate et des « autorités », permet aux gens instruits de communiquer sans difficulté d'un bout à l'autre de la Chrétienté. L'université de Paris accueille sans problème les étudiants en théologie de tout l'Occident. Le 17 juillet 1427, le procureur du roi au Parlement de Paris riposte à un plaideur qui se prétend bachelier en décret (droit canon) que, comme « il n'entend et ne parle latin, il n'est mie vraisemblable que en l'estude de Paris on n'eust fait un tel bachelier en décret ». Ne pas connaître le latin, c'est être « illiterratus ».

Le latin recule aux XIVe et XVe siècles. Après 1350, la quasi-totalité des ordonnances royales sont rédigées en français. Lors de l'assemblée du clergé de France de 1398, le cardinal Simon de Cramaud s'exprime dans cette langue pour que les ducs comprennent ; en 1406, le Parlement demande aux universitaires en procès de plaider en français ; et c'est au nom du bien commun que Charles V fit traduire de nombreux textes.

La langue vulgaire qui s'impose alors est le moyen français des philologues. On en a fait une langue de transition (une transition de plus !), alors qu'elle présente des règles de fonctionnement complexes, certes, mais précises et ordonnées. Mais ce n'est qu'une des langues d'un royaume qui est partagé en trois domaines linguistiques principaux : langue d'oïl, langue d'oc et franco-provençal. A l'intérieur de ces trois domaines, nous avons plusieurs *scripta* ou langues écrites, ayant des traits dialectaux caractéristiques mais qui peuvent être lues et comprises dans l'ensemble de l'aire linguistique considérée.

Ces *scripta* sont différentes des parlers locaux ou dialectes, dont l'ère de diffusion est plus réduite et les traits dialectaux plus accusés. Ces parlers locaux restent vivaces alors même que les différences entre *scripta* ont tendance à s'atténuer ; la communication orale est donc plus difficile que la communication écrite. Citons la réplique de Jeanne d'Arc, interrogée à Poitiers par un clerc limousin qui lui demandait quel idiome parlaient ses voix : « Meilleur que le tien. » Ou encore ce reproche fait en Parlement par un plaideur à un curé « qui est de pais de Limosin qui n'entend et ne scet parler français. Et conviendrait ses paroissiens confesser en limosin » !

Il y a d'autres langues en France : le basque, le flamand et le breton, « un langaige que nul ne eulx [les Bretons] n'entant s'il ne l'aprant », nous dit naïvement le Héraut Berry. La limite de la Bretagne bretonnante passait de 10 à 20 kilomètres plus à l'est que la ligne Sébillot qui en marquait l'extension au XIXe siècle. Le breton était la langue des ruraux ; les villes étaient bilingues.

Le processus d'unification de la langue s'amorce au cours de ces deux siècles. Les *scripta* locales s'effacent à l'intérieur des grandes aires linguistiques. En France du Nord, les *scripta* de Champagne, de Picardie, de Comté, de Lorraine disparaissent au profit du « francien », la scripta parisienne. Dans le domaine franco-provençal, le latin fut remplacé, dans l'administration notamment, par le franco-provençal et des *scripta* très proches du français d'oïl. Car, c'est là un autre aspect de la question, le français d'oïl progresse dans les autres domaines : en Languedoc, la langue du Nord, restée langue étrangère jusque vers 1450, se substitue à la langue d'oc entre 1450 et 1550.

La langue maternelle devient une composante de la nation et l'idée se répand que tous ceux qui parlent le français doivent être rassemblés dans un même État. La langue française fut parée de toutes les qualités : harmonie, douceur, etc. (en revanche le flamand est une langue barbare, criarde, rude) ; on lui trouva une origine prestigieuse : le grec, puis la langue celtique. Les autorités royales n'imposèrent pas l'unification linguistique ; en Languedoc, les officiers royaux utilisaient le plus souvent le latin pour se faire comprendre ; Jean le Bon recommandait de traduire les actes dans la langue maternelle. En 1490 encore, Charles VIII ordonne de mener l'instruction des procès en français ou en langue vulgaire. D'ailleurs le multilinguisme enrichit plus qu'il n'affaiblit un État, et l'on plaint ces pauvres Anglais qui n'ont qu'une langue.

Les progrès du français furent donc naturels, mais trois faits les ont encouragés. Le français (d'oïl) est devenu une langue de culture au même titre que le latin grâce au développement de la prose française : épopées, romans, chroniques ; et les traductions des grandes œuvres latines, au temps de Charles V, ont enrichi la langue de nombreux néologismes.

Le repli de la monarchie sur Bourges et Poitiers a certes contribué à « occitaniser » la monarchie, selon l'expression de C. Beaune, mais il a aussi favorisé l'usage du français dans le Midi, dans l'administration par exemple. Enfin, E. Le Roy Ladurie l'a dit sous forme de boutade, ce n'est pas Simon de Montfort qui a francisé le Midi, c'est Gutenberg. Les textes imprimés (à Lyon notamment) diffusés dans le Languedoc furent des textes français. Ceci dit, il faut attendre la fin du XVe siècle pour que la langue française soit, pour elle-même, objet d'études.

Relevons pour finir que les préoccupations philologiques et rhétoriques des humanistes eurent pour effet de relancer l'étude du latin à la fin du XVe siècle ; un latin qui se voulait proche de Cicéron mais qui fut trop souvent cuistre et pédant !

La France coutumière.

Les aires linguistiques recouvrent presque parfaitement les aires coutumières : les pays de droit écrit sont ceux de l'aire occitane et provençale ; en Languedoïl les aires dialectales correspondent à peu près aux familles de coutumes. La diversité des coutumes est un fait admis : une ordonnance du 8 mai 1408 demande qu'au Parlement « l'en y mette, se faire se peut, de tous les pays de nostre royaume, pour ce que les coustumes des lieux sont diverses... »

Ne forçons pas trop l'opposition entre pays de droit écrit et pays coutumier. Des coutumes existaient dans le Midi et elles ont offert une certaine résistance au droit romain ; les agents royaux ont paradoxalement favorisé ce dernier contre le particularisme des coutumes méridionales (alors que la royauté protégeait les coutumes du Nord). Le droit du Midi est « un droit coutumier à fonds romain » (Gazzaniga-Ourliac). Les sénéchaussées méridionales relèvent d'un auditoire de droit écrit, alors que le reste du pays obéit à la *consuetudo gallicana*. Cela ne signifie pas que les coutumes du Nord ne soient pas écrites : Philippe de Beaumanoir a rassemblé et rédigé les coutumes du Beauvaisis au XIIIe siècle, et ensuite la rédaction de coutumiers se généralise (le *Grand Coutumier de France* de Jacques d'Ableiges, par exemple).

Il s'agit, on l'a compris, de droit privé et, sans entrer dans le détail, je donne ici quelques exemples de la diversité des solutions apportées. L'âge de la majorité est fixé à 14 ans pour les garçons, 12 pour les filles à Paris et en Bretagne, à 15 ans pour les premiers en Beauvaisis, à 20 ans pour les deux sexes en Normandie. Les problèmes de succession occupent une place particulièrement importante dans le droit privé, coutumier ou pas ; en gros, coutumes d'oïl et droit écrit d'oc s'inscrivent entre une forte tradition individualiste et des tendances communautaires plus ou moins marquées. La coutume normande favorise le droit d'aînesse, mais pas celle de Bourgogne ; des solutions intermédiaires donnent le « principal » à l'aîné et la « légitime », une somme d'argent, aux cadets (Lyonnais). En Bretagne, pour la succession des fiefs, l'aîné est favorisé ; mais en cas d'absence d'héritier direct, l'héritage est transmis intégralement à un lignage apparenté qui doit relever le fief et le nom.

Quand la coutume n'apportait pas réponse au problème posé, on recourait au droit romain. De la sorte un droit commun à tout le royaume s'élabore peu à peu. Va-t-on vers une unification du droit sur la base d'un droit romain coutumier, un peu comme la *common law* anglaise ? Non, la tentative faite en ce sens par Louis XI a échoué. Pour la comprendre, il faut remonter à l'ordonnance de Montil-lès-Tours de 1454 qui décidait de faire rédiger les coutumes (certaines l'étaient déjà).

Le roi n'a de pouvoir législatif qu'en matière de droit public ; il ne peut intervenir dans le domaine du droit privé que de l'extérieur, par exemple en favorisant la rédaction des coutumes. L'objectif de l'ordonnance de 1454 était d'abréger les procès, les gens de loi abusant de la confusion pour faire durer les choses et augmenter leurs revenus aux dépens des justiciables. Les coutumes devaient être mises par écrit avec l'accord des praticiens du pays, puis examinées et confirmées par le Conseil du roi et le Parlement. Cela n'aboutit qu'en Touraine en 1461, en Anjou en 1462. Puis plus rien ; il y eut l'hostilité des praticiens ; il y eut la décision de Louis XI de suspendre ce processus car il avait des ambitions plus hautes.

Il voulait uniformiser le droit coutumier, de la même façon qu'il souhaitait unifier le système des poids et mesures dans le royaume. Là encore, il s'agissait d'éviter les « pilleries des avocats ». Le 17 août 1481 (seulement !), il demanda aux baillis et sénéchaux qu'ils « faissent parvenir devers ledit seigneur toutes les coustumes, usages et stilles de leurs bailliages pour en faire de toutes nouvelles qui seront toutes unes ». Seuls les agents royaux intervenaient dans un premier temps ; puis la coutume unique, une fois rédigée, devait être soumise aux délégués des bonnes villes.

Louis XI mourut avant que ce projet « technocratique » n'aboutisse, si tant est qu'il eût pu aboutir. Trente ans avaient été perdus. On peut dire que Louis XI était en avance sur son temps ; on peut aussi soutenir qu'il ne comprenait pas son temps. Ses successeurs, moins ambitieux mais plus tenaces, reprirent le projet de rédaction des coutumes de 1454 et la procédure envisagée alors.

Dès 1494-1496, les coutumes de Boulonnais, Ponthieu, Nivernais, Bourbonnais étaient rédigées ; mais l'essentiel de l'effort intervint en 1505-1510. La rédaction de la coutume du Maine fut achevée le 6 octobre 1508 ; le président du Parlement de Paris vint alors au Mans ; il réunit les trois états, y lut le texte et fit défense de se référer désormais à d'autres coutumes. Enfin, le 27 mars 1510 au Châtelet de Paris, devant 45 clercs, autant de nobles et 65 magistrats, praticiens et bourgeois, des modifications furent apportées au texte, dans un sens hostile à la noblesse, ce qui provoqua quelques heurts.

Bref, une soixantaine de coutumes furent rédigées et trois cents « usements » locaux retenus. On put s'attaquer alors à la réforme des coutumes.

La diversité des usages se nichait dans bien d'autres domaines. Ne retenons qu'un exemple, la datation. Dans toute une partie du royaume, l'année commençait à Pâques, dont la date était variable, ce qui posait bien des problèmes. C'était l'usage au nord ; c'était l'usage de l'administration royale ; cela devint l'usage du Parlement de Toulouse. Or en Toulousain comme dans tout le Sud-Ouest, l'année commençait le 25 mars (c'est le style de l'Annonciation), et en Bas-Languedoc, en Provence, en Dauphiné, on usait du style de la Nativité (25 décembre). Pourtant, à l'image de ces représentations des mois sculptées sur nos cathédrales qui montrent, pour évoquer janvier, un Janus à double face, l'une tournée vers l'année écoulée, l'autre vers l'année nouvelle, tout le monde fêtait le nouvel an le 1er janvier. Mais le droit n'a concordé avec le fait qu'en 1564 !

3. La France et son histoire

Les traces d'une culture historique.

On aimerait connaître la culture historique de base des Français du XVe siècle. Diverses approches sont possibles et d'abord le livre. Les inventaires de bibliothèques révèlent la fréquence des œuvres historiques. Ce sont surtout les grands classiques des siècles précédents : la *Chronique de Charlemagne* du pseudo-Turpin ; l'*Histoire scholastique* de Pierre le Mangeur (l'histoire sainte) ; le *Miroir historial* de Vincent de Beauvais ; des histoires de « Troie la grant » ; les *Grandes Chroniques de France*, dont la rédaction se poursuit tout au long du XVe siècle ; les *Antiquités judaïques* de Flavius Josèphe ; les *Faits des Romains*, l'*Histoire antique jusqu'à César* racontent l'histoire romaine. Il y a ainsi une vingtaine de titres qui ont été lus tout au long du Moyen Age et, pour certains, traduits en français. Ils figurent parmi les premiers ouvrages imprimés. Mais qui les lit ? Une minorité qui se recrute surtout dans l'aristocratie laïque.

Il est probable cependant que la culture historique livresque a pénétré beaucoup plus profondément la société, comme en témoignent la multiplicité et la variété de « petites chroniques » ou « abrégés de chroniques », de caractère local, partielles, simplifiées, erronées souvent, mais significatives. Il est d'autres signes. Au Parlement, il n'est pas rare qu'un plaideur (il s'agit le plus souvent de monastères ou de villes) fournisse à son avocat un petit dossier historique susceptible de faire avancer sa cause : les moines de Saint-Maixent, en 1427 et 1434, ont l'occasion de raconter ainsi quelques épisodes de la vie et des miracles de leur saint fondateur, au temps de Clovis. Les prédicateurs, qui cherchent dans le passé des *exempla* édifiants, diffusent une culture historique sommaire. Des thèmes du passé illustrent aussi les représentations de mystères. Des tableaux évoquant les croisades sont présentés aux entremets des grands banquets de cour, comme lors des entrées royales : à Tournai en 1464 on représenta à Louis XI « des histoires notables et récemment ordonnées parlant tant du roi Clovis, saint Louis et autres » ; en 1484, les Rémois présentèrent à Charles VIII non seulement l'histoire de la fondation de leur ville par Rémus (!), mais encore un tableau vivant de la légende de la Sainte Ampoule et du baptême de Clovis.

On peut donc affirmer que la plupart des Français, instruits ou pas, connaissaient quelques faits de l'histoire locale et quelques bribes de l'histoire nationale. Des noms, des événements émergent comme autant de lueurs d'un passé encore bien obscur. Mais, en fin de compte, ce passé, même s'il a été réaménagé, apparaît assez bien jalonné. C'est sans surprise que, dans les abrégés de chronique, les plaidoiries du Parlement, les tableaux des entrées royales, se détachent les figures de Clovis, Charlemagne, Philippe Auguste, Saint Louis, Philippe le Bel. Écrire l'histoire des rois, « de leur haulx et vertueux faicts », comme l'annonce Noël de Fribois dans l'abrégé d'une chronique qu'il adresse en 1459 à Charles VII, demeure le premier objectif de l'historien.

L'Histoire est généalogique ; elle est donc aussi recherche des origines d'une lignée ou d'un peuple.

Troyens et Gaulois.

« Nous sommes troyens », écrivait au XIIIe siècle Philippe Mousket dans sa *Chronique rimée*. Les Francs sont les descendants des Troyens, telle est la vérité historique encore au début du XVe siècle. Le récit des *Grandes Chroniques de France* a popularisé une histoire nationale qui commence avec la chute de Troie, se poursuit avec l'errance de Francion, prince troyen, et des siens, jusqu'à la fondation de Sicambre ; puis, au IVe siècle de notre ère, les Sicambriens s'affranchissent du joug romain et partent s'installer en Gaule. Pharamond devient le premier roi des Francs ; il leur donne une loi (au XVe siècle, on en fait donc l'inventeur de la loi salique). Clovis, son descendant, est le premier roi chrétien. Rigord, l'historien de Philippe Auguste, apporta une variante à cette histoire : peu après l'installation de Francion à Sicambre, des Troyens, conduits par Ybor, partirent pour la Gaule et y fondèrent Paris.

Longtemps les Gaulois n'ont pas eu leur place dans l'histoire nationale; on les connaissait pourtant, par le biais de l'histoire romaine. Car le succès des *Faits des Romains* l'atteste, l'histoire romaine était appréciée; la traduction de Tite-Live par Pierre Bersuire au temps de Jean le Bon, la connaissance directe de César et de quelques autres auteurs ont même renforcé l'intérêt qu'on lui portait.

La tradition de Rigord est reprise au XVe siècle. Non seulement elle avance à 800 ou 900 avant J.-C. l'arrivée des Troyens en Gaule, mais elle permet d'introduire les Gaulois dans l'histoire de France. Les Troyens d'Ybor sont les Gaulois, les indigènes de ce pays; on passe ainsi de l'origine troyenne des Francs à l'origine troyenne des Gaulois. A la fin du siècle, un pas de plus est franchi : Jean Lemaire de Belges, dans ses *Illustrations des Gaules et singularités de Troyes* (il s'appuie sur des textes découverts récemment, mais qui sont des faux), fait des Troyens les descendants... des Gaulois et de Noé ! Dès les origines donc, le peuple et le territoire s'accordaient. Comment les Anglais avaient-ils pu croire un seul instant qu'ils avaient des droits sur ce pays ?

Une nation s'affirme par le prestige de ses origines. La cour bourguignonne, lorsqu'il fut question d'ériger les États bourguignons en royaume, favorisa la production d'ouvrages historiques qui tendaient à prouver l'existence d'un ancien royaume bourguignon indépendant, converti à la foi catholique avant même le royaume des Francs. De son passage en Béarn, qui est alors indépendant, Jérôme Münzer rapporte les propos de l'évêque de Couserans (de Saint-Lizier, dans le comté de Foix), « homme savant et grand historien » : au temps des Goths, les Gascons reçurent le secours de nobles helvètes de Berne; depuis, le pays porte le nom de Béarn et les Béarnais sont libres et semblables en droit aux Suisses.

Il n'y a pas que les rois et les princes; le moindre couvent, la moindre ville, le moindre seigneur se cherche des origines flatteuses : le premier seigneur d'Amboise ne fut-il pas Jules César ?

Quelques figures d'historiens.

Jean Froissart et Philippe de Commynes encadrent cette période. Du premier, originaire du Hainaut, auteur de *Chroniques* qui couvrent tout le XIVe siècle, on a dit un peu vite qu'il n'était que le peintre nostalgique de la société aristocratique, amateur d'exploits chevaleresques et de beaux coups d'épée ; en réalité, Froissart sait voir au-delà des apparences et s'efforce de comprendre et d'expliquer un monde qui change. Philippe de Commynes fut un homme d'action et un homme politique. Conseiller du Téméraire passé au service du roi de France, il a dû se justifier et se défendre ; il a imposé à l'historiographie un Louis XI déformé ; il n'empêche que ses *Mémoires* sont aussi une œuvre de réflexion sur le pouvoir et le gouvernement et l'on y trouve un ton et des idées qui annoncent les théoriciens politiques du XVIe siècle.

Entre ces deux « vedettes », les bons historiens ne manquent pas et les moins bons demeurent dignes d'intérêt. Il faut mettre à part les *Grandes Chroniques de France*. Elles sont l'œuvre des moines de Saint-Denis et ont été traduites par Primat à la fin du XIIIe siècle ; puis elles ont été « continuées », en latin ou en français : la *Chronique de Jean II et de Charles V*, la *Chronique* du Religieux de Saint-Denis (dont on sait maintenant qu'il s'appelait Michel Pintoin), celle de Jean Chartier, chroniqueur officiel de Charles VII, etc. Les *Grandes Chroniques* diffusent l'histoire officielle de la France ; à ce titre, elles sont un ouvrage de référence et on les consulte pour rechercher la validité d'un droit au même titre que les Archives ; la famille de Jeanne d'Arc a demandé en vain que la sentence de réhabilitation de la Pucelle soit insérée dans les *Grandes Chroniques*.

L'histoire du XVe siècle fut bourguignonne, dit-on souvent et c'est vrai. Pour la simple raison que l'Histoire attire les mécènes et que la cour bourguignonne avait les moyens de rassembler les meilleurs historiens de l'époque : Enguerrand de Monstrelet, qui continue Froissart, Georges Chastellain, Jean Molinet, tous les deux historiographes des ducs, Olivier de La Marche ont écrit, sur leur temps, des œuvres historiques de belle venue.

En France, l'*Histoire de Charles VI* du Religieux de Saint-Denis est un récit d'une rare intelligence, trop moralisatrice sans doute, mais l'historien n'est-il pas aussi un moraliste? Un peu plus tard, Thomas Basin, évêque de Lisieux qui s'est exilé aux Pays-Bas, rédige une histoire critique mais sympathique du règne de Charles VII, avant de se faire le censeur impitoyable, excessif mais lucide de Louis XI.

Quittons les sommets et tournons-nous vers quelques œuvres historiques mineures, mais souvent d'un grand intérêt. Les greffiers du Parlement de Paris de l'époque de la guerre civile, Nicolas de Baye et Clément de Fauquembergue, ont laissé des « journaux » dans lesquels ils ont consigné les plus notables faits des procès qu'ils suivaient — fonction oblige ! —, mais aussi quelques notations personnelles sur les événements de leur temps. Dans le genre, le *Journal d'un bourgeois de Paris* (l'auteur en fait est un clerc de Notre-Dame) est encore plus intéressant pour qui veut comprendre la vie quotidienne et les mentalités de la population parisienne du début du XVe siècle à 1444. Ces gens offrent à l'historien une foule de notations précises et concrètes.

De plus en plus, des laïcs font œuvre d'historiens ; ce sont des hagiographes qui narrent les aventures de personnages d'importance — le duc Louis de Bourbon, Du Guesclin, le maréchal Boucicaut ou Arthur de Richemont — ; mais aussi des gens qui écrivent l'Histoire avec les méthodes et l'érudition des historiens chevronnés : ainsi le seigneur normand Jean de Courcy, lorsqu'il fut « plain de jour et vuydié de jeunesse », entreprit de composer une Histoire universelle (entre 1416 et 1422) que, du nom de son fief de Bourg-Achard, il intitula la *Boucquechardière* ; citons encore Guillaume Cousinot, auteur de la *Chronique de la Pucelle*.

L'Histoire est restée en marge de l'enseignement universitaire (qui ne l'utilise que pour l'apprentissage de la grammaire et de la rhétorique), mais elle jouit d'une large audience car elle intéresse tout ceux qui fondent leur identité, leurs droits sur le passé : l'État, les collectivités, les nobles, préoccupés de généalogie, de lignage et d'origine; on entre dans la noblesse en acquérant un passé, une histoire. L'Histoire est la matière favorite d'une société politique aristocratique.

A la fin du siècle, l'Histoire change sous l'influence des

humanistes; l'effort philologique de ceux-ci a des répercussions heureuses sur la critique des textes historiques; on démonte les falsifications (tout en en fabriquant d'autres!); la critique historique s'affine; surtout la forme change car les rhétoriqueurs s'approprient le discours historique. Le XVIe siècle ne lit plus les *Grandes Chroniques*, qui n'eurent guère les honneurs de l'imprimerie. On préfère les *Très Élégantes et Très Copieuses Annales de France*, de Nicolas Gilles (un notaire et secrétaire du roi travaillant dans le milieu très favorable à l'Histoire qu'était la Chancellerie royale), qui furent imprimées en 1492, ou les œuvres de Robert Gaguin. Le fond pourtant n'était guère différent (puisque nos deux auteurs ont largement puisé dans les *Grandes Chroniques*), mais ils écrivaient en beau langage!

4. Les Français et leur culture

Les écoles.

Une chose est sûre : le niveau culturel des Français a progressé et l'intérêt pour l'éducation est devenu plus vif durant ces deux siècles; toutefois citer des chiffres serait hasardeux. Qu'entend-on alors par être cultivé? Longtemps le latin distingua la minorité des gens instruits des «illettrés». Des rois comme Charles V ou Charles VII le savaient fort bien; mais déjà les princes présents à l'assemblée du clergé de France de 1398 ne le comprenaient plus. La capacité de lire et écrire le français devient désormais le critère fondamental; à ce moment d'ailleurs, administrateurs, juges et avocats s'expriment (et écrivent) de plus en plus dans la langue vernaculaire.

On peut affirmer que les curés de paroisse savent lire; que les nobles sont instruits et que beaucoup savent signer. Une majorité des habitants des villes sait lire, mais pas toujours écrire; et bien des paysans ont acquis suffisamment d'instruction pour passer baux et contrats devant notaire. L'ascension sociale, la liberté passent par l'instruction et l'on se vante de moins en moins de «ne savoir ni A ni B».

Alors 10%, 15% de lisants et écrivants? Cela semble peu, mais c'est considérable.

L'opiniâtreté des synodes ecclésiastiques locaux a porté ses fruits : le réseau des écoles de paroisse s'est densifié dans les campagnes, en Normandie, Champagne, Provence notamment, comme dans les villes : chaque paroisse de Reims a la sienne. Le curé, ou un maître (très rarement une maîtresse) payé par les parents, enseigne les rudiments aux enfants de huit ans à douze ans (on apprend à lire à partir de neuf ans). La scolarité se poursuit dans les écoles urbaines — Jean Jouvenel à Troyes, Jean Gerson à Reims. S'il a eu la chance d'être repéré, l'élève doué est accueilli dans l'un des nombreux collèges que de généreux mécènes ont fondés dans les villes universitaires. Les Champenois peuvent fréquenter, à Paris, le prestigieux collège de Navarre (Gerson y fut admis) ou le collège de Beauvais, dont le fondateur, le cardinal Jean de Dormans, avait également doté son village de Dormans d'une école élémentaire. Les couvents et le réseau serré des maisons des ordres mendiants délivrent également un enseignement. Enfin beaucoup d'enfants nobles ont un maître particulier.

On connaît l'enfance du futur maréchal Boucicaut. Lorsqu'il fut « un peu parcreus, la sage et bonne mère le fist aler à l'ecolle, et lui continua a y aler tant que elle l'ot avecques soy en ce temps de son enfance » ; il poursuivit son éducation à la cour, avec le dauphin Charles (futur Charles VI), puisque, après avoir participé à sa première campagne militaire, « il fu derechef mis a l'escolle avec le daulphin comme devant, dont moult se trouva rouppieux », et cela jusqu'à douze ans.

L'enseignement reposait avant tout sur la mémorisation et ne visait qu'un but : faire des élèves de bons chrétiens. Gerson, grand théologien, mais aussi remarquable pédagogue, insista beaucoup sur le lien entre le développement de l'instruction et la réforme de l'Église.

L'Université.

Vient ensuite le temps des études universitaires, dont le cursus n'a pas changé depuis le XIIIe siècle : on commence par étudier les sept arts libéraux à la faculté des arts pendant six ou sept ans. Puis le bachelier ès arts entre dans l'une ou l'autre des facultés supérieures : droit (civil et canon), médecine et théologie. Les études y durent sept ans dans les premières, mais de douze à quatorze ans pour la dernière.

A priori ouverte à tous, l'Université recrute de plus en plus parmi les nobles au cours du XVe siècle. En effet, elle forme les clercs, c'est traditionnel, et de plus en plus les serviteurs de l'État. Du coup, la géographie universitaire française s'en est trouvée modifiée.

Dès l'origine, la faculté de théologie de l'université de Paris avait vocation à former les clercs de l'ensemble de la Chrétienté. On admettait comme vérité historique l'idée de la *translatio studii*, le transfert d'Athènes à Rome, puis, au temps de Charlemagne, de Rome à Paris, de la capitale du savoir. Le grand schisme a été fatal au rayonnement de l'université de Paris ; du fait de la création de nouvelles universités à l'étranger, le recrutement de l'établissement parisien se rétrécit à la France du Nord.

L'État comme l'Église ont besoin de juristes, formés au droit civil et au droit canon. Paris n'enseignait pas le droit civil. Les juristes du Nord se formaient aux « écoles » d'Orléans, connues depuis le XIIIe siècle. Les difficultés de la première moitié du XVe furent surmontées, mais il est douteux que l'Université ait accueilli les 2 000 étudiants que lui prête, en 1495, le voyageur Jérôme Münzer.

Dans le Midi, les théologiens de l'université de Toulouse se posent parfois en rivaux des Parisiens (au moment de la soustraction d'obédience en 1401, par exemple) ; à Montpellier, où une faculté de théologie est instituée en 1425, la faculté de médecine jouit d'une renommée internationale. Avignon dut à la présence de la papauté une université de premier plan.

La transformation des écoles d'Angers en université en 1398 et les créations d'Aix-en-Provence en 1409, de Dole en 1422, de Nantes en 1460-1461 sont autant d'affirmations du pouvoir princier, tandis que la fondation quasi simultanée des universités de Caen et Poitiers en 1431-1432 est la conséquence de la division du royaume. Le roi, parfois, récompense une ville fidèle : Valence en 1452-1459 ; Bourges en 1464.

Cette multiplication entraîne une régionalisation du recrutement, même pour des universités prestigieuses comme Paris ou Toulouse. Un recensement des étudiants bretons en 1403 montre qu'ils vont à Paris, Angers et Orléans. La traditionnelle organisation des maîtres et étudiants en « nation » ne recouvre plus que la géographie provinciale. L'emprise de l'État a eu des conséquences fâcheuses quant aux franchises et libertés universitaires. Fini le temps où l'université de Paris obtenait la condamnation du prévôt royal Hugues Aubriot, en 1381. A Orléans en 1447, à Paris en 1452, à Toulouse en 1470, les statuts furent réformés par des administrateurs royaux. En 1499, Louis XII brisa une grève des maîtres et écoliers parisiens, assimilant leur mouvement à un crime de lèse-majesté.

Sur le plan intellectuel enfin, le prestige des universités est gravement affecté par la crise de la pensée scolastique. Le nominalisme, qui triomphe à partir de 1350 (date de la mort de Guillaume d'Ockham), rejette plus ou moins nettement la synthèse thomiste et sépare radicalement les domaines de la foi et de la raison. Or, si la foi échappe totalement à la connaissance rationnelle, c'en est fini de la théologie et des théologiens ! Car dans cette optique seule la lecture de la Bible présente un intérêt, les commentaires étant rejetés. Aussi, faute d'un renouvellement des méthodes par la philologie et l'accès aux textes originaux (c'est l'apport de l'humanisme), l'enseignement sombre dans la routine et le formalisme.

Le théologien frustré se tourne alors vers l'action (c'est la tentation du politique) et cherche une compensation dans le mysticisme qui seul permet d'accéder à Dieu. Mais du coup la crise se déplace : la sclérose de la théologie d'une part, le développement du droit et de la connaissance utilitaire de l'autre éloignent de l'Université la recherche pure et la pensée vivante. Ce sont désormais les collèges et les cercles humanistes qui enseignent la rhétorique, les belles-lettres, la philologie. N'exagérons pas cependant la rupture avec l'Université. Elle sait accueillir des pratiques nouvelles ; et puis, il serait contradictoire de soutenir que l'Université a intégré en fait les collèges (voir celui de la Sorbonne) tout en lui refusant l'apport intellectuel de ces mêmes collèges. Les d'Ailly, Gerson et autres Fichet, purs produits des collèges, sont aussi des maîtres de l'université de Paris. L'arbre scolastique ne doit pas cacher la forêt universitaire.

Produire la culture.

L'art d'écrire se répand grâce à la mise au point de la cursive gothique, qui permet de rédiger soi-même et vite. La technique de la *pecia* (on découpe un livre en cahiers, chacun de ceux-ci étant recopié par le même copiste) accélère la reproduction et donc la diffusion des livres. De plus en plus les laïcs écrivent : de la poésie, de l'Histoire ou des récits de voyage. Citons Boucicaut qui « se print à faire balades, rondeaulx, virelais, lais et complaintes d'amoureux », avant de composer avec le sénéchal d'Eu, « l'un de ses compaignons au voyage d'outremer », le livre des cent ballades. Pierre de Beauvau, gouverneur de Provence, à moins que ce ne soit son frère Louis, a traduit de l'italien l'histoire de *Troïlus et Cressida*. Guillaume de Murol, petit noble auvergnat, écrivait des vers, dans un français mêlé de quelques expressions d'oc.

Un fructueux marché du livre, manuscrit, puis imprimé, a fini par se développer, malgré la crise. Des libraires l'animent, qui font copier les textes ou publient des œuvres originales, comme le libraire parisien Couldrette qui produit une adaptation en vers du roman de *Mélusine* de Jean d'Arras, à la fin du XIVe siècle. Les rois et les princes, Jean de Berry, Philippe le Bon et Charles le Téméraire, furent les mécènes de ce marché du beau livre et de l'art. A une échelle plus réduite, évidemment, nombreux sont les nobles qui achètent et collectionnent des livres. De même, plus on avance dans le XVe siècle et plus se multiplient, dans les églises, les livres liturgiques et, dans les foyers, les missels, les livres d'heures, les « arts de bien mourir ». Les emprunts de livres deviennent plus fréquents dans les bibliothèques des écoles : le mouvement des livres, qui sont classés par genre, est soigneusement noté dans des registres.

La lecture elle-même évolue et devient silencieuse, ce qui introduit quelques novations fondamentales : on lit plus vite, on lit ce qu'on veut ; le lecteur s'enhardit, se réfère aux textes, compare ; en un mot, il s'affranchit des autorités.

L'imprimerie a multiplié les livres pour un marché préparé à les recevoir. Cela explique la rapidité de la diffusion de la nouvelle technique.

Éducation et apprentissage.

Christine de Pisan, le théologien Jean Gerson, le médecin Jacques Despars, d'autres encore ont porté une attention nouvelle à la petite enfance. Ils ont insisté sur l'importance de l'éducation des jeunes enfants et mis en valeur le rôle de la femme et de la famille dans celle-ci (les deux premiers, ne l'oublions pas, ont pris part à la querelle du *Roman de la rose* et dénoncé l'antiféminisme de celui-ci, contre les humanistes). Jacques Despars glissa, dans le commentaire qu'il fit du *Canon* d'Avicenne, quelques conseils sur la façon d'élever les petits : soins du corps, choix de la nourriture; il recommande de ne pas les faire marcher trop tôt et d'utiliser un appareil du type trotte-bébé.

Jacques Despars recommande d'utiliser le jeu comme moyen pédagogique en l'adaptant à l'état social présent et futur du jeune enfant : petits livres d'images ou petits instruments de travail pour l'enfant d'artisan; activités physiques formatrices pour le futur chevalier. On connaît la toute première éducation militaire de Boucicaut : « Il assembloit les enfans de son aage, puis aloit prendre et saisir certaine place comme une petite montaignete [...] puis faisaient assemblees comme par batailles, et aux enfans faisoit bacinés de leur chapperons, et en guise de routes de gens d'armes, chevauchant les bastons et armez d'escorces de buches, les menoit gaigner quelque place les uns contre les autres. » Lorsqu'il fut plus âgé, le jeune Boucicaut se soumit à un entraînement sportif et militaire intense, tout en suivant l'école.

Puis vient le temps de l'adolescence qui, pour la majorité des jeunes, est celui de la préparation à l'entrée dans la vie active. Les manuels d'enseignement professionnel ne sont pas rares. Ce sont des « mathématiques » à l'usage des marchands comme ce *Kadran aux marchands* composé par un Marseillais en 1485, « qui sera guide, enseignement a tous marchans de bien savoir compter »; ou, dans un tout autre registre, ce manuel de bergerie que Charles V commanda à Jean de Brie, *Le Bon Berger*.

L'entrée en apprentissage est la voie normale pour se former à un métier. Elle se fait le plus souvent tardivement, vers quinze-seize ans (exemples d'Orléans, de Toulouse), et la durée varie selon la technicité du travail. L'apprenti peut être placé au pair, payer son apprentissage ou passer un contrat de « louage » et percevoir un salaire. L'accès de plus en plus difficile aux métiers (pour qui n'est pas fils de maître) réduisit les possibilités de placer les apprentis. La difficulté fut tournée par le développement d'associations clandestines de salariés, qui se chargeaient d'enseigner le métier et d'organiser des « tours de France » : une ordonnance de 1420 indique que « plusieurs compaignons et ouvriers de plusieurs langues et nations aloient et venoient de ville en ville pour aprendre, congnoistre, veoir et savoir les uns des autres... ». Un exemple de plus de cette mobilité qui touche toutes les classes de la société à la fin du Moyen Age et que les textes judiciaires tendent à assimiler au vagabondage.

Fêtes, jeux et mystères.

L'entrée royale est une fête; la visite d'ambassadeurs étrangers, comme ces Hongrois que reçut Charles VIII à Laval en 1487, aussi; les processions également. Ce sont là des fêtes solennelles et officielles. Mais il en est d'autres, profondément enracinées dans les traditions populaires, liées au calendrier agricole ou à la célébration du saint patron de la paroisse ou des confréries. Des activités sportives et des jeux, des spectacles divers trouvent place dans la fête; à moins qu'ils ne soient à l'origine de celle-ci.

Les jeux du cirque ont disparu; le christianisme est passé par là. Les jeux auxquels s'adonnent les gens du XVe siècle nous sont familiers, soit parce qu'ils ont continué à être pratiqués tels quels jusqu'au XIXe siècle, soit parce que, transformés, ils ont donné naissance à des jeux et sports actuels. Ainsi du plus célèbre d'entre eux, la paume, née à l'ombre des cathédrales (les chanoines de Saint-Eustache la pratiquaient sur un mur de leur église) et qui connaît une extension considérable à la fin du Moyen Age, au point de donner naissance au métier des paumiers ou « faiseurs d'éteuffes » (la balle nécessaire au jeu). Elle devient le jeu des nobles qui aménagent dans leurs résidences des salles spécialisées (qu'on appelle « tripots ») et qui misent des sommes considérables. A la fin du XVe siècle, l'usage de la raquette est introduit.

Si la paume est le jeu noble, la soule est le jeu du peuple, notamment du peuple des campagnes ; elle est pratiquée au pied ou à la crosse. C'est un sport violent, opposant village à village (par exemple la rencontre annuelle des bandes du Vexin et de Lyons devant l'abbaye de Mortemer) ou, dans un même bourg, les équipes des gens mariés et non mariés.

Quant aux jeux de table, échecs, dés, etc., ils sont universellement pratiqués ; l'Église les condamne, le jeu de dés surtout, à cause des paris engagés et des rixes qu'ils provoquent. Notons que le jeu de cartes, introduit d'Italie sous le règne de Charles VI, ne se diffuse qu'au XVe siècle.

Le 3 avril 1369, une ordonnance de Charles V interdisait tous les jeux, à l'exception du tir à l'arc et à l'arbalète. Le roi ne sacrifiait pas à la morale ; il s'agissait seulement d'encourager les Français à pratiquer un sport dont les Anglais avaient révélé l'efficacité militaire ; avant même l'institution des francs-archers en 1448, des compagnies d'archers s'étaient formées, qui s'entraînaient et organisaient des concours. Charles V poursuivait un autre objectif, conforme à sa politique générale d'alliance avec la noblesse : l'interdiction du jeu de paume par exemple ne s'appliquait pas aux nobles ; comme la joute, la pratique de la paume était signe de noblesse. Inutile de préciser que l'ordonnance ne fut que médiocrement appliquée !

Si la pratique des jeux et du sport est largement répandue, jusque dans les plus petits bourgs, l'autre grand divertissement populaire de ce temps, le théâtre, est davantage affaire de citadins. Le champ de la culture orale est encore très vaste, comme en témoigne le rôle fondamental de la prédication et du « métier de prédicateur » dans l'enseignement religieux des foules. Les « mystères » prolongent et amplifient cet enseignement.

Dans la première moitié du XIVe siècle, le jongleur s'est effacé, pour céder la place au ménétrier, animateur de fêtes populaires et bateleur de foire; en Alsace, il existe une corporation des ménétriers commune à la province; dirigée par un «roi», elle est protégée par un grand seigneur laïc. Mais surtout le jongleur-narrateur est victime du succès du théâtre et de la technique du jeu par personnage (née à Arras au XIIIe siècle).

Les farces et sotties se rattachent aux fêtes populaires du carnaval, avec le thème bien connu de la lutte de Carnaval contre Carême. Les représentations furent d'abord prises en charge par les abbayes de jeunesse (dont on sait le rôle dans certaines formes de violence ritualisée); puis les adultes, les notables s'en assurèrent le contrôle par l'intermédiaire de confréries hiérarchisées, comme celle de la Basoche à Paris (née dans un milieu de clercs) ou les confréries de fous. Elles se transformèrent en spectacles, joués pour un public passif. Le sot, bien proche du fol, dit ses quatre vérités au monde; la farce met en scène des personnages réels et aboutit à créer des types, Matamor par exemple. Leur force critique est grande et si Louis XII fut libéral — «je veux qu'on joue en liberté et que les jeunes gens déclarent les abus qu'on fait en ma cour» —, Charles VIII et François Ier le furent moins et n'hésitèrent pas à censurer. La plupart de ces pièces sont courtes et peu élaborées. En revanche, *La Farce de Maître Pathelin*, écrite avant 1470, reste unique par son ampleur et la richesse et la subtilité de ses rôles.

Les mystères ont une tout autre dimension. Ils se développent au XVe siècle, après les ébauches que furent les *Miracles de Notre-Dame*, que la confrérie des orfèvres de Paris fit représenter de 1339 à 1382, ou *La Passion* dite *du Palatinus*. Des confréries de métier, des charités représentent pour un public restreint le mystère de leur patron : les cordonniers de Rouen montent ainsi le *Mystère de saint Crépin et saint Crépinien*. Fouquet a laissé une précieuse miniature représentant le *Mystère de sainte Appoline*.

Mais le vrai sujet des mystères est celui de la Passion. Au XVe siècle, trois auteurs ont traité ce thème : Eustache Mercadé, un poète arrageois, en 1420; Arnoul Gréban, qui écrivit en 1436, pour la confrérie parisienne de la Passion, un texte de 34 000 vers mettant en scène 224 personnages et dont la représentation s'étalait sur quatre journées; enfin, en 1486, à Angers, Jean Michel reprit et remania le texte de Mercadé.

La représentation du *Mystère de la Passion* est un événement rare et exceptionnel : on le donna six fois à Rouen entre 1410 et 1502. C'est un spectacle coûteux qui s'étend sur plusieurs jours d'affilée, voire sur des semaines. Il est en principe l'œuvre de la communauté entière; mais en fait le financement et l'organisation sont pris en charge par les notables de la ville. Les acteurs, sans être encore des professionnels, appartiennent aux confréries de la Passion qui obtiennent parfois, c'est le cas de Paris en 1402, le monopole des représentations. Une machinerie importante, le « secret », est utilisée, ainsi que nombre d'accessoires et de « trucs » destinés à faire illusion (comme dans un film d'épouvante, l'hémoglobine coule à flots sur l'« échafaud » où est donné le spectacle). Les représentations deviennent payantes; le spectacle se donne dans un lieu clos. Le théâtre est né.

A la fin du Moyen Age, le mystère reste « le dernier dénominateur commun entre la religion intellectualisée des clercs et la religiosité instinctive du peuple » (*Histoire du théâtre*). Mais cette expression publique de la foi par tout un chacun n'est plus de mise. La foi est affaire de sages et de doctes. En ces temps de réforme, le mystère trouble l'ordre public. En 1548, un arrêt du Parlement en interdit les représentations.

5. La France et l'étranger

Les étrangers en France.

Jusqu'au XIVe siècle, on ne connaissait que l'« aubain », venu d'ailleurs. Le mot « étranger » apparaît alors pour désigner celui qui est né hors du royaume : là encore l'État moderne a fait son œuvre.

Il est impossible de donner le nombre des étrangers qui vivent dans le royaume. La guerre fausse tout, car elle augmente anormalement la proportion des hommes de guerre étrangers, amis ou ennemis.

Les rois de France ont fait largement appel aux mercenaires écossais, italiens (arbalétriers et marins génois, hommes d'armes et piétons lombards) et castillans, puis, dans la deuxième moitié du XVe siècle, aux Suisses et aux Allemands. Certains se sont intégrés aux armées royales, surtout après la réforme de 1445, mais cela reste marginal.

Quant aux envahisseurs anglais, ils sont nombreux à l'occasion des chevauchées, mais aussi dans les garnisons normandes; sinon, les troupes anglaises sont constituées pour une bonne part de Gascons. Des Anglais se fixèrent en France et s'y marièrent. Leur situation n'est pas simple : en 1375, un Anglais de Chartres, marié et vivant comme Français, fut tué; l'assassin fut poursuivi — il y avait crime —, mais acquitté, sa victime étant toujours réputée ennemie. En 1439, la place de Sainte-Suzanne, dans le Maine, est livrée au roi de France par un Anglais marié à une Française. Quelques Anglais restèrent en France après la guerre, occupant parfois des postes dans l'administration, comme le bailli Richard Merbury.

Venons-en maintenant aux étrangers établis en France de manière durable.

Des artisans et des artistes d'abord, le plus souvent appelés d'Allemagne, des Pays-Bas ou d'Italie, en raison de leurs compétences techniques : mineurs, métallurgistes, horlogers, soyers, imprimeurs, peintres.

Des commerçants ensuite, généralement regroupés en colonies privilégiées dans les ports ou les grandes villes. Ils subissent les aléas de la politique étrangère de la France : la colonie anglaise de Paris fut poursuivie en 1358; la colonie castillane dut quitter Rouen lorsque la ville tomba aux mains des Anglais. Les brasseurs d'argent avaient une situation plus délicate. Les prêteurs sur gages ou à usure furent expulsés (les Juifs en 1394) ou, las des rebuffades, quittèrent Paris (les Lombards vers 1420). Les Lucquois, en revanche (on connaît la famille des Rapondi), qui travaillaient avec la cour et les princes, s'en sortaient mieux, tant qu'ils ne faisaient pas banqueroute!

Des clercs enfin. Disposant de beaucoup de bénéfices majeurs, la papauté d'Avignon ne se privait pas de nommer des étrangers en France. Les progrès du gallicanisme ont en partie limité ces provisions, mais la division du royaume entre 1415 et 1450 a donné à nouveau l'occasion à la papauté d'imposer ses candidats, souvent des Italiens. Les étudiants étrangers, nombreux à Paris jusqu'au schisme, le sont beaucoup moins ensuite. Il en reste cependant, comme cet étudiant hongrois, poursuivi devant le Parlement par l'Université, et qui rappelle qu'il vient du pays qui a donné le jour à saint Martin. Le retour à la paix ramène certains étudiants vers les universités françaises : Jérôme Münzer relève la présence d'Allemands du sud à Orléans.

Alors que les États-nations prennent la place de l'ancienne République chrétienne, comment les étrangers sont-ils accueillis par les Français ? Tenons compte évidemment de la guerre. Mais les mouvements de population qui ont affecté la France pendant le conflit, et surtout pendant la reconstruction, n'ont-ils pas favorisé l'accueil et l'intégration des étrangers ?

Passons sur la « sagesse des nations ». Nous trouvons à cette époque les mêmes stéréotypes que de nos jours. Les Anglais, les « godons » du langage populaire, sont déloyaux et vicieux ; ils tuent leurs rois ! Les Allemands sont encore des barbares. Les Italiens sont fourbes, sorciers, etc. Les pires sont les plus proches : les Flamands, qui ne parlent pas le français ; les Bretons, qui, de tout temps, ont représenté l'abomination. Soyons justes, les Français ne s'oublient pas ! Certes selon le chancelier Guillaume de Rochefort, leur vertu d'obéissance fait l'étonnement du monde ! Mais ils sont orgueilleux, légers et, comme le dit si bien le Héraut Berry, « saiges après le fait ».

Au-delà de ces banalités, on peut affirmer que la France du XVe siècle n'a pas été hostile aux étrangers, surtout la France « euphorique » de la reconstruction. La Provence du roi René connut une véritable résurrection par l'immigration italienne après 1450. N'est-ce pas une autre banalité que de constater qu'un pays qui a besoin de bras accueille et intègre facilement ses immigrés ? Aux États généraux de 1484, le seigneur de La Roche, porte-parole de la noblesse, était même prêt à leur accorder le droit de vote : « J'appelle peuple non seulement la populace et ceux qui sont simplement sujets de cette couronne, mais encore tous les hommes de chaque état, tellement que sous la dénomination d'états généraux je comprends aussi les princes, sans en exclure le petit nombre d'étrangers qui résident dans le royaume. »

Mais on rejette certains groupes — les Juifs, les Lombards — ; d'autres ont un statut dégradé — les esclaves domestiques des rivages méditerranéens venus du Maghreb ou de la mer Noire — ; mentionnons enfin les Tsiganes, appelés aussi Bohémiens ou Sarrasins. Indo-Européens, ils ont, après une longue errance, abouti en Péloponnèse. De là ils ont gagné les Balkans, la Bohême et apparaissent en Savoie en 1419. Ils vont sillonner le royaume en petits groupes (on les vit à Paris) pendant un siècle, jusqu'à leur expulsion par François Ier.

Les Français hors de France.

On trouve peu de groupes français à l'étranger. Les marchands français ou les marins bretons qui sillonnent l'Atlantique et fréquentent les ports anglais et basques, ou Séville et Valence, ne se regroupent pas en colonies marchandes organisées comme les Italiens, les Castillans ou les Hanséates ; et en Orient pas davantage, malgré les initiatives de Jacques Cœur.

Mais la guerre et la crise ont provoqué une émigration, parfois en groupes. La pression fiscale a incité des Lyonnais à s'installer dans l'Empire et des Languedociens à partir pour la Catalogne à la fin du XIVe siècle. Le départ massif de forgerons du pays de Caux, en 1426, est peut-être dû au rejet de l'occupation anglaise : « En icelui an, fu l'alée des fevres en Alemengne si grande et si notable que ce fu une grande merveille » ; une supplique adressée au pape Martin V par un groupe de Français établi à Cologne confirme cette information de la *Chronique normande*.

Robert Masselin est un aventurier patriote. Ce fils de bourgeois rouennais étudiait à Paris quand sa ville fut prise par les Anglais ; désemparé, il gagne Chypre et devient précepteur du fils du roi. Fait prisonnier par les musulmans de Syrie, il tue le temps en apprenant le grec et l'arabe. Évadé, il gagne Rome où, accusé d'escroquerie il est emprisonné (lui s'estime victime des Anglo-Bourguignons tout-puissants à Rome). Libéré, il regagne la France ; il s'y fait prendre en 1429 pour avoir fabriqué de fausses bulles pontificales pour les besoins de la cause, douteuse, de l'abbé de Saint-Martial de Limoges. Traîné devant le Parlement de Poitiers, il doit à la protection du duc d'Alençon de se sortir de ce mauvais pas.

Il est d'autres grands voyageurs. Philippe de Mézières est né en 1327 : il a combattu en Italie à dix-huit ans, est parti en croisade avec le dauphin de Viennois Humbert; il a visité beaucoup de pays, de Gibraltar à la Baltique, de l'Arménie à l'Éthiopie. Il a été en pèlerinage à Jérusalem, a servi comme chancelier le roi de Chypre. Il revient par Constantinople, fait halte à Venise, pour se retirer, à cinquante-trois ans, au couvent des Célestins à Paris.

Le voyage de pèlerinage est fort prisé. Dans le royaume même, de nombreux sanctuaires attirent les pèlerins. Citons le plus célèbre, le pèlerinage au Mont-Saint-Michel « au péril de la mer », que sa vaillante résistance aux Anglais a valorisé. Philippe VI avait placé le royaume sous la protection de saint Michel et Charles VII, en 1437, institua un culte royal et national en son honneur.

Les « trois grands » pèlerinages sont à l'étranger : Compostelle d'abord, que tous les testaments nobles du temps citent, le plus proche et le plus accessible; Rome, toujours fréquentée, même pendant le schisme. Jérusalem enfin, où le Christ est né, a souffert et a ressuscité. Partant du modèle des itinéraires-guides composés au XIIIe siècle, des voyageurs ont raconté leur périple : Nompar de Caumont en 1417, Bertrandon de La Broquière en 1455, Louis de Rochechouart, évêque de Saintes, en 1461. Le récit de l'Allemand Breydenbach, en 1484, fut largement diffusé, y compris en France, parce qu'il était illustré de dessins.

Les « agences de voyages » du temps proposaient, au départ de Venise, un séjour de quinze jours sur les Lieux saints (le voyage durait six semaines). A défaut de Jérusalem, le pèlerin moins argenté a pu, dans la seconde moitié du siècle, visiter les fausses Jérusalem que les ingénieux Italiens édifièrent en quelques lieux propices de leur pays. Par la suite, on pourra se contenter de suivre la *via dolorosa* et les quatorze stations du Christ dans sa paroisse.

L'idée de croisade n'est pas morte, mais les croisés dirigent leurs pas ailleurs que vers Jérusalem. Jean le Bon prit la croix en 1363 à l'appel du roi de Chypre Pierre de Lusignan. Le roi mourut avant le départ prévu en 1365, mais des croisés partirent : Jean de La Rivière, un chambellan de Charles V, rendit l'âme à Famagouste, en 1366. Aider Chypre et

Rhodes, où se battent les chevaliers de l'Hôpital, combattre le Turc dans l'Égée (Jacques Cœur meurt à Chio en 1456) et dans les Balkans (la grande croisade de Nicopolis en 1396), tels sont les buts de croisade les plus naturels. Mais il est d'autres objectifs : en 1390, le duc de Bourbon conduit une croisade (qui échoue) sur Mahdia, en Tunisie.

La noblesse d'Europe occidentale a beaucoup prisé les croisades, ou « voyages de Prusse ». On profitait d'une trêve en Occident pour aider les chevaliers teutoniques à combattre les païens lituaniens, ordinairement qualifiés de Sarrasins. On partait, l'hiver, quand les marais étaient gelés. Si aucune campagne contre les païens n'était prévue, on chassait les « grosses bêtes » (l'ours en particulier) et les animaux à fourrure ; bien des nobles obtinrent ainsi sans bourse délier ces précieuses fourrures dont la mode s'imposait alors en Occident. A la fin de la campagne, une fête et un banquet réunissent, au château de Marienburg, la capitale de l'ordre teutonique, la fine fleur de la chevalerie occidentale ; le banquet de la « table d'honneur », imité du cérémonial de l'ordre de l'Étoile, est attesté à partir de 1375. Les nobles français participèrent nombreux à ces voyages, conduits par le vicomte de Béarn Gaston Fébus, en 1358 ; le duc Louis de Bourbon en 1374 ou 1383 ; le maréchal Boucicaut, pour sa part, y alla trois fois.

La défaite des teutoniques au Tannenberg en 1410 (devant les Polono-Lituaniens) et, en France, le désastre d'Azincourt ont clos définitivement le chapitre du « voyage de Prusse ».

Philippe le Bon, le « grand-duc d'Occident » fut, au XVe siècle, le dépositaire de l'idée de croisade dans ses États mais aussi dans le royaume. Il mit sur pied une croisade contre les hussites de Bohême et fit du port de Villefranche-sur-Mer, dont le duc de Savoie lui accorda libéralement l'usage, la base de ses interventions en Méditerranée orientale (en 1441, il envoya trois galées à Rhodes sous le commandement de Guillaume de Thursy, un habitué des pèlerinages et voyages en Orient).

Terminons par un dernier périple, la conquête des îles Canaries, entreprise en 1402 par Jean de Béthencourt, un noble normand, et Gadifer de La Sale, un Poitevin. Ce fut la seule tentative de colonisation française avant l'époque moderne.

« Ma nation et mon pays. »

Ainsi parlait de sa Bretagne natale Du Guesclin, connétable de France de Charles V. La naissance et le développement du sentiment national ont été l'un des thèmes favoris de l'historiographie française du XIXe et de la première moitié du XXe siècle. Charles Samaran, présentant en 1926 l'épisode du Grand Ferré (1359), écrit : « C'est avec joie que nous pouvons assister ainsi à l'éveil du sentiment national chez le peuple de France. » Mais c'est Jeanne d'Arc, sainte et patriote, qui est devenue la figure emblématique du sentiment national né des misères, des combats et des victoires de la guerre de Cent Ans.

Dans un souci de réévaluation, l'historiographie récente est tombée parfois dans l'excès inverse : le Grand Ferré n'est plus qu'un faucheur de brigands ; les « brigands » normands ne sont plus des « résistants », etc. Pourtant, il ne faut pas rabaisser par trop ce « patriotisme de terroir » très affectif ; c'est ce sentiment qu'exprime Du Guesclin, mais il utilise pour cela un vocabulaire savant : « patrie », « nation ».

Le sentiment national est une notion plus intellectuelle, plus raisonnée que l'attachement viscéral au « pays » (de là sans doute le malentendu). Il s'est exprimé d'abord dans les textes d'intellectuels capables de donner un contenu moderne aux mots de *patria* ou de *natio*. Relatant, avec un humour sceptique, l'épisode du Grand Ferré, Jean Favier écrit : « Ferré tuait les Anglais parce qu'il voyait en eux les pires bandits, non parce qu'ils étaient anglais. Mais c'est bien comme Anglais que la légende immédiate définit les victimes du géant. » Pour les historiens du temps qui racontèrent son histoire (« qui la conçurent », dit Jean Favier), Jean de Venette, Jean de Noyal, « il est aux raisons de son combat — et de sa gloire posthume — une nouvelle couleur, qui est nationale ».

Il me paraît néanmoins que, très tôt au XIVe siècle, le sentiment national a pénétré en profondeur la société française, sous l'influence du roi (« l'État a créé la nation », dit B. Guenée) et de la guerre. Les malheurs du roi Jean et la grande misère du royaume, l'effort conceptuel des « cerveaux » de

Charles V et la reconquête ont été le moment décisif de la « naissance de la nation France ». La réintégration des villes du Poitou dans la souveraineté française en 1372-1373 « a été ressentie comme essentielle et [...] mérite, comme telle, qu'on la considère avec attention dans l'histoire de la naissance d'un "sentiment national" » (R. Favreau). De nombreux textes le confirment. Parce qu'ils « sestoient renduz françois », les habitants de Limoges sont massacrés par le Prince noir en 1370. Pierre du Tertre sert le roi de Navarre, y compris contre le roi de France, « jassoit ce que ycelui maistre Pierre du Tertre fust nez du royaume de France ». Le sentiment national est très vif dans les régions frontalières, comme le révèlent, au Parlement, les plaideurs venus de Tournai, cette enclave légitimiste en pays bourguignon, des « mettes » de Lorraine (Jeanne d'Arc) ou des marches de Bretagne. Des limites nettes; une même langue; être né du pays : le droit du sol en somme !

Jeanne d'Arc n'a donc pas « créé » le sentiment national; son engagement manifeste au contraire qu'il existait déjà. Bien sûr, il s'est considérablement renforcé dans les dernières années de la guerre, qui devient une guerre de libération nationale : dans Château-Landon prise par les troupes de Richemont en 1437, une partie de la garnison est pendue « pour ce qu'ilz estoient de la langue de France »; deux ans plus tard, à Meaux, « furent prins et mors tous les Englois et François regniez ». Les choses sont désormais claires. Orléans, Le Mans, Cherbourg fêtent leur libération; et la royauté fait du 12 août (prise de Cherbourg, dernière place tenue par les Anglais en Normandie) une fête nationale.

La nation France est devenue une personne, une femme douce et belle, vêtue de blanc, qu'on représente avec ses enfants dans les mystères. On invoque l'amour de la patrie, la défense de la patrie : selon Bernard Ciboulle, qui témoigne au procès de réhabilitation de Jeanne d'Arc, la guerre était juste car menée pour la défense de la patrie. Chemine enfin l'idée de mourir pour elle.

Le sentiment national peut jouer contre la « nation France ». Retenons deux phrases du récit fait par le Religieux de Saint-Denis de la révolte flamande de 1382 : les Flamands, dit-il, décident de résister et de « mourir pour la liberté de la patrie»; après la défaite, un Flamand, blessé, est mis en demeure de reconnaître le roi de France; il refuse : «J'étais, je suis et je serai toujours flamand.» La nation flamande existait; et les Français le savaient qui, bien avant l'acte officiel de 1526, avaient «sorti» du royaume ce peuple qui parlait une langue barbare.

En 1328, une assemblée de barons avait rejeté un roi anglais qui pourtant l'était si peu! Philippe de Mézières, sous Charles VI, disait : «A la fin France sera France et Angleterre Angleterre, séparément et est impossible qu'elles soient compatibles ensemble.» Jean de Montreuil enfin affirmait qu'il n'y a de «vraye seigneurie que du consentement des sujets».

Il est difficile de dire si le sentiment national français s'est nourri du rayonnement de la France à l'étranger, rayonnement considérablement affaibli : les défaites sont sanctions divines et Dieu, c'est clair, a châtié le royaume des fleurs de lys. La langue française, devenue une langue de culture, est parlée en Italie, à Chypre, dans le royaume arménien de Cilicie comme seconde langue; la noblesse allemande l'apprend. Mais le français recule en Angleterre; il devient une langue savante, utilisée encore en justice, dans la rédaction des lois, et pour laquelle on publie des grammaires et des manuels de vocabulaire.

L'influence française se développa en Castille. Les traductions s'y multiplient; Jeanne d'Arc devient la *Poncella de Francia* qui a libéré La Rochelle avec l'aide d'une flotte castillane! On imite certaines institutions gouvernementales (le connétable en Castille). Sur ce plan, la maison de Bourgogne contribua aussi à diffuser dans les Pays-Bas des modèles français. Il n'est pas jusqu'au sport où les Français — qui l'eût cru! — ont beaucoup prêté : le «desport», la «paume», la «soule» sont partis pour l'Angleterre qui les a renvoyés plus tard sous les noms de «sport», «tennis» et «football». Et l'on «compta fleurette» avant de «flirter»!

8
Une construction territoriale inachevée

Les rois de France, de Jean le Bon à Charles VII, ont dû subir la concurrence des pouvoirs princiers, ce qui, on l'a vu, n'a pas toujours été négatif. Les choses changent avec Louis XI, qui a mené une politique consciente de réduction des principautés, un peu comme son aïeul Philippe le Bel. L'accroissement territorial est indéniable, les cartes le prouvent. Cela dit, certains des «succès» de Louis XI furent remis en question par la suite. A cause de la faiblesse de successeurs victimes du mirage italien? Ne serait-ce pas plutôt par la faute de Louis XI lui-même, dont les méthodes brutales ont choqué un monde plus sensible qu'on ne le croit au respect du droit? Les successeurs de Louis XI n'auraient-ils pas plutôt réparé ses fautes et évité de les refaire?

1. Louis XI et le Téméraire

L'État bourguignon au XV*e siècle.*

L'État ou les États? On a souligné à l'excès l'absence d'unité de ce rassemblement de territoires distribués dans l'ancienne Lotharingie, de la Frise aux portes de Lyon. Insupportable prétention de l'Histoire en flash-back qui vous explique que ce qui est arrivé devait nécessairement arriver. Car l'État bourguignon était viable, et il y eut envers Philippe le Bon un incontestable sentiment de loyalisme dynastique. Il peut arriver que les hommes qui font l'Histoire la fassent mal. Charles le Téméraire par exemple.

A l'origine de cette principauté, un mariage comme souvent ! Celui de Philippe le Hardi, frère de Charles V, avec l'héritière du comté de Flandre, mais aussi de la comté de Bourgogne et du comté de Nevers, de l'Artois et de Rethel. En 1369. Leur fils, Jean sans Peur, hérite du tout ou presque, en avril 1404 et mars 1405.

Au moyen d'une habile politique de mariages et d'alliances, Philippe le Hardi a agi dans trois directions : contrôle des Pays-Bas; protection des deux Bourgogne; liaison entre les deux blocs de territoires. Jean sans Peur a continué fermement cette politique riche de virtualités.

Car, si l'on excepte le comté de Charolais (en 1390), Tonnerre, le Mâconnais, quelques terres en Champagne et l'implantation en Haute-Alsace, la moisson n'intervient que sous Philippe le Bon, aux alentours de 1430, avec l'annexion du Hainaut, de la Hollande et Zélande, du Brabant et Limbourg, du comté de Namur enfin; grâce à quelques bâtards, ou neveux, judicieusement utilisés, les principautés ecclésiastiques de Cambrai, Liège et Utrecht tombent sous l'influence bourguignonne. La paix d'Arras apporte à Philippe le Bon les villes de la Somme, Péronne, Montdidier et Roye. Ses droits en Luxembourg sont reconnus en 1443. Il noue également des alliances avec les principautés rhénanes de Clèves et de Juliers et le duché de Gueldre. Charles le Téméraire s'empare de celui-ci en 1473, après avoir écrasé une révolte des Liégeois hostiles à leur prince-évêque.

Avec le duc Charles, le problème de l'unification territoriale vient au premier plan; et le chemin de l'unité passe par l'Alsace et la Lorraine. Il s'engage aussi dans un processus de centralisation administrative dont témoignent les ordonnances de Thionville et la création du Parlement de Malines en 1473. Il cherche enfin à ériger en royaume ses États, situés les uns en France, les autres dans l'Empire. Or seul l'empereur peut donner une couronne. Laquelle et à quel prix?

Philippe le Bon y avait songé, qui avait fait traduire de nombreux récits épiques ou historiques se référant aux traditions susceptibles de soutenir la revendication royale. La tradition lotharingienne, bien ancrée en Brabant (le Lothier), rappelait le souvenir du royaume de Lothaire et, par Godefroy de Bouillon, se raccordait aux croisades. La tradition burgondo-provençale gardait le souvenir d'un royaume de

Bourgogne antérieur au royaume de Clovis et, surtout, converti au catholicisme avant lui. L'une et l'autre soutenaient donc l'idée d'une nation bourguignonne égale aux nations française et germanique.

Philippe le Bon pensait surtout à la tradition lotharingienne. Mais en 1447, puis en 1459-1460, l'empereur ne lui proposa qu'un royaume de Frise, à la rigueur un royaume de Brabant ; et en échange d'un hommage à l'empereur ! Philippe n'insista pas.

Charles le Téméraire reprend le projet de royaume avec le désir d'aboutir. Il s'appuie sur la tradition burgondo-provençale, davantage porteuse, à ses yeux, d'une idée nationale, puisqu'elle intègre les terres françaises que l'idée lotharingienne excluait. Las ! Au dernier moment, à Trèves, le 23 novembre 1473, l'empereur Frédéric III se dérobe. Les ambitions du Téméraire, qui visaient également l'Empire, inquiétaient trop de monde.

Péronne.

Charles VII et Philippe le Bon ont entretenu des relations distantes et méfiantes. L'avènement de Louis XI trompa les espoirs du vieux duc, pourtant bien conciliant : en 1463 il accepta de rendre au roi, contre argent, les villes de la Somme, selon une clause de la paix d'Arras. Charles le Téméraire, son fils, n'approuva pas.

On discerne mal les objectifs du Téméraire. Qu'il ait cherché à affaiblir le royaume — il souhaitait son partage en cinq ou six principautés — est évident. Mais ses objectifs principaux semblent davantage tournés vers les Pays-Bas, la région rhénane et la Lorraine-Alsace, bref, vers l'Empire. De sorte que sa politique française pourrait bien être celle-ci : être en paix avec un royaume affaibli pour agir à sa guise à l'est.

Il récupère les villes de la Somme après la ligue du Bien public. La question de l'apanage de Charles de France, frère du roi et porte-drapeau des princes coalisés (Bretagne et Bourgogne surtout), permet de maintenir la pression sur Louis XI. Pourtant, en septembre 1468, une mauvaise coordination entre le duc de Bourgogne et le duc de Bretagne contraint ce dernier, en septembre, à conclure la paix d'Ancenis avec le roi. L'entrevue de Péronne, du 9 au 15 octobre 1468, intervient dans ce contexte.

Louis XI était demandeur, car il espérait qu'un accord avec la Bourgogne, survenant après la paix d'Ancenis, couperait court à d'autres intrigues princières et achèverait la pacification du royaume. Charles, de son côté, espérait y gagner la tranquillité nécessaire à sa politique à l'est. Le 8 octobre, il accorde donc un sauf-conduit au roi. Il faut renoncer à suivre le récit de Commynes qui valorise son rôle et dramatise à outrance le scénario. Le roi a pris des précautions, puisqu'il déploie son armée le long de la Somme. Les discussions étaient ardues, mais progressaient lorsque survint la nouvelle de la révolte de Liège dans laquelle deux ambassadeurs de Louis XI semblaient impliqués. En réalité, ils avaient quitté Liège depuis un bon moment, mais même s'il ne fut pas l'instigateur de la révolte, le roi n'en était sûrement pas mécontent. Que Charles soit furieux est bien compréhensible parce que cette révolte affaiblit sa position au cours d'une négociation difficile. Le sauf-conduit qu'il a accordé au roi le retient de tout acte irrémédiable, d'autant plus que ses conseillers, et pas seulement Commynes qui ici se vante, ont tout fait pour qu'on aboutisse à un dénouement heureux. Louis XI, pour prouver sa bonne foi, proposa d'accompagner le duc pour châtier les Liégeois. Nul machiavélisme là-dedans : imagine-t-on un roi de France encourager la révolte contre un prince légitime, le prince-archevêque Louis de Bourbon, un parent, qui plus est ?

A Péronne, le duc a obtenu la confirmation des accords passés. Le plus important est ailleurs : l'accord sera caduc si le roi enfreint l'une quelconque des clauses, et Charles le Téméraire et ses sujets seront déliés de toute sujétion à son égard. L'une de ces clauses faisait sortir du ressort du Parlement de Paris la Flandre ; un peu plus tard, en 1471-1472, le conflit ayant repris entre le roi et le duc, Charles fit interdire aux habitants du duché de Bourgogne de faire appel au Parlement royal. Là est la clé de Péronne. La politique du Téméraire à l'égard du royaume est désormais claire : s'en séparer, s'en affranchir complètement.

A Péronne, Louis XI l'a compris : *Burgundia delenda est !*

Les Suisses.

Durant l'hiver 1470-1471, puis en juin-novembre 1472, des combats opposent les deux adversaires en Artois, en Picardie, en Beauvaisis et en Caux. La mort de Charles de France, le frère du roi, le 24 mai 1472, prive le Téméraire d'un « pion » dans ses interventions françaises; mais avec la victoire yorkiste en 1471, Louis XI perd l'alliance anglaise. En novembre 1472, une trêve est conclue. Plus jamais le duc et le roi ne s'affronteront directement; même en 1475, lorsque les Anglais débarqueront à Calais : Charles, leur allié, retenu au siège de Neuss sur le Rhin, arriva trop tard : Anglais et Français venaient de faire la paix à Picquigny. Charles ne put que faire de même avec Louis XI.

Par l'argent et la diplomatie, le roi de France, « l'universelle aragne » décrite par Commynes, a-t-il fait tomber le Téméraire dans sa toile ? A-t-il tout prévu et tout organisé ? Les cantons suisses ont-ils été totalement manipulés par le roi ? C'est la vision de Commynes qui a régné sans partage dans l'historiographie française. Elle est remise en cause aujourd'hui. Elle méconnaît l'originalité de la confédération helvétique, ignore ses structures et sa politique expansionniste. En réduisant l'histoire au seul duel Louis XI-Charles le Téméraire, en voyant la main de Louis XI partout, l'historiographie française a occulté totalement les enjeux des combats qui se sont livrés dans l'ancienne Lotharingie. Les Suisses n'avaient besoin de personne pour comprendre que la politique du Téméraire était pour eux un danger mortel. Louis XI fut un acteur parmi d'autres d'un conflit européen. Qu'il ait tiré profit du résultat ne change rien à l'affaire.

Les cantons suisses ont un ennemi de toujours, l'Autriche; or, le 9 mai 1469, le duc Sigismond, ruiné, engage l'Alsace au Téméraire; lequel se rapproche de la Savoie et tient en la personne du comte de Romont un fidèle allié en pays de Vaud. Pour Berne et les cantons, c'est l'asphyxie. Ils savent dès lors la guerre inévitable. Ils s'y préparent et se tournent naturellement vers Louis XI, qui les encourage et les finance, mais se refuse à tout engagement militaire. L'aide du roi de France leur est certainement précieuse pour obtenir l'alliance des villes d'Alsace (la Basse Ligue) en révolte contre l'autoritarisme bourguignon. Enfin, ils sont assez politiques pour savoir faire la paix avec l'ennemi héréditaire, Sigismond, lui promettant de lui rendre l'Alsace sans bourse délier.

Dans l'Alsace en révolte, la redoutable infanterie suisse défait les quelques troupes bourguignonnes présentes à Héricourt, le 13 novembre 1474. Englué au siège de Neuss (il combat l'archevêque de Cologne), Charles le Téméraire met du temps à réagir. Il s'empare par la force du duché de Lorraine et proclame, dans un discours célèbre prononcé le 17 novembre 1475, son intention de faire de Nancy la capitale du royaume bourguignon. Au même moment, son allié Romont fait échec aux Suisses en pays de Vaud. C'est là, près de Neuchâtel, que le duc décide d'en finir avec les cantons. C'est là, à Grandson, le 2 mars 1476, puis à Morat, le 22 juin, qu'au son lugubre des trompes les piquiers suisses, chargeant en rangs compacts au pas accéléré, infligent au Téméraire deux terribles défaites, la deuxième entraînant la destruction quasi totale de son armée.

Avec ce qu'il en reste, Charles va assiéger Nancy, que le duc de Lorraine René II avait repris. Il échoue et il y meurt, le 5 janvier 1477.

La nouvelle fait tressaillir Louis XI de joie. S'ouvre alors la succession de Bourgogne.

Une affaire bâclée.

Dans les semaines qui suivent, les armées de Louis XI occupent les deux Bourgogne, la Picardie, l'Artois et pénètrent en Hainaut et Luxembourg. Ainsi répond-il aux appels au secours de Marie, fille unique et héritière du Téméraire !

En dehors de la Picardie, les droits du roi sont douteux. Louis XI considère le duché de Bourgogne comme un apanage, ce qu'il n'est pas (la déclaration de Charles V en 1374, restreignant à la seule ligne masculine l'héritage du duché, n'a aucune valeur en droit) ; c'est un fief, comme l'Artois, et donc les femmes peuvent en hériter. A plus forte raison le roi n'a-t-il aucun droit sur la Comté, qui est terre d'empire. Conscient de la faiblesse de sa position juridique, le roi fit entreprendre des recherches dans les Archives ; et il engagea un procès posthume contre Charles le Téméraire pour crime de lèse-majesté !

Sur le terrain, passé les premiers succès, des difficultés surgissent ; à Arras ; en Comté, où la noblesse résiste ; dans les villes du duché, où les éléments populaires s'en prennent aux « gros » et aux troupes françaises : c'est la « mutemaque » de Dijon.

Louis XI enfin a fait l'erreur de refuser les avances du conseil bourguignon qui proposait de marier Marie avec le dauphin, ce qui aurait permis de régler en douceur les problèmes. Louis XI a cru pouvoir tout obtenir par la force ; il attise l'hostilité des villes et des États de Flandre, sinon contre Marie, du moins contre celui qu'elle prend comme époux, Maximilien d'Autriche, le fils de l'empereur Frédéric III. Mais alors Marie a des alliés et l'affaire se complique.

La guerre dévaste l'Artois et la Picardie. Arras s'est révoltée en avril 1479 ; Louis XI en expulse la population, rebaptise la ville Franchise et fait venir des habitants de toutes les agglomérations du royaume pour la repeupler (l'échec sera complet !). La bataille de Guinegatte, le 7 août 1479, est indécise. Mais la mort accidentelle de Marie de Bourgogne, la pression des États de Flandre et des autres territoires, le manque d'argent contraignent Maximilien à traiter et à faire des concessions que Louis XI n'osait plus espérer. Le traité d'Arras, le 23 décembre 1482, laisse, tacitement, le duché de Bourgogne et la Picardie au roi. L'Artois, la Comté et quelques autres territoires forment la dot de Marguerite, fille de Marie et de Maximilien, promise en mariage (elle n'a que deux ans) au dauphin. Si le mariage n'a pas lieu, ces territoires doivent être rendus. Le résultat n'est donc pas négligeable pour Louis XI, mais il est en partie conditionnel.

Car, en 1491, le dauphin, devenu Charles VIII, rompt son engagement avec Marguerite d'Autriche pour épouser Anne de Bretagne. Une redoutable coalition se forme contre la France : Angleterre, Espagne des Rois Catholiques, Maximilien. Charles VIII, pour la désagréger, signe, à la fin 1492 et au début 1493, avec chacun des coalisés un traité qui règle les problèmes bilatéraux en suspens. Avec Maximilien, c'est le traité de Senlis du 23 mai 1493 : la jeune Marguerite et sa dot, à savoir Comté et Artois, sont rendues à son père, conformément aux clauses du traité d'Arras de 1482.

Charles VIII a respecté le droit.

2. L'effacement des principautés

On a vu, dans un chapitre précédent, comment l'autorité royale s'était manifestée de façon de plus en plus pressante dans les seigneuries et principautés des grands feudataires du royaume ; comment, à coups de procès pour lèse-majesté ou trahison, ce qui revient au même, les domaines d'Alençon, d'Armagnac et bien d'autres avaient été saisis. Mais on sait aussi que les héritiers des princes condamnés ou exécutés avaient pu récupérer une partie de leur héritage. Des seigneuries importantes mais amoindries subsistent donc à la fin du XVe siècle. Quant aux principautés, leur nombre s'est réduit : on vient de voir comment une partie de l'ensemble bourguignon a rejoint le domaine royal. Quant aux deux plus belles prises de la monarchie, ce sont assurément l'ensemble Anjou-Provence et la Bretagne.

Le legs du roi René.

Faisant, en 1835, le portrait du roi René, Prosper Mérimée décrivait « un bonhomme blasé[...] qui se fait, avant de rien entreprendre, cette question qui suffit pour dégoûter de tout : *cui bono* ? ». C'est peut-être pour cela que Louis XI n'eut pas à recourir à la force des armes pour mettre la main sur l'héritage angevin.

Jean le Bon avait donné Anjou et Maine en apanage à son deuxième fils, Louis. Celui-ci, en 1368, se saisit par la force et la ruse des comtés de Provence et de Forcalquier, terres d'empire. La Provence, bien qu'elle eût déjà connu, avec la première maison d'Anjou, une forte influence française, refusa le coup de force. L'union d'Aix, qui rassemblait villes et communautés du comté, ne s'inclina qu'en 1388 devant l'énergique Marie de Blois, veuve de Louis, mort en Italie le 21 septembre 1384.

Les règnes successifs de Louis II, Louis III et René, son frère, sont marqués par des tentatives répétées, mais toujours manquées, de s'installer à Naples ; dans cette optique, la Provence occupait en Méditerranée occidentale une place stratégique. Mais René, lorsqu'il succède, en novembre 1434, à son frère Louis III, en Anjou, Maine et Provence, est déjà fort engagé ailleurs, puisqu'il a, comme on le verra plus loin, hérité du Barrois et de la Lorraine.

René sera provençal. Toujours aux aguets, malgré ses déconvenues, de la moindre possibilité d'intervention en Italie, il préfère, dès qu'il a pu ramener la paix en Lorraine, la confier à son fils Jean de Calabre ; il garde toutefois le Barrois. De même donne-t-il le Maine reconquis sur les Anglais en 1448-1449 à son frère Charles.

Ses relations avec Charles VII furent dans l'ensemble satisfaisantes ; il en fut de même avec Louis XI dans la première partie du règne. Les choses se gâtèrent lorsqu'il entreprit de régler sa succession. Son fils Jean mourut en 1470, son petit-fils, Nicolas, en 1473 ; la Lorraine passa alors à son petit-neveu René II, le futur vainqueur du Téméraire, né du mariage de sa fille Yolande avec Ferry de Vaudémont. Outre Yolande, il avait une autre fille, Marguerite, veuve d'Henri VI de Lancastre, que les yorkistes tenaient enfermée dans la tour de Londres ; enfin il avait un neveu, fils de son frère Charles, le nouveau comte du Maine (depuis 1473), Charles II. Le 12 juillet 1474 il fait son testament : le comté de Bar à René II ; Anjou et Provence à Charles II.

Louis XI est furieux : il ne veut pas d'une Lorraine agrandie susceptible, alors, de s'allier au Téméraire ; il veut contrôler l'Anjou, si près de la Bretagne. Il riposte en saisissant Barrois et Anjou. Il obtient de Marguerite d'Anjou, qu'il a fait libérer, une renonciation à tout héritage angevin. Le brave roi René perd la tête et se jette dans les bras du duc de Bourgogne. Ce n'est plus le bon cheval ! Louis XI fait engager une procédure de lèse-majesté devant le Parlement le 6 mars 1476. Il ne s'agit que de faire peur car, en même temps, il prend contact avec son oncle et le rencontre à Lyon. On s'arrange et la saisie du Barrois et de l'Anjou est levée. René a promis les deux territoires à Louis XI, qui, après tout, est aussi son neveu. René II tente bien de faire pression pour que le roi René respecte son testament, mais Louis XI veille.

Le 10 juillet 1480, le roi René meurt en Provence, regretté par ses sujets qui tentent de s'opposer au transfert de sa dépouille en Anjou. Louis XI conserve l'Anjou et la partie du Barrois « mouvant » (du royaume) ; Charles II hérite de la Provence, mais sans enfant, il promet à Louis XI de la lui léguer, ainsi que le Maine. Il meurt le 11 décembre 1481.

Anjou, Maine, Barrois et Provence, la moisson est bonne pour Louis XI ! Pour la troisième fois, après le Dauphiné et la Comté (provisoirement), le royaume franchit la frontière des quatre rivières. En Provence, le roi trouve dans un conseiller du feu roi René, Palamède Forbin, l'homme dévoué qui saura ménager les susceptibilités.

La fin de l'indépendance bretonne.

La principauté bretonne est l'une des rares dont on peut dire qu'elles évoluaient vers l'indépendance. Mais en avait-elle les moyens ?

Le deuxième traité de Guérande, en 1381, a mis fin à la guerre de succession. Les Montfort l'ont emporté et, avec eux, l'autonomie. Les ducs, qu'ils soient anglophiles comme Jean V ou francophiles comme François Ier et Arthur III (le connétable de Richemont), veillent à maintenir leur État en dehors du conflit franco-anglais, du moins jusqu'aux trêves de Tours. Ensuite, les Bretons ont pris une part active à la reconquête de la Normandie et de la Guyenne. Cette longue neutralité bretonne resta cependant bienveillante pour la France. Elle assura une belle prospérité au duché, point de rencontre des commerçants de tous les pays en guerre.

Cette volonté d'autonomie se manifeste davantage encore dans la politique intérieure, puisque les ducs ont développé tous les rouages administratifs caractéristiques de l'État moderne, allant, en 1485, jusqu'à créer un Parlement. La législation ducale s'impose à tous à l'exclusion de toute autre. Un système fiscal combinant le fouage à la française et le monopole douanier à l'anglaise produit des revenus réguliers et le duc François Ier organise des compagnies d'ordonnances sur le modèle de celles de Charles VII ; un parc d'artillerie enfin est mis sur pied.

Le duc s'appuie sur un sentiment national solide, qui se manifeste avec éclat en 1378, lorsque Charles V commet l'imprudence de vouloir annexer le duché : toutes les factions bretonnes réconciliées s'y opposent. Ce sentiment national ne peut guère se fonder sur l'unité linguistique ; en revanche, certaines traditions religieuses propres à la Bretagne le servent. Enfin, comme en Bourgogne, comme dans la Provence du roi René, des traditions historiques (dont témoigne l'œuvre d'Alain Bouchard par exemple) rappellent l'ancienneté de la nation, sa grandeur et son indépendance passée : au Parlement de Paris, l'avocat d'un seigneur breton évoque ainsi le roi Salomon de Bretagne qui se joignit à l'armée de Charlemagne « comme voisin » et non comme sujet.

L'âme est forte, mais le corps est faible. Les 500 000 livres de recettes de François II — un peu plus du dixième de celles du roi de France — ne permettent pas d'équiper une armée importante. Le pays n'est pas riche et sa nombreuse noblesse (c'est la région de France où le pourcentage de nobles est le plus fort, environ 3%) va souvent chercher en France, dans le service du roi, des revenus complémentaires. Sous François II, deux partis s'affrontent, dont l'un, essentiellement nobiliaire, souhaite de bonnes relations avec la France, et l'autre, plus « indépendantiste », s'appuie sur le réseau des villes bretonnes, petites mais nombreuses. Au pouvoir de 1466 à 1485 avec comme figure de proue le trésorier Pierre Landais, ce parti imprime à la politique bretonne une tournure antifrançaise, certes prudente, mais que l'attitude interventionniste de Louis XI, dans les affaires religieuses notamment, ne fait que renforcer. Ces luttes dégénèrent en une crise politique que la question de la succession de François II transforme en crise internationale.

La première phase est purement bretonne : le parti nobiliaire se débarrasse de Landais qui est pendu le 19 juillet 1485. Mais ceux qui le remplacent (on y retrouve le Gascon Odet d'Aydie), quoique nobles, continuent sa politique. Aussi, à l'appel d'une autre fraction de la noblesse, une forte armée française pénètre en Bretagne en 1487 et entreprend sa conquête systématique. Elle inflige, le 28 juillet 1488 à Saint-

Aubin-du-Cormier, une défaite sans appel à l'armée bretonne. La tentation fut grande, au Conseil royal, d'en finir. Mais le chancelier Guillaume de Rochefort, un Franc-Comtois, se dressa et mit sa démission dans la balance : il convainquit le roi de ne pas renouveler l'erreur commise par Louis XI envers Marie de Bourgogne et de respecter le droit. On traita donc avec le vieux duc François II : le traité du Verger ne laissait que quelques villes sous contrôle français, mais, c'est l'essentiel, il imposait au duc de ne pas marier ses deux filles, ses héritières, sans le consentement du roi.

Les États de Bretagne avaient reconnu comme héritière du duché la fille aînée de François II, Anne. Or le duc meurt peu après la signature du traité. Anne est reconnue mais ne peut remplir les engagements contractés par son père et les troupes françaises battent à nouveau la campagne.

Le conflit alors s'internationalise. En 1489, une coalition antifrançaise regroupant l'Empire, l'Espagne et l'Angleterre se forme et envoie des troupes en Bretagne pour secourir Anne. Au début de 1491, cette dernière prend la décision d'épouser Maximilien. En France, c'est l'union sacrée : Charles VIII fait libérer Louis d'Orléans (capturé à Saint-Aubin). En quelques mois, toute la Bretagne est conquise. Reste Rennes, où la jeune duchesse se trouve, assiégée. La reddition intervient le 14 novembre 1491. De toutes parts on presse Anne d'épouser le roi. Charles VIII, engagé auprès de Marguerite d'Autriche, est réticent. Il laisse Anne libre de son choix. Jamais il n'y eut de mariage aussi « raisonnable », en ce sens que jamais la raison d'État n'imposa sa rigueur à ce point.

La Bretagne y gagne la paix et la reprise du commerce. Elle n'a pas encore perdu l'apparence de son indépendance. Le 8 avril 1498, Charles VIII meurt, sans enfant. Son cousin Louis d'Orléans monte sur le trône, divorce et épouse Anne, le 7 janvier 1499. Il laisse sa femme, qui devient la duchesse aux sabots de la légende, gouverner le duché. Ils n'ont que deux filles. Malgré l'opposition formelle d'Anne, il marie Claude de France à son héritier, son cousin François d'Angoulême. En 1532, celui-ci obtient de sa femme l'édit d'union qui rattache le duché au royaume. Irrévocablement. Trois mariages de raison ont arrimé sans trop de dégâts la « petite Angleterre » au royaume.

La fin des apanages?

L'apanage est-il un archaïsme? Entre-t-on définitivement dans l'ère moderne quand il n'y a plus d'apanage? Louis XI avait un frère, Charles, manipulé par les princes coalisés de la ligue du Bien public et des complots ultérieurs; et pendant dix ans la question de l'apanage de «Monsieur Frère» fut agitée. Il eut d'abord le Berry, ce qui était traditionnel, pas dangereux, mais pas très reluisant. Il voulut davantage et ses protecteurs aussi. La ligue du Bien public obligea le roi à lui céder la Normandie; il la lui reprit. A Péronne, Louis XI dut promettre la Champagne et la Brie. Sitôt libre de ses mouvements, le roi convainquit son frère d'y renoncer et d'accepter en échange la Guyenne (en 1469).

On croit rêver! Seize ans après la conquête de ce fief, anglais durant trois siècles, le roi de France estimait donc que sa cession en apanage à un prince médiocre, mais remuant ou remué par d'autres, ce qui est pire, n'était pas dangereuse. Pour l'heure la Guyenne présentait l'avantage d'être éloignée des principautés ennemies, Bourgogne et Bretagne. Louis XI innove et prend un risque, c'est certain. Mais il ne se trompe pas. Charles mena encore quelques intrigues, mais, en gros, content de son sort, il se tint tranquille. Lorsqu'il mourut, la Guyenne revint dans le domaine sans qu'on s'en aperçût; n'était-ce pas le même homme, le fameux Odet d'Aydie, mentor de Charles de France, maintenant rallié au roi à prix d'or, qui gardait la haute main sur la contrée, comme sénéchal de Guyenne et des Lannes (Landes), amiral de Guyenne et autres titres?

On ne créera plus d'apanage, mais il en reste un gros, le complexe Bourbonnais, Auvergne, Forez, Beaujolais. A la fin du règne de Louis XI, le duc Jean, assagi, est fidèle; son frère, Pierre, sire de Beaujeu, a épousé Anne, la fille du roi. Louis XI mort, les Beaujeu dirigent le pays, au nom du jeune Charles VIII. Fidèle à l'idée monarchique de son père, «Madame la Grant», comme on l'appelle, se bat contre les princes. Puis Charles VIII atteignant ses vingt ans, les Beaujeu cèdent la place et vont prendre possession de l'apanage bourbonnais, le duc Charles étant mort sans enfant. Pourrait-il y avoir là le moindre danger?

Pas le moindre non plus avec l'apanage d'Orléans, même au temps de la guerre folle (c'est en Bretagne qu'allaient les princes rebelles, pas dans leurs apanages, trop dangereux!), ni avec celui d'Angoulême. Les apanages n'allaient-ils pas s'éteindre les uns après les autres? Il suffisait d'attendre. Louis d'Orléans devenant roi, l'apanage d'Orléans devait revenir tout naturellement au domaine. S'il n'en fut pas ainsi, ce fut par la volonté du roi. Quant à l'apanage bourbonnais, la volonté de François Ier de régler à son profit de délicats problèmes de succession précipita le duc Charles III, le connétable de Bourbon, dans la trahison, laquelle accéléra la solution du problème.

3. Les «petites France d'empire»

Les limites d'alors laissaient hors du royaume des territoires et principautés qui font aujourd'hui partie de notre pays. Il serait injuste d'ignorer ces «futures France» dont les principales appartiennent à l'Empire, les autres se situant sur la limite des Pyrénées.

De la seigneurie à l'État.

Ce titre, utilisé par André Leguai pour décrire l'évolution de la principauté bourbonnaise, convient parfaitement à l'histoire de ces territoires.

Suivons d'abord la frontière du Nord et de l'Est, en commençant par la Flandre, qui, pour être du royaume, lui est plus étrangère que les principautés d'empire qui suivent. Le Valenciennois appartient au comté de Hainaut, intégré aux Pays-Bas bourguignons, tout comme la principauté ecclésiastique de Cambrai (Pierre d'Ailly en fut archevêque). Plus à l'est, Mouzon, ville impériale, est le lieu de rencontre traditionnel entre souverains ou agents du royaume et de l'Empire.

Puis vient la Lorraine, dont la Meuse marque la limite officielle avec la France depuis 1299; dans l'Ouest, le duc de Lorraine doit compter avec de puissantes seigneuries laïques comme le comté de Bar, et ecclésiastiques, comme les Trois Évêchés, Metz, Verdun et Toul. L'Alsace, dans ses limites géographiques actuelles, est une mosaïque de seigneuries et de villes autonomes : possessions des Habsbourg en Haute-Alsace, seigneurie épiscopale de Strasbourg en Basse-Alsace, la ville libre de Strasbourg et les villes impériales groupées en 1359 dans une ligue ou décapole. L'Alsace est riche d'une production de vin supérieure à ce qu'elle est de nos jours et de l'activité de ses routes et de sa batellerie rhénane ; à Strasbourg, le pont construit sur le Rhin à la fin du XIVe siècle est le dernier avant la mer du Nord.

La comté de Bourgogne, de la Saône au monts du Jura, est intégrée à l'ensemble bourguignon. Annexée par Louis XI, elle dut être rendue à Maximilien d'Autriche en 1493.

La Bresse fait partie de la principauté savoyarde, que le roi des Romains, le futur empereur Sigismond, a érigée en duché en 1416. Le traité de Paris de 1355 avait défini ses relations avec le Dauphiné : la Savoie cède le Viennois au Dauphiné en échange du Faucigny, du pays de Gex et du Bugey, ainsi que de l'hommage du comté de Genève (l'acquisition complète, à l'exception de la ville de Genève, intervient en 1401). En 1388, Jean de Grimaldi, baron de Beuil, a légué son comté de Nice (qui s'étend jusqu'à la haute Durance) au duc de Savoie. Enfin, en 1401, le Piémont, puis le marquisat de Saluces sont définitivement acquis à l'État le plus puissant des Alpes qui, du Mont-Cenis au Simplon, contrôle les principales routes alpestres vers l'Italie, l'Allemagne du Sud, les foires de Genève puis de Lyon.

Par l'acte du 30 mars 1349, le dauphin Humbert cédait à Charles, petit-fils du roi Philippe VI, une principauté en forme de triangle s'étendant du Rhône au Briançonnais et au Queyras. Il n'y avait pas annexion, mais union de deux souverainetés, le Dauphiné restant à l'Empire. Pour que « le Dauphiné ne éloigne la couronne », il était convenu que le titre de dauphin serait porté par l'héritier du trône de France. Hormis Louis XI, contraint par son père d'y résider de 1447 à 1456, aucun dauphin n'a gouverné directement le pays ; des gouverneurs les représentent, qui, à deux exceptions près, ne sont pas dauphinois. Après le Viennois acquis en 1355, le Dauphiné s'accrut du Valentinois, non sans difficultés d'ailleurs, puisque l'opération, amorcée en 1404, n'est définitivement réglée qu'en 1466. Entre-temps les troupes de Charles VII, commandées par Villandrando, ont réagi victorieusement (bataille d'Anthon, 11 juin 1430) à la tentative de dépècement organisée, sous l'égide bourguignonne, par la Savoie et Louis de Chalon, prince d'Orange.

La petite principauté d'Orange est passée, par le mariage de Marie des Baux en 1393, à la famille comtoise des Chalon. A l'issue d'un conflit avec Louis XI, Guillaume de Chalon dut céder la souveraineté sur Orange au roi de France, le 10 juin 1475. Mais Charles VIII la restitua à Jean de Chalon, fidèle serviteur d'Anne de Bretagne, le 20 août 1498. Passé dans le camp de Charles Quint, Philibert de Chalon dirigea le sac de Rome ; enfin, en 1530, Orange passe aux Nassau.

Reste la Provence, terre d'empire elle aussi, dont on a vu l'annexion au royaume dans le chapitre précédent.

Sur la « barrière » des Pyrénées, des principautés ont conservé leur autonomie. Le Roussillon, s'il fait partie du principat catalan (le comté de Barcelone), l'une des quatre composantes de la couronne d'Aragon, bénéficie de larges franchises par le biais de la députation du Roussillon. Plus à l'ouest, la vicomté de Béarn, qui connut son apogée avec Gaston Fébus dans la deuxième moitié du XIVe siècle, affirme depuis une indépendance chatouilleuse qui ne prendra fin qu'au XVIIe siècle. Le petit royaume de Navarre, essentiellement espagnol, possède quelques territoires sur le versant français, autour de Saint-Jean-Pied-de Port ; aux mains de la dynastie française des Évreux-Navarre, le royaume subit fortement l'attraction de l'Aragon après la mort de la reine Blanche en 1441. Louis XI réussit cependant à le maintenir dans l'orbite française en y installant la maison de Foix.

L'influence française.

Plus ou moins sensible dans le temps, elle constitue, presque partout, le fait dominant.

Elle est peu marquée en Alsace, que ses intérêts économiques tournent vers l'Allemagne, par le Rhin et les foires de Francfort. La sensibilité au millénarisme eschatologique et révolutionnaire propre à l'espace germanique se manifeste en 1457, lorsque des enfants du pays et d'Allemagne partent en pèlerinage au Mont-Saint-Michel ; ou lorsque, vers 1450, se forment des ligues paysannes à l'emblème du soulier à lacet (le *Bundschuh*) qui anticipent sur la guerre des paysans du XVIe siècle. La révolte contre Charles le Téméraire et son représentant dans le pays, Hagenbach, résulte d'une conjoncture régionale plutôt que des manigances de Louis XI, même si le roi a facilité l'alliance avec les cantons suisses.

L'expansion française en direction de la Lorraine est une donnée ancienne. Au-delà de la Meuse, l'influence du royaume marque fortement le pays de Toul, le Verdunois, le Barrois. Il y eut une éclipse pendant la guerre de Cent Ans, mise à profit par les empereurs pour rétablir leur autorité ; les séjours de Charles IV à Metz en témoignent. Avec les Angevins, l'influence française reprend. Louis II d'Anjou avait épousé Yolande d'Aragon, fille de Yolande de Bar. Celle-ci et son frère le cardinal Louis de Bar règlent, en 1419, la succession du comté de Bar : il reviendra à René, fils cadet de Yolande d'Aragon, petit-fils de Yolande de Bar. En 1420, René épouse la fille et héritière du duc Charles II de Lorraine, Isabelle. Louis de Bar meurt en 1430, Charles II de Lorraine en 1431 (25 janvier). René devient donc le maître et l'unificateur du duché.

Mais il se heurte aux prétentions d'un neveu de Charles II, le comte de Vaudémont, soutenu par le duc de Bourgogne. René est battu et fait prisonnier à Bulgnéville le 30 juin 1431. Toutefois, le 24 avril 1434, l'empereur Sigismond confirmait la possession de la Lorraine à René. L'influence française se manifeste donc de la pire des façons : par l'implication du duché dans le conflit franco-bourguignon (René, après avoir été quasiment neutre de 1420 à 1429, avait finalement choisi Charles VII). Lorsqu'il est libéré, René est devenu duc d'Anjou, comte de Provence et héritier de Naples. Il rétablit son autorité en Lorraine grâce à l'aide de Charles VII en 1444-1445 (soumission de Metz) et surtout en faisant la paix avec les Vaudémont : Ferry de Vaudémont épouse la fille de René, Yolande. Tranquille, il peut se retirer en Provence.

Louis XI ne pouvait tolérer l'installation de Charles le

Téméraire à Nancy (indépendamment même de la question du royaume bourguignon). Sans intervenir militairement, il soutint bien évidemment René II, le petit-fils du roi René, duc de Lorraine depuis 1473. Ce qui n'empêcha pas le roi et le duc de s'affronter sur la succession de Provence, René II pouvant opposer des droits non négligeables aux testaments trop complaisants (envers Louis XI) du roi René et de Charles du Maine.

La situation de la Savoie n'est guère différente. Durant toute la première phase de la guerre de Cent Ans, les comtes se tinrent aux côtés du roi de France ; le « Comte vert », Amédée VI, mourut de la peste en 1383 alors qu'il participait à l'expédition de Louis d'Anjou à Naples. Amédée VIII, ce duc remarquable qui se retira en 1422 dans l'ermitage de Ripaille, d'où le concile de Bâle le tira pour en faire l'antipape Félix V, fut l'artisan inlassable de la réconciliation franco-bourguignonne. La période la plus tendue dans les relations franco-savoyardes correspond paradoxalement au moment où la sœur de Louis XI, Yolande, qui a épousé Amédée IX, dirige en fait le duché. Soumise aux pressions contradictoires du roi de France, qui a toujours considéré la Savoie comme la porte d'entrée idéale pour l'Italie, et de Charles le Téméraire, qui, par la Comté, est un voisin, « Madame la Bourguignon », comme l'appelle son frère, doit faire face en outre à l'insubordination de la noblesse menée par Philippe de Bresse. La mort du Téméraire, suivie de celle de Yolande en 1478, ramène la Savoie dans l'orbite française ; au prix, d'abord, d'un relâchement des liens avec le Piémont, qui évolue de façon quasi autonome ; au prix, ensuite, d'un affaiblissement dans l'ensemble du duché : Philippe de Bresse, devenu duc en 1496, installe sa capitale à Turin.

De l'influence à la mainmise brutale, il n'y a qu'un pas, que Louis XI n'hésita pas à franchir dans le cas de la Comté et surtout du Roussillon.

Louis XI pensait-il annexer la Catalogne lorsqu'il intervint, en 1462, dans le conflit qui opposait Jean II d'Aragon à Barcelone et au principat catalan ? Au début, il soutient les Catalans, mais Barcelone refusant sa « protection », il monnaie une alliance avec Jean II d'Aragon qui, en attendant de lui payer la somme due, lui laisse la jouissance du

Roussillon et de la Cerdagne. La population résiste, obligeant Louis XI à conquérir son gage (Perpignan ne se rend que le 9 janvier 1463). Le roi de France pousse le cynisme, lorsque la Catalogne décide de déchoir Jean II, jusqu'à déclarer le Roussillon sans seigneur et, en conséquence, de l'unir à la couronne de France par droit de conquête!

La soumission des Roussillonnais n'est qu'apparente, même celle des familles de l'aristocratie locale qui ont accepté de servir le roi de France (la famille d'Oms par exemple). Fidèles à Jean II, les Roussillonnais se soulèvent dès qu'il a rétabli sa situation en Catalogne. Le 1er février 1473, Jean II entre à Perpignan. Une première reconquête française aboutit au traité de Perpignan du 17 septembre 1473, mais il n'est pas appliqué; il faut une nouvelle offensive pour que Perpignan se rende, en mars 1475.

On ne peut préjuger de l'attitude de Louis XI quant au devenir de cette conquête. Il était désireux de renouer avec les souverains espagnols Isabelle et Ferdinand et cela ne pouvait passer que par la restitution du Roussillon. La question resta donc en suspens. Mais, après le mariage de Charles VIII et d'Anne de Bretagne, Ferdinand d'Aragon, qui avait rejoint la coalition antifrançaise, était bien décidé à reprendre son bien par la force. Dans ces conditions, Charles VIII signa, le 19 janvier 1493, le traité de Barcelone qui rendait Cerdagne et Roussillon à l'Aragon.

Restait le Dauphiné. Le statut du 14 mars 1349 lui garantissait ses libertés traditionnelles, le droit de guerre privée pour les nobles par exemple, et ses institutions. Les États du Dauphiné — clercs, nobles, représentants élus des communautés — supervisaient la répartition et la levée de la taille. Cela ne gêna pas la mise en place d'institutions de type français (comme dans les autres principautés d'ailleurs) : un conseil, une chambre des comptes, des trésoriers.

La présence effective du dauphin pendant dix ans (janvier 1447-août 1456) modifia sensiblement la situation. Déjà l'intégration monétaire du Dauphiné au royaume avait été réalisée à la fin du XIVe siècle : abandon de la monnaie de compte dauphinoise, le florin de compte; abandon de l'unité de poids des métaux précieux, le marc de Grenoble; frappe dans les ateliers monétaires du pays des monnaies du royaume. Il est certain que la large « façade rhodanienne » du Dauphiné orientait son économie vers le royaume : on trouvait en abondance des draps de France et de Languedoc jusqu'aux foires de Briançon. La langue française pénètre largement le pays (on note un fait semblable en Savoie), le franco-provençal se maintenant toutefois en Briançonnais.

Avec le dauphin Louis l'intégration est poussée plus loin : interdiction des guerres privées pour les nobles ; remodelage des institutions, en particulier des bailliages et sénéchaussées ; recrutement d'officiers formés au droit à Lyon et à Valence ; création de compagnies d'ordonnance. Le Dauphiné, Grenoble notamment, est la plaque tournante des opérations militaires des guerres d'Italie. Bref, le Dauphiné perd son autonomie et son originalité. L'installation d'un Parlement à Grenoble marque son intégration complète au royaume.

Juifs et hérétiques aux lisières du royaume.

Quelques traits originaux se sont maintenus, quelque temps, notamment dans le domaine religieux. Je ne reviens pas sur le millénarisme alsacien et me limite à deux aspects : la place des Juifs et l'hérésie.

Les Juifs expulsés en 1306 trouvèrent refuge dans nos « petites France », du Hainaut à la Provence. Refuges précaires ! Ils furent persécutés au moment de la peste noire en Dauphiné, Savoie et Comté, avant celle-ci même à Orange (en 1345, pour des raisons inconnues) et en Alsace, où seigneurs et villes décidèrent leur extermination. La cession du Dauphiné à la France ne changea pas formellement leur situation : des communautés purent se maintenir au XVe siècle, mais leur nombre diminua. De même ont-ils pratiquement disparu de Lorraine vers 1400. En Alsace, quelques villes les accueillent et les protègent, comme Haguenau, mais Strasbourg les a expulsés en 1388.

En revanche, la Savoie les protège. Nombreux, comme partout, à se livrer aux activités de prêt d'argent, ils obtiennent le droit d'être appelés « argentiers » et non plus « usuriers ». A Orange, ils ont été rétablis dans leurs droits dès 1349 et un statut libéral leur a été accordé en 1353 ; il y a une juiverie dans la ville, mais ils ne sont pas contraints d'y habiter.

Enfin ils sont nombreux en Provence, à Marseille et à Avignon, où ils sont sous la protection du pape.

Mais après 1450, partout l'intolérance gagne. Ce sont des persécutions nouvelles, en Savoie en 1456, en Avignon en 1471 ; c'est l'application rigoureuse des prescriptions religieuses d'isolement et de réclusion (ghetto, interdiction des contacts avec les chrétiens) en Provence. Pourtant, en 1492 encore, la situation des Juifs dans le Midi semblait suffisamment sûre pour que ceux expulsés d'Espagne se rendent à Marseille, alors que des marranes (Juifs convertis) se réfugiaient en Languedoc.

La pression du royaume de France, mais aussi les demandes de plus en plus insistantes des conseils urbains amenèrent finalement l'expulsion des Juifs de Provence en 1501 et de la principauté d'Orange en 1505.

Dauphiné et Provence connurent par ailleurs des mouvements hérétiques assez importants. Les hautes vallées du Briançonnais furent un foyer important de sorcellerie ; la répression, menée par les autorités judiciaires royales, aboutit à la condamnation, entre 1428 et 1447, de 110 sorciers et 57 sorcières. Mais, de longue date, ces vallées abritaient des « vaudois » ; après de vaines tentatives de conversion par la prédication (Vincent Ferrier se rendit à Vallouise en 1403), une bulle de croisade fut lancée contre eux en 1487. Ce fut un échec : en février 1509, une sentence judiciaire réhabilita les victimes.

Dans les années 1450-1460, des vaudois du Dauphiné avaient rejoint des vaudois piémontais en Provence. Bien accueillis dans une région qui avait besoin de forces neuves, ils s'établirent sur le versant méridional du Lubéron ; ils vivaient leur foi dans le secret, sans provocation ni prosélytisme. La tolérance, là comme ailleurs, n'eut qu'un temps : on commença à les inquiéter vers 1520.

Originale aussi, mais en Béarn cette fois, la « crestianitat », cet ensemble de communautés de lépreux ou « cagots », que l'on trouve dans 137 villages, vivant non pas isolée (cela ne viendra qu'au XVIe siècle), mais en marge du village ; séparée mais non rejetée.

4. Le mirage italien

Je n'ai pas l'intention de m'aventurer dans le hasardeux chapitre des guerres d'Italie. Je voudrais simplement rappeler que l'engagement français en Italie remonte loin dans le temps : au règne de Saint Louis et à l'aventure napolitaine de la première maison d'Anjou; aux années du grand schisme, pour m'en tenir à la période traitée dans ce volume.

Naples et les ambitions angevines.

Le 17 avril 1379, Clément VII fait des États pontificaux (de Ravenne à Spolète, de Todi à Ancône), à l'exception du Latium, un royaume d'Adria qu'il donne à Louis, duc d'Anjou, frère de Charles V. Dans le droit-fil d'une tradition qui remonte au temps de la lutte contre les Hohenstauffen, le pape cherche à créer en Italie du Nord une « seigneurie » alliée, complémentaire du royaume de Naples au sud de Rome. Clément VII ayant été chassé de Rome en ce même mois d'avril, ce beau projet est abandonné. Plus tard, en 1392-1393, lorsque Jean Galéas Visconti, seigneur de Milan, imagine de le ressusciter au profit de son gendre Louis d'Orléans, Clément VII ne se souvient plus d'y avoir jamais pensé.

Un autre projet, plus consistant, a vu le jour. Le 29 juin 1380, Clément VII obtient de la reine de Naples Jeanne Ire qu'elle adopte, faute d'héritier, Louis d'Anjou comme successeur. Clément VII pense obtenir ainsi l'assurance d'une aide sérieuse pour se réinstaller à Rome. Certes les autres branches angevines, celle de Hongrie et celle de Durazzo, réagissent. Charles III de Duras s'empare du trône de Naples et fait périr Jeanne Ire (en 1382). Louis d'Anjou, chargé du gouvernement de la France, n'a pu intervenir qu'en 1382. Malgré de puissants moyens, il s'enlise et ne parvient pas à prendre Naples; et il meurt le 20 septembre 1384.

La maison d'Anjou a maintenant des droits, qu'elle estime

solides, sur Naples. Louis II est couronné roi en Avignon le 21 mai 1385 et il reprend le flambeau. Il profite des divergences dans la branche de Duras et des conflits de celle-ci avec la papauté romaine pour s'emparer de Naples en 1390; il tient la ville jusqu'en 1399, mais, faute d'argent, faute de soutien à la cour de France, il doit abandonner. De Paris, où il est un membre assidu du conseil du roi, ou d'Angers, il garde un œil sur Naples, prompt à saisir les occasions, comme en 1410-1411, où il intervient à Rome en faveur du pape au concile de Pise et envahit, sans succès durable, son royaume. A sa mort, en 1417, ses fils, Louis puis René, poursuivent ses objectifs.

Par un étrange bégaiement de l'Histoire, la fille de Charles de Duras, devenue la reine Jeanne II après le règne de son frère Ladislas, lègue en 1423 le royaume de Naples à Louis III d'Anjou. Il est vrai qu'auparavant elle l'avait légué au roi d'Aragon, Alphonse le Magnanime, mais elle s'était ravisée. Alphonse ne se ravisa pas; comme les Aragonais étaient déjà installés en Sicile, les princes angevins, Louis III, puis son frère René, eurent affaire à forte partie et échouèrent : en 1443, Alphonse le Magnanime unissait pour longtemps Naples et la Sicile. Les droits des Angevins subsistaient et Charles VIII sut s'en souvenir.

Il faut bien le dire, ni Louis II, ni René ne trouvèrent d'appuis sérieux en France. Avant même que la guerre ne détourne les Français de l'Italie, d'autres secteurs avaient attiré d'autres princes.

Milan, Florence et Gênes.

En épousant en septembre 1389 Valentine, fille du seigneur de Milan Jean Galéas Visconti, Louis d'Orléans reçoit en dot Asti; l'alliance milanaise devient une donnée fondamentale de la diplomatie française. Il est une autre alliance possible, antagoniste de la précédente, l'alliance avec Florence la guelfe, qui a la préférence de la papauté, toujours soucieuse de s'appuyer sur un État solide en Italie du Nord (les projets de royaume d'Adria se situent dans la même logique). A plusieurs reprises au XIVe siècle, la papauté a sollicité et obtenu l'aide du roi de France pour lutter contre ses adversaires en

Italie du Nord. En outre, en 1334, le roi de France a obtenu des droits sur la ville toscane de Lucques; ils ne sont pas oubliés.

Par conséquent, à la fin du siècle, de même qu'il y a un «lobby» milanais autour des Orléans, il y a un «lobby» florentin mené par le duc de Berry mais aussi les comtes d'Armagnac. En 1390-1391, lorsque Milan et Florence s'affrontent, la première est soutenue par les marmousets alors que la seconde obtient le secours de Jean III d'Armagnac (qui y trouve la mort).

Milan cherche un accès à la côte tyrrhénienne. Il se trouve qu'à Gênes les désordres provoqués par les factions sont tels qu'en 1393 l'on fait appel à un arbitre extérieur. On pense à Louis d'Orléans, ce qui remplit d'aise Jean Galéas Visconti, mais plonge Florence dans l'angoisse (elle utilise le port génois pour son commerce). Or, en France, ni Berry ni Bourgogne ne souhaitent favoriser leur neveu; ils négocient directement avec certaines factions génoises et obtiennent, à la fin de 1396, que la souveraineté sur Gênes et la Ligurie soit confiée au roi de France. Les relations avec Milan connaissent un coup de froid, mais l'alliance avec Florence est renforcée. Las! Maladroitement la cour de France ressort ses revendications sur Lucques. Florence, qui, en Toscane, doit déjà compter avec l'hostilité de Sienne et la présence d'un Visconti à Pise, ne peut accepter le roi de France à Lucques. Elle fait la paix avec Jean Galéas.

A Gênes, le roi a fini par nommer le maréchal Boucicaut comme gouverneur. Or celui-ci mène, de 1401 à 1409, une politique assez personnelle. Boucicaut, on le sait, est un croisé permanent; il se sert de Gênes pour lancer quelques expéditions en Égée et en Méditerranée orientale contre les Turcs, mais il entre en différent avec Venise, à un moment où le conflit séculaire entre la «Sérénissime» et la «Superbe» s'apaise; les initiatives de Boucicaut irritent donc les Génois. Autre chose : Florence cherche un port qui lui permette de s'affranchir de Gênes; elle jette son dévolu sur Pise, alors aux mains d'un Visconti; en août 1405, Boucicaut lui livre Pise. C'est un tollé d'indignation, à Pise bien sûr, mais aussi chez les Génois, qui voient le commerce florentin leur échapper, et enfin à Milan. De plus cet accord ajoute un élément de discorde supplémentaire dans les querelles franco-françaises. Le fiasco est total et en 1409 les Génois chassent les Français. Jean sans Peur, au pouvoir à Paris, rappelle Boucicaut. Durant les trente années qui suivent, la France n'intervient plus en Italie.

La diplomatie française et l'Italie dans la seconde moitié du XVe siècle.

Lorsque, vers 1445, la France reprend place dans le concert italien, les objectifs n'ont pas fondamentalement changé. René d'Anjou aspire toujours au trône de Naples malgré son échec de 1443. Charles d'Orléans rétablit son autorité sur Asti et affirme des droits sur Milan en arguant du testament de Jean Galéas Visconti qui léguait Milan à Louis d'Orléans et à ses héritiers si ses propres fils, Giovanni Maria et Filippo Maria, mouraient sans enfant, ce qui était advenu. Charles VII lui-même n'oublie ni Lucques, ni Gênes, mais la tentative faite en 1446-1447 sur le port ligure échoue.

Une stabilité relative règne en Italie. Cinq « seigneuries », inégalement cohérentes, dominent : Milan, Venise, désormais installée sur la terre ferme, Florence, l'État pontifical et Naples. Mais il faut compter aussi avec Gênes, Sienne, Urbino, Rimini, etc. Le fait nouveau est constitué par l'alliance durable entre Florence et Milan (passée sous la direction des Sforza). A l'avant-garde de la diplomatie, les seigneuries italiennes, Milan la première, envoient des ambassadeurs permanents auprès des différents États, pratique que la France n'imitera guère avant 1500.

C'est à la fin du règne de Charles VII et au tout début de celui de Louis XI que le royaume intervient à nouveau activement dans la péninsule, sur les terrains habituels. Le roi René a laissé à son fils, Jean de Calabre, le soin des affaires italiennes. Charles VII le charge d'abord de rétablir l'autorité du roi de France sur Gênes, ce qui est fait en 1458 ; de là, agissant pour son compte, il se lance à la conquête de Naples (octobre 1459). Mais après quelques succès initiaux, il est vaincu par le roi Ferdinand Ier, un fils bâtard d'Alphonse le Magnanime (août 1462) ; il tient encore deux ans à Ischia, mais il doit finalement renoncer. Entre-temps Gênes a chassé les Français, qui ne tiennent plus en Ligurie que Savone. Lorsque Louis XI reçoit, à la fin de 1461, les ambassadeurs de Florence, il leur indique qu'il poursuit les mêmes objectifs que son père ; il ajoute son intention de maintenir son soutien à l'alliance milano-florentine et s'engage à défendre François Sforza, duc de Milan, contre ses adversaires (ce qui signifie qu'il est prêt à contrer, s'il le faut, les prétentions du vieux Charles d'Orléans sur Milan).

Mais l'échec de Jean de Calabre à Naples conduit Louis XI à se désengager d'Italie. A la fin de 1463, il remet au duc de Milan les droits de la France sur Gênes ; il semble tirer un trait sur Naples (au même moment il est engagé dans des manœuvres compliquées avec le roi d'Aragon et ses adversaires catalans). Il privilégie l'action diplomatique et s'appuie sur l'alliance milano-florentine. Les ouvertures de Charles le Téméraire envers Milan perturbent quelque temps ce schéma.

La succession du roi René ramène à Naples : dans leur testament, René et son frère Charles du Maine font de Louis XI l'héritier des domaines angevins : Anjou, Provence et Naples. Tel est le fondement des droits de la couronne de France sur le royaume péninsulaire.

Le contexte visionnaire de l'entreprise de Charles VIII.

Plusieurs fois le jeune Charles VIII fit examiner les testaments de René et Charles du Maine pour être bien sûr de ses droits sur Naples. Mais cela n'aurait peut-être pas suffi à l'entraîner dans une telle aventure s'il n'y avait pas eu tout un contexte prophétique et visionnaire qui l'y poussait également.

Charles VIII accède au trône dans un moment d'intense exaltation religieuse provoquée par l'attente du « millenium » annoncé comme tout proche par des prophètes et astrologues. Ceux-ci attribuent au jeune roi un rôle majeur, puisque, tel un nouveau Charlemagne (la prophétie millénariste française la plus populaire est celle du Karolus), il vaincra les méchants, ceindra en Italie la deuxième couronne, délivrera Jérusalem et régnera sur le monde, ouvrant l'ère de paix de mille ans qui doit précéder le Jugement dernier.

Ces croyances sont largement répandues. Charles VIII les a lues et elles se retrouvent, sous d'autres formes, dans les livres d'histoire, comme dans les représentations données à l'occasion des entrées royales. Le texte des *Visions* de Jean Michel (un homonyme du Michel angevin auteur du *Mystère de la Passion*), qui reprend ces thèmes de façon un peu différente dans la mesure où il s'inspire de l'Ancien Testament (Isaïe) plutôt que de l'Apocalypse de saint Jean, fit l'objet de quatre éditions imprimées en 1494-1495, à Paris, Lyon et Florence, soit pendant et sur le parcours de l'expédition de Charles VIII. « La foi religieuse restait encore en cette fin du XVe siècle l'un des "media" les plus efficaces de l'action politique » (C. Beaune). En 1494, Charles VIII entreprend donc une croisade, du moins sa première étape, l'Italie du Sud étant depuis longtemps porteuse des traditions du « saint voyage » (les Angevins de Naples avaient le titre de roi de Jérusalem).

Charles VIII est « attendu » (au sens messianique) en Italie même. Savonarole à Florence appelle de ses vœux l'intervention du roi de France. Auprès de celui-ci, le vieil ermite François de Paule, que Louis XI a fait venir de Calabre, tient des propos semblables. A la cour, des exilés napolitains pressent le roi de venir délivrer leur patrie. Certains textes émanés des communautés juives du royaume de Naples (nous sommes dans une période tragique de l'histoire des communautés juives européennes) font du roi de France le précurseur du Messie (C. Beaune a remarqué que les *Visions* de Jean Michel, ainsi que quelques autres textes prophétiques de ces années, n'étaient pas antisémites comme le sont traditionnellement les textes messianiques français).

L'expédition, sans être une promenade militaire, se déroula sans encombre; après la prise d'assaut du Monte San Giovanni, le 10 février, Charles VIII fit une entrée triomphale à Naples le 22 février 1495. Au passage il avait conforté l'alliance florentine. Mais il avait perdu celle de Milan. Il allait devoir sortir du rêve. Le 31 mars se formait la ligue de Venise, qui associait à la Sérénissime, Milan, le pape, l'Empire et les Espagne. La retraite était coupée. Laissant des troupes à Naples, Charles VIII fonça vers le nord, força le passage lors de la bataille de Fornoue le 6 juillet 1495 et délivra son cousin Louis d'Orléans qui était assiégé à Novare. Il put rétablir l'entente avec Milan par le traité de Verceil. Coup nul ?

Les « guerres d'Italie » ont commencé. Elles n'ont pas été simplement une conquête militaire ou la concrétisation de droits de succession. Croisade, chevalerie, prophétie, exaltation de la foi y ont eu leur part. Qu'il est donc difficile d'en finir avec le Moyen Age !

Conclusion

Pour en finir avec la Renaissance

« L'âpre saveur de la vie. »

Ces temps furent terribles.

L'historien montre, à juste titre, les aspects positifs de la crise, célèbre « l'invention en phase B » (P. Chaunu) ; mais il est douteux que les gens du temps aient dit : « Vive la crise ! »

Peste, famine, guerre... les trois sœurs. Il y eut sans doute de bons moments et l'on a su capter « l'âpre saveur de la vie » (J. Huizenga). Certains ont profité de la crise, ont vanté, comme le routier Mérigot Marchès, le temps de la guerre où « la vie était bonne et belle ». Anjou, Berry, Bourgogne, Orléans, oncles et frères du roi fou ont bien vécu. Pourtant, même dans ce monde des profiteurs, l'inquiétude existe. C'est Eustache Deschamps qui écrit une *Ballade contre le temps présent* :

> « Temps de douleur et de temptacion
> [...]
> Temps plains d'orreur qui tout fait faussement,
> Aages menteur, plain d'orgueil et d'envie,
> Temps sanz honeur et sanz vray jugement
> Aage en tristour qui abrege la vie. »

Charles d'Orléans lui fait écho, qui compose *En la forêt d'ennuyeuse tristesse*, *Au puits profond de ma mélancolie*. Et Villon n'est pas plus gai, une fois la paix revenue.

Que penser de ce mal de vivre ? Esthétisme de poètes peut-être ? Ceux-ci ne sont pas n'importe qui, pourtant ; ils sont « engagés ». Eustache Deschamps fut bailli royal de Senlis à la fin du XIVe siècle ; Charles d'Orléans, prince du sang, chef de parti, fut captif durant vingt-cinq ans en Angleterre ; Villon, enfin, fit des études universitaires avant de fréquenter le monde du crime, puis de disparaître en 1463.

Ne récusons pas ces témoignages. Mais il en est d'autres, comme le « se reprit à luire le soleil » de Christine de Pisan, ou les phrases de Mathieu d'Escouchy, qu'il ne faut évidemment pas prendre au pied de la lettre, mais qui sont paroles d'espoir et d'optimisme. Mettant en garde contre l'esthétisme du déclin, J. Chiffoleau refuse d'appliquer à ces deux siècles le mot de décadence car, écrit-il, « ce serait ne pas reconnaître l'extraordinaire capacité d'invention des hommes des XIVe et XVe siècles ». On comprendrait mal en effet, s'il en avait été autrement, le prodigieux retournement des années 1440-1450, la réforme, la victoire, la mobilisation d'une nation et la vivacité de la reconstruction et de la reprise.

Vraies et fausses coupures.

Cette coupure-là me semble bien plus forte que la coupure traditionnelle de 1492, ou 1494, censée mettre fin à notre Moyen Age. 1492 en Espagne : la prise de Grenade et la reconquête, l'expulsion des Juifs, le feu vert donné à Colomb, soit trois événements majeurs, liés les uns aux autres par la volonté de fer des Rois Catholiques, voilà une vraie coupure ! Mais 1494 en France, le début des guerres d'Italie certes, cela ne signifie rien ou pas grand-chose.

Les premiers, les historiens de l'économie et de la société ont ignoré cette étape; ils s'arrêtent en 1450, à la fin de la crise, ou vers 1550-1560, à la fin d'un siècle de reprise. Les historiens des sociétés politiques, des mentalités, de la religion leur ont emboîté le pas. L'histoire de la genèse de l'État moderne a fait sauter la barrière entre Moyen Age et époque moderne et la « religion flamboyante » rassemble audacieusement en une même période historique le temps du schisme et le temps des réformes. « Dans le domaine de l'impôt comme dans bien d'autres, écrit B. Chevalier, la coupure traditionnelle de la fin du XVe siècle ne sert à rien qu'à fausser toutes les perspectives. » Le même auteur affirme aussi que la période 1330-1600 est celle de la « première modernité » dans le domaine de l'urbanisme et que le système démographique médiéval prend fin vers cette même date de 1330.

En rejetant cette fausse coupure de 1494, on ne souligne que plus fortement la continuité d'une période qui s'étend du XIVe au XVIe siècle, continuité qui s'accommode de quelques repères précis, comme 1440-1445. Mais nous tombons de Charybde en Scylla !

Le piège de la modernité. Le cas Louis XI.

Renaissance contre obscurantisme médiéval ! Voilà ce qui justifiait jadis la coupure de 1494. Aujourd'hui l'on insisterait plutôt sur la persistance de l'esprit médiéval en pleine Renaissance : « Entre les opinions divergentes d'un Pline et d'un quelconque voyageur moderne, l'érudit de la Renaissance n'hésite pas : il fait confiance à l'*auctoritas* » (N. Broc). Je rappelle ici pêle-mêle que l'imprimerie fut inventée en 1450, mais qu'il fallut attendre 1564 pour qu'on abandonne Pâques comme point de départ de l'année. Quelle leçon de l'Histoire le chevaleresque François Ier a-t-il retenue, un certain jour de 1525, à Pavie ? Pas celle du duc Jean de Berry en tout cas, plus moderne que lui là-dessus. Quelle différence faire entre la conduite du connétable de Bourbon et celle d'Alençon un demi-siècle plus tôt ? Ce dernier pouvait encore faire semblant de croire qu'il n'était qu'un « rebelle et desobeïssans sujet » ; le premier ne pouvait plus ignorer qu'il était un traître ; c'est tout !

B. Geremek, analysant la réforme de la bienfaisance vers 1520, ne nie pas la « modernité » de la mesure, mais seulement si l'on restreint le « champ d'observation à la conscience sociale, et en particulier à la manière dont elle s'exprime dans les doctrines économiques et dans la pensée sociale ». Mais, ajoute-t-il aussitôt, « les changements qui se trouvent à l'origine de ce mouvement intellectuel et des réformes institutionnelles de l'assistance aux pauvres se produisent bien avant le XVIe siècle, dès la période 1320-1420 ». Cela est vrai dans tous les domaines. « La Renaissance ne succède pas à l'automne du Moyen Age, elle lui est en quelque sorte consubstantielle » (J. Chiffoleau).

Pas plus que dans le piège du déclin, il ne faut tomber dans celui de la modernité. Le cas de Louis XI me semble ici exemplaire.

Il est toujours déconcertant de constater quelle fascination exerce sur les historiens comme sur les Français républicains et démocrates (pour les autres c'est plus normal !) ce « personnage indescriptible » (P.R. Gaussin). Car enfin, ce n'est pas parce que la fée Clio les a transformés en succès que les échecs n'existent plus ! Un succès, Péronne ? Allons donc ! Et que penser des méthodes admirées sans retenue ! Louis XI serait moderne parce qu'il fait exécuter Saint-Pol et le « pauvre Jacques » (qui ne valaient pas cher, mais là n'est pas la question) à l'issue de procès iniques ? Moderne quand il affirme qu'il peut faire ce qu'il lui plaît ? Moderne lorsque, brûlant les étapes, il ordonne de rédiger sans consultation une coutume unique, ce qui n'aboutit à rien sinon à retarder de trente ans la rédaction des coutumes existantes ? Moderne lorsqu'il se perd dans ses propres manœuvres, laissant cependant béate d'admiration la France de Lavisse, qui rêve alors à Machiavel ? Moderne, la religion de Louis XI ? N'a-t-on pas confondu la fin et les moyens ?

Accroître le domaine, réduire les grands fiefs, développer l'administration royale, soumettre l'Église gallicane, tous les rois, depuis Saint Louis, l'ont fait. Charles V voulait annexer la Bretagne dès 1378 ; Charles VI pensait s'emparer de la Provence. Charles V et Charles VII ont créé le système fiscal français sur lequel Louis XI a vécu, etc. Si l'on observe avec un peu de recul la période 1270-1560, on constate une réelle cohérence : une royauté forte, malgré quelques moments de défaillance, mais une royauté qui n'ignore pas le pays, qui ne néglige pas les conseils, qui respecte certaines règles, bref, un « état de droit ». Saint Louis cédait des territoires à l'Angleterre pour la remettre dans son hommage et rétablir la paix ; Charles V consultait les archives pour démontrer son bon droit contre les Anglais ; Charles VIII respecta le droit dans l'affaire de Bretagne, sur le conseil du chancelier Guillaume de Rochefort, qui démontra les inconvénients qu'il y eut pour Louis XI à ne pas le faire en Bourgogne. Ce dernier n'en fut-il pas réduit, pour prouver des droits inexistants, à instruire un procès posthume contre le Téméraire ?

Robert d'Artois fut jugé selon le droit au début du règne de Philippe VI ; Jean d'Alençon aussi, et même plus tard le connétable de Bourbon. Sous Louis XI, les procès arbitraires se multiplient.

Louis XI en avance sur son temps ? Je n'en crois rien. Le règne de Louis XI me semble une parenthèse autoritaire, autoritariste plutôt, dans une période de monarchie en voie d'évolution vers l'absolutisme, certes, mais ouverte au dialogue avec son opinion. Les mérites de Louis XI, — il en a —, demeurent. Mais il faut le remettre à sa place.

C'est donc à regret, le lecteur l'aura compris, que je me suis arrêté en 1500, contribuant à maintenir sur le marché une « fausse coupure ».

Faut-il en finir avec le Moyen Age ou avec la Renaissance ?

Annexes

Les papes

1. Papes d'Avignon

Jean XXII (Jacques Duèze)	1316-1334
Benoît XII (Jacques Fournier)	1334-1342
Clément VI (Pierre-Roger de Beaufort)	1342-1352
Innocent VI (Étienne Aubert)	1352-1362
Urbain V (Guillaume de Grimoard)	1362-1370
Grégoire XI (Roger de Beaufort)	1370-1378

2. Les papes du grand schisme

Rome.

Urbain VI (Barthélemy Prignano)	1378-1389
Boniface IX (Pierre Tomacelli)	1389-1404
Innocent VII (Côme Migliorati)	1404-1406
Grégoire XII (Ange Cornaro)	1406-1415 (abdication)

Avignon.

Clément VII (Robert de Genève)	1378-1394
Benoît XIII (Pedro de Luna)	1394-1414 (déposition)
	1417-1423 (Peñiscola)
Clément VIII (Gil Munoz)	1423-1429 (Peñiscola)

Concile de Pise.

Alexandre V (Pierre Filarghi)	1409-1410
Jean XXIII (Balthazar Cossa)	1410-1415 (déposition)

3. La papauté réunifiée

Martin V (Otto Colonna)	1417-1431
Eugène IV (Gabriele Condulmero)	1431-1447
(Félix V [Amédée de Savoie], élu du concile de Bâle)	1439-1449
Nicolas V (Thomaso Parentucelli)	1447-1455
Calixte III (Alphonse Borgia)	1455-1458
Pie II (Aeneas Silvius Piccolomini)	1458-1464
Paul II (Pierre Barbo)	1464-1471
Sixte IV (Francesco della Rovere)	1471-1484
Innocent VIII (Jean-Baptiste Cibo)	1484-1492
Alexandre VI (Rodrigue Borgia)	1492-1503
Pie III (Francesco Todeschini)	1503
Jules II (Julien della Rovere)	1503-1513
Léon X (Jean de Médicis)	1513-1521

Chronologie

1350	26 sept.	Sacre de Jean II le Bon.
	18 nov.	Exécution du connétable d'Eu.
1351	26 mars	Combat des Trente.
1354	8 janv.	Assassinat du connétable Charles d'Espagne.
	22 fév.	Traité de Mantes avec Charles de Navarre.
1355	10 sept.	Traité de Valognes avec Charles de Navarre.
	7 déc.	Le dauphin Charles devient duc de Normandie.
	oct.-déc.	Chevauchée du Prince noir (Sud-Ouest).
1356	5 avril	Arrestation de Charles de Navarre.
	19 sept.	Défaite de Poitiers. Jean le Bon prisonnier.
	17 oct.-3 nov.	États de Languedoïl à Paris.
1357	3 mars	Ordonnance de réforme.
	mai	Jean le Bon transféré de Bordeaux en Angleterre.
	9 nov.	Évasion de Charles de Navarre.
1358	janv.	Premier traité de Londres.
	22 fév.	Meurtre des maréchaux à Paris.
	14 mars	Le dauphin Charles se proclame régent.
	28 mai-10 juin	La Jacquerie.
	27 juil.	Assassinat d'Étienne Marcel.
1359	24 mai	Deuxième traité de Londres.
	28 oct.	Début chevauchée Édouard III depuis Calais.
1360	8 mai	Préliminaires de Brétigny.
	24 oct.	Traité de Calais. Jean le Bon libéré.
	5 déc.	Création du franc.
1361	21 nov.	Mort de Philippe de Rouvres, duc de Bourgogne. Prise de possession du duché par le roi.
	28 déc.	Prise de Pont-Saint-Esprit par les routiers.

1362	6 avr.	Bataille de Brignais (victoire des routiers).
	19 juil.	Aquitaine donnée au Prince noir.
	5 déc.	Bataille de Launac (défaite d'Armagnac).
	21 déc.	Traité des otages.
1363	31 mars	Jean le Bon se croise à Avignon.
	6 sept.	Philippe le Hardi duc de Bourgogne.
	1er nov.	États d'Amiens.
1364	18 avr.	Mort de Jean le Bon à Londres.
	16 mai	Du Guesclin bat Charles le Mauvais à Cocherel.
	17 mai	Sacre de Charles V.
	29 sept.	Bataille d'Auray; mort de Charles de Blois.
1365	mars	Montpellier cédé au roi de Navarre.
	12 avr.	Premier traité de Guérande.
1366	5 avr.	Du Guesclin en Castille.
	23 sept.	Traité de Libourne : le Prince noir, Pierre le Cruel, Charles le Mauvais.
	13 déc.	Hommage du duc de Bretagne.
1367	3 avr.	Du Guesclin prisonnier à Najera.
	19 juil.	Ordonnance sur la mise en défense.
	16 oct.	Urbain V de retour à Rome.
1368	30 juin	Appel de Jean Ier d'Armagnac à Charles V.
1369	2-11 mai	Réception des appels gascons au Parlement.
	13 juin	Mariage de Philippe le Hardi avec Marguerite de Flandres.
	13 nov.	Confiscation de l'Aquitaine.
	29 déc.	États à Paris; subsides pour la guerre.
1370	22 avr.	Début de la construction de la Bastille.
	juil.	Chevauchée de R. Knolles.
	19 sept.	Prise de Limoges par le Prince noir; massacre.
	2 oct.	Du Guesclin connétable.
1371	29 mars	Hommage au roi de Charles le Mauvais.
1372	21 fév.	Élection du chancelier Guillaume de Dormans.
	22-24 juin	La flotte anglaise défaite par les Castillans à La Rochelle.
	7 juil.	Prise de Poitiers.
	19 juil.	Alliance anglo-bretonne de Westminster.
	8 sept.	Reddition de La Rochelle.
	24 sept.	Prise de Saintes.
1373	avr.	Du Guesclin prend le contrôle de la Bretagne.
	24 mai	Bataille de Chisé.
1374	août	Ordonnance sur la majorité des rois de France.

1375	1er juil.	Trêves de Bruges.
1376	8 juin	Mort du Prince noir.
1377	17 janv.	La papauté réinstallée à Rome.
	21 juin	Mort d'Édouard III.
1378	27 mars	Mort de Grégoire XI.
	8 avr.	Élection du pape Urbain VI.
	20 avr.	Confiscation des possessions du roi de Navarre.
	20 sept.	Élection Clément VII. Schisme.
	18 déc.	Confiscation de la Bretagne par Charles V.
1379	20 janv.	Clément VII s'installe en Avignon.
	3 août	Jean IV et Anglais débarquent en Bretagne.
1380	29 juin	Adoption de Louis d'Anjou par Jeanne de Naples.
	13 juil.	Mort de Du Guesclin.
	juil.-sept.	Chevauchée de Buckingham.
	16 sept.	Mort de Charles V.
	4 nov.	Sacre de Charles VI.
	16 nov.	Abolition des impôts.
1381	4 avr.	Second traité de Guérande.
	17 mai	Condamnation et pénitence d'Hugues Aubriot.
1382	24 fév.	Harelle de Rouen.
	1er mars	Maillotins à Paris.
	27 nov.	Bataille de Roosebeke.
1383	11 janv.	Répression à Paris.
1384	30 janv.	Mort de Louis de Male, comte de Flandre.
	14 sept.	Trêves de Leulinghem.
1385	1er juin	Débarquement français en Écosse.
	17 juil.	Charles VI épouse Isabeau de Bavière.
	14 août	Bataille d'Aljubarrota (Castille-Portugal).
	18 déc.	Paix avec Gand.
1386	29 oct.	Abandon du projet d'invasion de l'Angleterre.
1388	3 nov.	Prise de pouvoir par Charles VI.
1389	oct.-janv.	Charles VI en Languedoc.
1391	12 juil.	Exécution du routier Mérigot Marchès.
	12 nov.	Rencontre de Charles VI et Jean IV de Bretagne à Tours.
1392	4 juin	Louis, frère du roi, duc d'Orléans.
	13 juin	Attentat contre Clisson.
	5 août	Folie de Charles VI.
1393	28 janv.	Bal des ardents.

1394	17 sept.	Expulsion des Juifs.
	28 sept.	Élection de Benoît XIII.
1396	25 sept.	Défaite des croisés à Nicopolis.
	27 oct.	Rencontre de Charles VI et Richard II à Ardres.
1398	27 juil.	Soustraction d'obédience.
	oct.	Capitulation du comte de Périgord.
1399	30 sept.	Déposition de Richard II. Henri IV roi d'Angleterre.
1401	23 mars	Boucicaut gouverneur de Gênes.
1402	18 août	Acquisition du Luxembourg par Louis d'Orléans.
1403	26 avr.	Ordonnances sur le gouvernement du royaume.
	28 mai	Restitution d'obédience.
1404	27 avr.	Mort de Philippe le Hardi.
	9 juin	Retour de Cherbourg à la couronne.
1405	7 nov.	Sermon de Gerson *Vivat Rex*.
	1er déc.	Alliance Orléans-Berry-reine contre Bourgogne.
1407	23 nov.	Assassinat de Louis d'Orléans.
1408	8 mars	Justification du meurtre par Jean Petit.
	15 mai	Seconde soustraction d'obédience.
	11 sept.	Réfutation de la justification de J. Petit.
	23 sept.	Jean sans Peur vainqueur des Liégeois à Othée.
1409	9 mars	Paix de Chartres.
	17 oct.	Exécution de Jean de Montaigu.
1410	15 avr.	Ligue de Gien. Formation du parti armagnac.
	2 nov.	Paix de Bicêtre.
1411	14 juil.	Manifeste du parti armagnac à Jargeau.
1412	6 mai	Le roi lève l'oriflamme contre les Armagnacs.
	18 mai	Accord des Armagnacs avec les Anglais.
	11 juin	Siège de Bourges.
	22 août	Paix d'Auxerre.
1413	30 janv.-14 fév.	États généraux à Paris.
	28 avr.	Émeute cabochienne.
	26-27 mai	Ordonnance cabochienne.
	28 juil.	Paix de Pontoise.
	5 août	Annulation de l'ordonnance cabochienne.
	21-28 sept.	Purge de l'administration par les Armagnacs.
1414	20 juil.	Siège d'Arras.
	1er nov.	Ouverture du concile de Constance.

1415	23 fév.	Paix avec le duc de Bourgogne.
	12 août	Débarquement d'Henri V en Normandie.
	18 sept.	Capitulation de Harfleur.
	25 oct.	Bataille d'Azincourt.
	18 déc.	Mort du duc de Guyenne.
1416	15 juin	Mort du duc de Berry.
1417	1 août	Début de la conquête de la Normandie par Henri V.
	11 nov.	Élection du pape Martin V. Fin du schisme.
1418	29 mai	Entrée des Bourguignons à Paris.
	21 sept.	Ordonnance de Niort installant le Parlement à Poitiers.
	26 déc.	Le dauphin Charles se proclame régent.
1419	2 janv.	Le dauphin reprend Tours Prise de Rouen par les Anglais.
	11 juil.	Accord de Pouilly-le-Fort (dauphin, Jean sans Peur).
	10 sept.	Assassinat de Jean sans Peur à Montereau.
1420	9 fév.	Création de deux foires à Lyon.
	21 mai	Traité de Troyes. La double monarchie.
1421	22 mai	Bataille de Baugé.
1422	31 août	Mort d'Henri V.
	21 oct.	Mort de Charles VI.
1423	31 juil.	Bataille de Cravant.
1424	17 août	Bataille de Verneuil.
1425	6 janv.	Jean comte de Foix, lieutenant du roi en Languedoc.
	7 mars	Arthur de Richemont connétable.
	2 août	Prise du Mans par les Anglais.
1426	21 oct.	Concordat de Genazzano.
1427	8 fév.	Assassinat de Pierre de Giac.
	sept.	Disgrâce de Richemont.
1428	17 juil.	Rébellion de Richemont.
	12 oct.	Début du siège d'Orléans.
1429	12 fév.	Journées des Harengs.
	8 mars	Entrevue de Jeanne d'Arc et Charles VII.
	8 mai	Délivrance d'Orléans.
	18 juin	Bataille de Patay.
	17 juil.	Sacre de Charles VII à Reims.
	8 sept.	Échec de Jeanne à Paris.
1430	23 mai	Prise de Jeanne à Compiègne.

	11 juin	Bataille d'Anthon (Savoie-Dauphiné).
	23 déc.	Jeanne emprisonnée à Rouen.
1431	21 fév.	Ouverture du procès de Jeanne.
	30 mai	Bûcher de Jeanne d'Arc.
	17 déc.	Sacre de Henri VI à Paris.
1435	20 janv.	Négociations de Nevers.
	5 août	Ouverture du congrès d'Arras.
	14 sept.	Mort du duc de Bedford à Rouen.
	21 sept.	Paix d'Arras.
	28 oct.	Prise de Dieppe.
1436	fév.	Première prise de Pontoise.
	13 avr.	Reprise de Paris.
	1er déc.	Première séance du Parlement réunifié.
1437	12 nov.	Entrée de Charles VII à Paris.
1438	7 juil.	Pragmatique sanction de Bourges.
1439	2 nov.	États d'Orléans. Première tentative de réforme de l'armée.
1440	fév.	Début de la Praguerie.
	juil.	Fin de la Praguerie. Traité de Cusset.
1441	19 sept.	Prise de Pontoise.
1442	mars	« Complot » des princes à Nevers.
1443	déc.	Arrestation de Jean IV d'Armagnac.
1444	28 mai	Trêves de Tours.
	26 août	Bataille de Saint-Jacques de la Bisse.
1445	26 mai	Ordonnance de Louppy-le-Châtel sur l'armée.
1448	16 mars	Reprise du Mans.
1449	24 mars	Rupture des trêves de Tours.
	29 oct.	Prise de Rouen.
1450	15 avr.	Bataille de Formigny.
	12 août	Prise de Cherbourg.
1451	9 mars	Mariage du dauphin Louis et de Charlotte de Savoie. Fuite du couple aux Pays-Bas.
	30 juin	Prise de Bordeaux.
	31 juil.	Arrestation de J. Cœur.
1452	23 oct.	Reprise de Bordeaux par les Anglais.
1453	29 mai	Condamnation de J. Cœur.
	17 juil.	Bataille de Castillon.
	19 oct.	Deuxième prise de Bordeaux.
1454	15 avr.	Ordonnance de Montil-lès-Tours.

1456	21 mai	Arrestation du duc d'Alençon.
	7 juil.	Sentence de réhabilitation de Jeanne d'Arc.
	25 nov.	Mort de J. Cœur à Chio.
1458	10 oct.	Condamnation du duc d'Alençon.
1460	13 mai	Bannissement de Jean V d'Armagnac.
1461	22 juil.	Mort de Charles VII.
	15 août	Sacre de Louis XI.
	21 nov.	Abrogation de la pragmatique sanction.
1462	20 oct.	Interdiction faite aux marchands français de fréquenter les foires de Genève.
1463	8 mars	Création d'une quatrième foire à Lyon.
1464	18 déc.	Assemblée des bonnes villes à Tours.
1465	avr.	Début de la ligue du Bien public.
	16 juil.	Bataille de Monthléry.
	5 oct.	Traité de Conflans avec le Téméraire.
	27 oct.	Traité de Saint-Maur avec les princes.
1467	15 juin	Mort de Philippe le Bon.
1468	10 sept.	Paix d'Ancenis avec le duc de Bretagne.
	9-14 oct.	Entrevue de Péronne.
1469	29 avr.	Charles de France apanagé en Guyenne.
	nov.	Assemblée de notables à Tours.
1472	28 mai	Mort de Charles de France.
	27 juin-22 juil.	Siège de Beauvais par le Téméraire. Jeanne Hachette.
	31 oct.	Pseudo-concordat d'Amboise.
1473	5 mars	Assassinat de Jean V d'Armagnac à Lectoure.
	déc.	Entrevue Charles le Téméraire-Frédéric III à Trèves.
1474	12 juil.	Testament du roi René.
	13 nov.	Bataille d'Héricourt.
1475	29 août	Traité de Picquigny.
	13 sept.	Trêve de Soleure, Louis XI et le Téméraire.
	17 nov.	Prise de Nancy par le Téméraire.
	19 déc.	Décapitation de Saint-Pol.
1476	2 mars	Bataille de Grandson.
	22 juin	Bataille de Morat.
1477	5 janv.	Mort de Charles le Téméraire devant Nancy.
	4 août	Exécution de Nemours.
	19 août	Mariage de Maximilien d'Autriche et de Marie de Bourgogne.

1480	10 juil.	Mort du roi René; Barrois et Anjou au domaine.
1481	11 déc.	Annexion Maine et Provence.
1482	23 déc.	Paix d'Arras.
1483	30 août	Mort de Louis XI.
1484	15 janv.	Réunion des États à Tours.
	29 mai	Sacre de Charles VIII.
	23 nov.	Alliance de Louis d'Orléans et du duc de Bretagne.
1485	2 nov.	Paix de Bourges; fin de la 1re phase de la guerre folle.
1486	9 juin	Maximilien attaque le Nord du royaume.
	16 déc.	Accord de Maximilien et Louis d'Orléans.
1488	15 mai	Début de la guerre de Bretagne.
	28 juil.	Bataille de Saint-Aubin-du-Cormier.
	20 août	Traité du Verger.
1489	10 fév.	Anne duchesse de Bretagne.
1490	19 déc.	«Mariage» d'Anne et de Maximilien.
1491	20 mars	Prise de Nantes par les Français.
	15 nov.	Traité de Rennes.
	6 déc.	Charles VIII épouse Anne de Bretagne.
1492	3 nov.	Traité d'Étaples avec l'Angleterre.
1493	19 janv.	Traité de Barcelone.
	23 mars	Traité de Senlis avec l'Empire.
	10 sept.	Remise du Roussillon à Ferdinand le Catholique.
1494	13 mars	Charles VIII prend le titre de roi de Naples.
1495	22 fév.	Entrée de Charles VIII dans Naples.
	6 juil.	Bataille de Fornoue.
1497	2 août	Création du Grand Conseil judiciaire.
1498	7 avril	Mort de Charles VIII à Amboise.

Arbres généalogiques et cartes

1) CAPETIENS ET VALOIS (Y

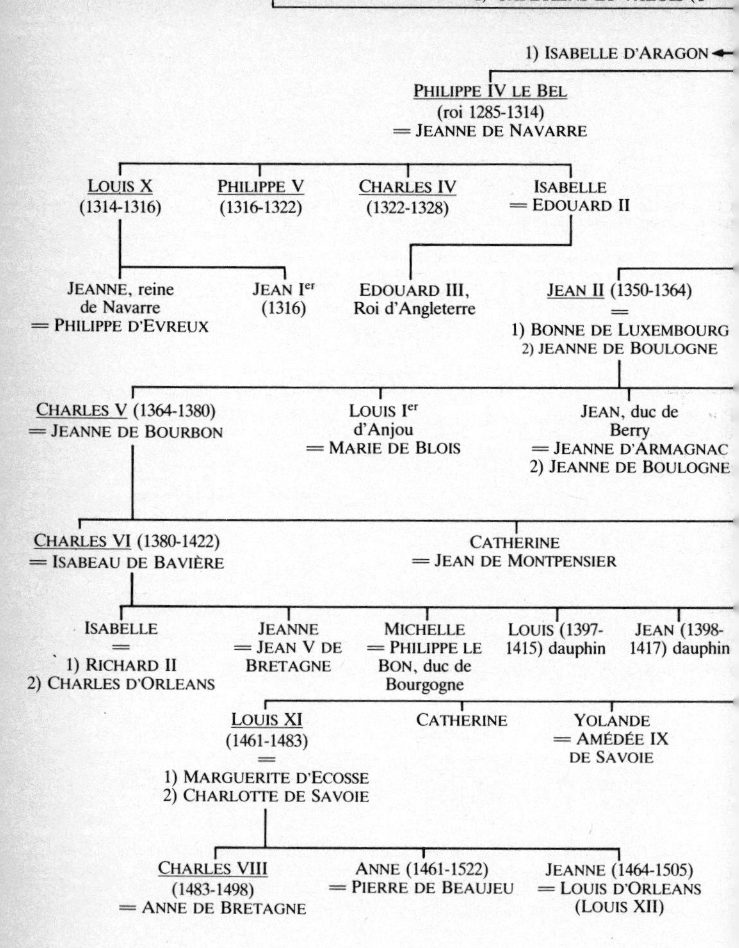

= mariage
Les noms soulignés désignent ceux qui ont exercé l'autorité royale, ducale ou comtale

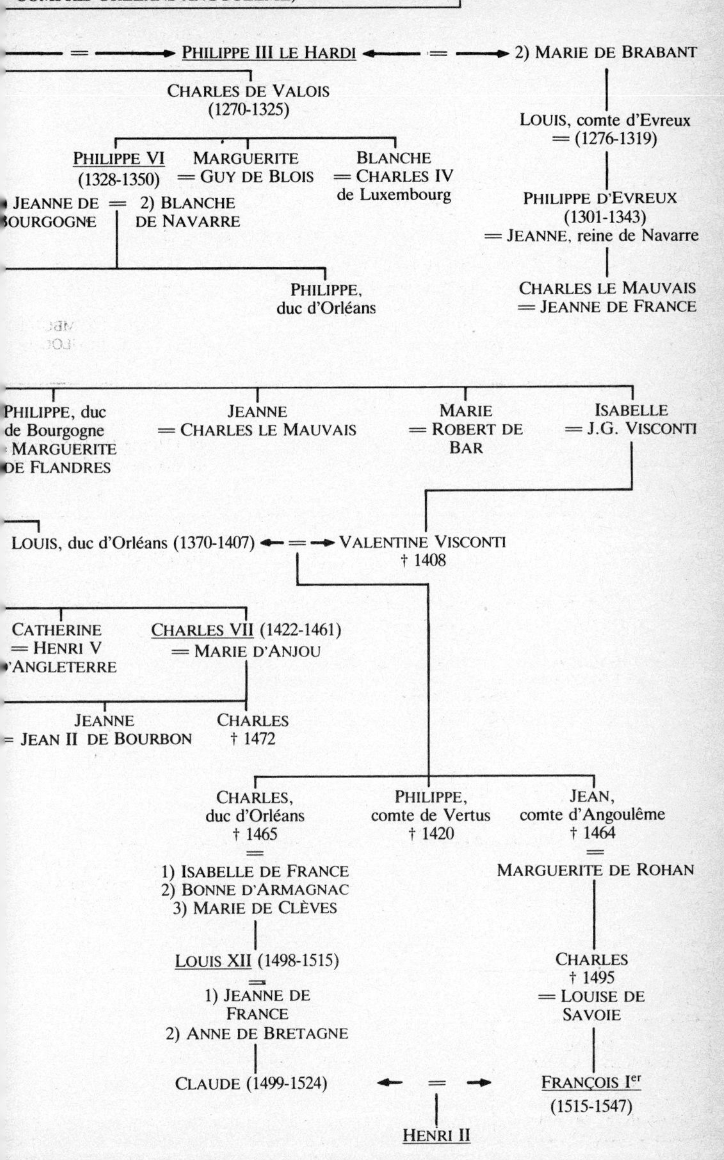
COMPRIS ORLEANS-ANGOULEME)
PHILIPPE III LE HARDI
2) MARIE DE BRABANT
CHARLES DE VALOIS (1270-1325)
LOUIS, comte d'Evreux = (1276-1319)
PHILIPPE VI (1328-1350)
MARGUERITE = GUY DE BLOIS
BLANCHE = CHARLES IV de Luxembourg
JEANNE DE BOURGOGNE = 2) BLANCHE DE NAVARRE
PHILIPPE D'EVREUX (1301-1343) = JEANNE, reine de Navarre
PHILIPPE, duc d'Orléans
CHARLES LE MAUVAIS = JEANNE DE FRANCE
PHILIPPE, duc de Bourgogne = MARGUERITE DE FLANDRES
JEANNE = CHARLES LE MAUVAIS
MARIE = ROBERT DE BAR
ISABELLE = J.G. VISCONTI
LOUIS, duc d'Orléans (1370-1407)
VALENTINE VISCONTI † 1408
CATHERINE = HENRI V D'ANGLETERRE
CHARLES VII (1422-1461) = MARIE D'ANJOU
JEANNE = JEAN II DE BOURBON
CHARLES † 1472
CHARLES, duc d'Orléans † 1465 = 1) ISABELLE DE FRANCE 2) BONNE D'ARMAGNAC 3) MARIE DE CLÈVES
PHILIPPE, comte de Vertus † 1420
JEAN, comte d'Angoulême † 1464 = MARGUERITE DE ROHAN
LOUIS XII (1498-1515) = 1) JEANNE DE FRANCE 2) ANNE DE BRETAGNE
CHARLES † 1495 = LOUISE DE SAVOIE
CLAUDE (1499-1524)
FRANÇOIS Ier (1515-1547)
HENRI II

2) LES EVREUX-

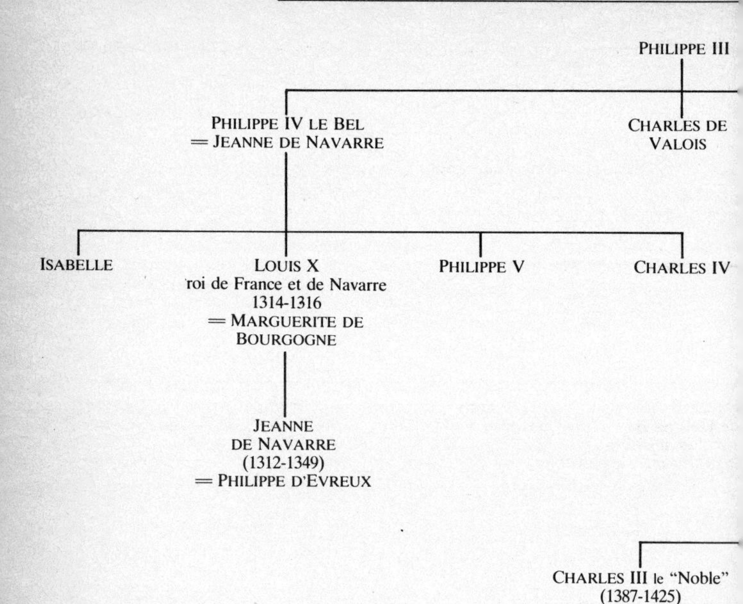
PHILIPPE III
PHILIPPE IV LE BEL
= JEANNE DE NAVARRE
CHARLES DE
VALOIS
ISABELLE
LOUIS X
roi de France et de Navarre
1314-1316
= MARGUERITE DE
BOURGOGNE
PHILIPPE V
CHARLES IV
JEANNE
DE NAVARRE
(1312-1349)
= PHILIPPE D'EVREUX
CHARLES III le "Noble"
(1387-1425)

NAVARRE

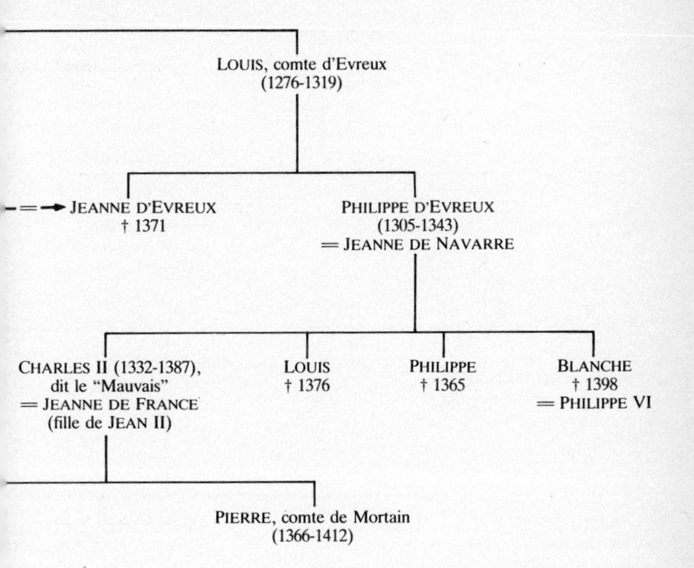

LOUIS, comte d'Evreux
(1276-1319)
JEANNE D'EVREUX
† 1371
PHILIPPE D'EVREUX
(1305-1343)
= JEANNE DE NAVARRE
CHARLES II (1332-1387),
dit le "Mauvais"
= JEANNE DE FRANCE
(fille de JEAN II)
LOUIS
† 1376
PHILIPPE
† 1365
BLANCHE
† 1398
= PHILIPPE VI
PIERRE, comte de Mortain
(1366-1412)

3) LA MAISON D'

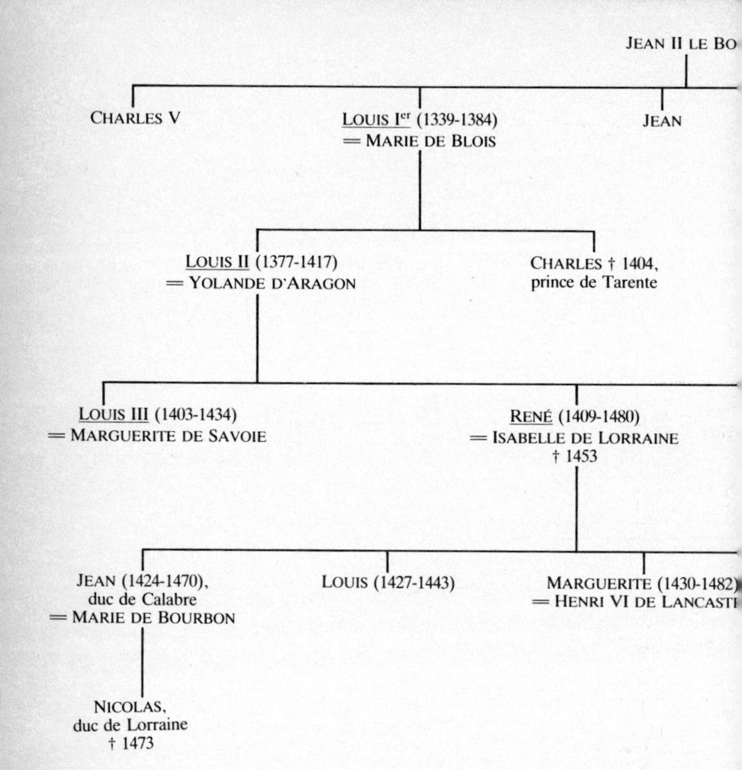

JEAN II LE BO
CHARLES V
LOUIS Ier (1339-1384)
= MARIE DE BLOIS
JEAN
LOUIS II (1377-1417)
= YOLANDE D'ARAGON
CHARLES † 1404,
prince de Tarente
LOUIS III (1403-1434)
= MARGUERITE DE SAVOIE
RENÉ (1409-1480)
= ISABELLE DE LORRAINE
† 1453
JEAN (1424-1470),
duc de Calabre
= MARIE DE BOURBON
LOUIS (1427-1443)
MARGUERITE (1430-1482)
= HENRI VI DE LANCAST
NICOLAS,
duc de Lorraine
† 1473

ANJOU-PROVENCE

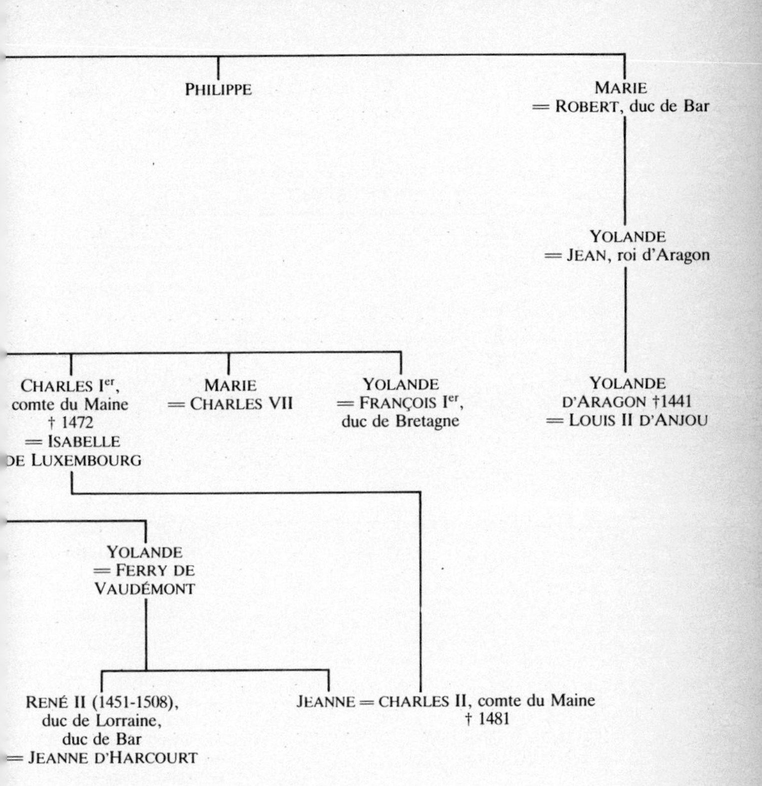

4) LES DUCS DE BOURBON

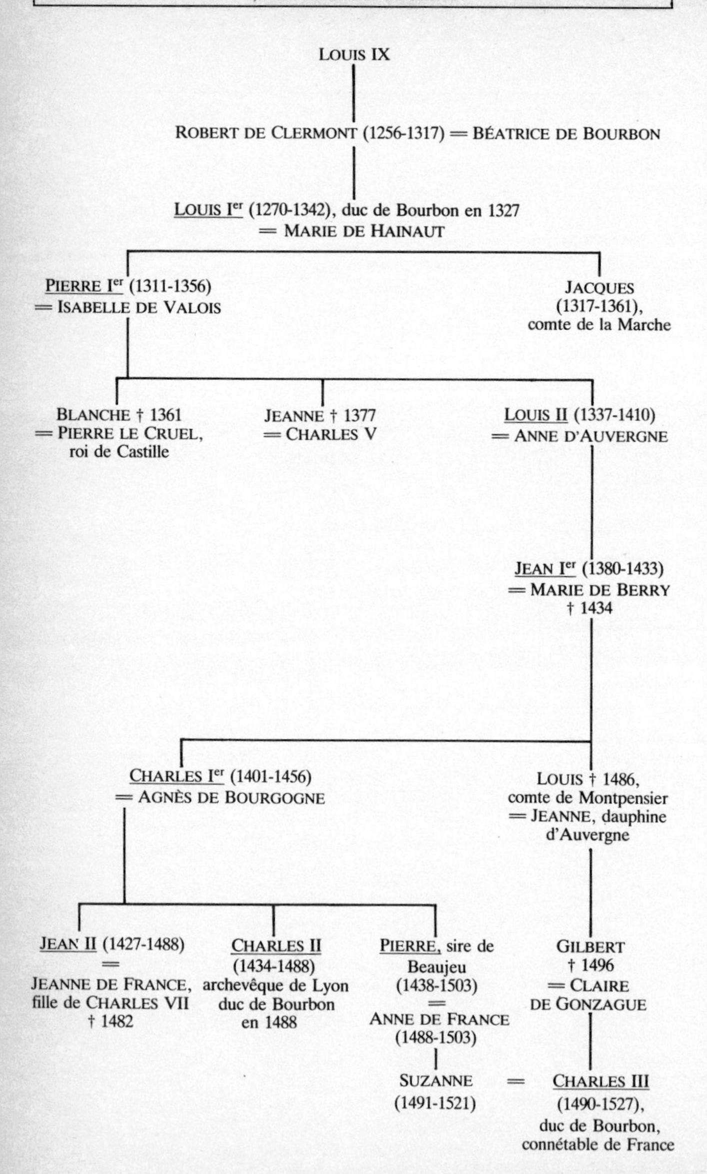

5) LES DUCS DE LORRAINE

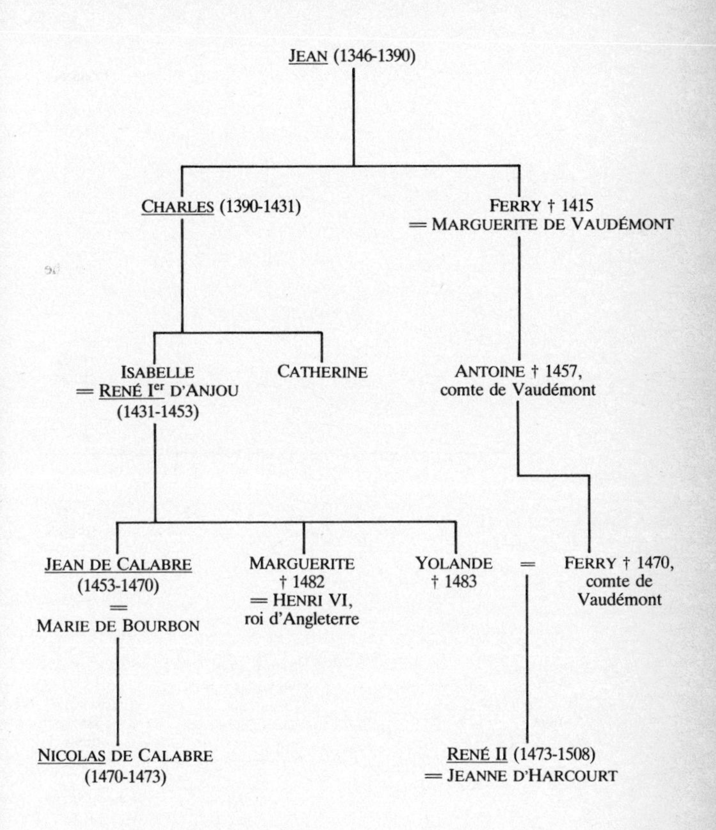

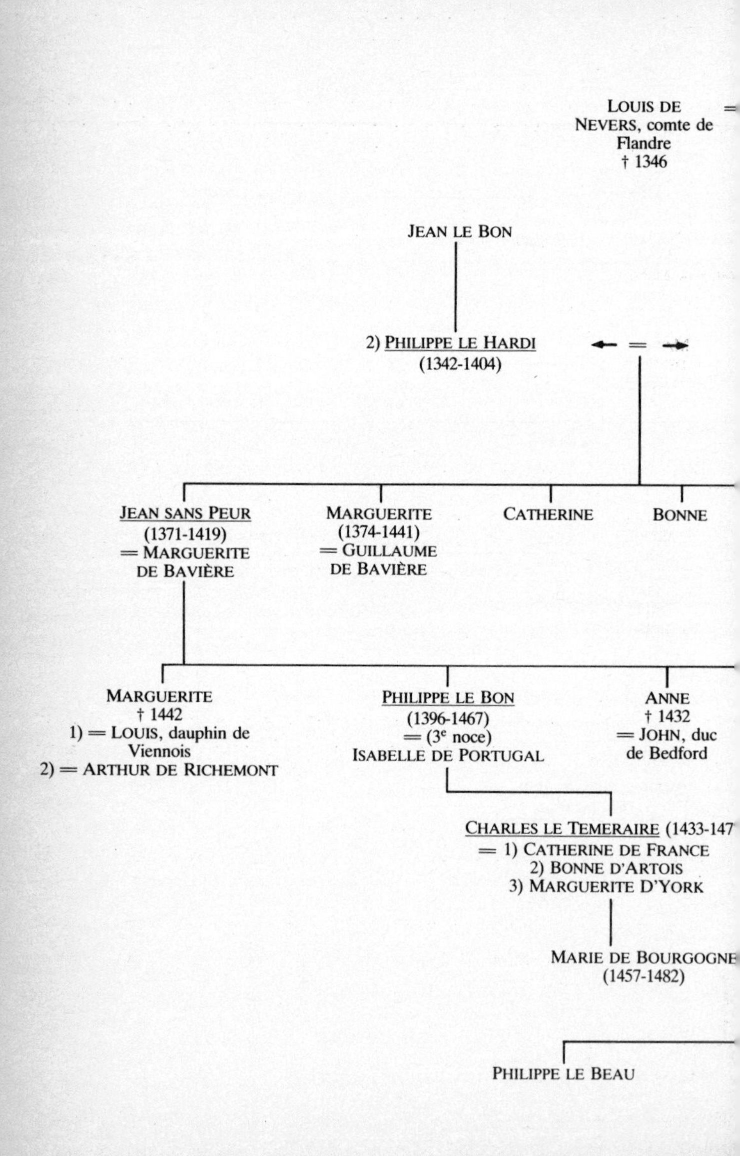
LOUIS DE NEVERS, comte de Flandre
† 1346
JEAN LE BON
2) PHILIPPE LE HARDI
(1342-1404)
JEAN SANS PEUR
(1371-1419)
= MARGUERITE DE BAVIÈRE
MARGUERITE
(1374-1441)
= GUILLAUME DE BAVIÈRE
CATHERINE
BONNE
MARGUERITE
† 1442
1) = LOUIS, dauphin de Viennois
2) = ARTHUR DE RICHEMONT
PHILIPPE LE BON
(1396-1467)
= (3e noce)
ISABELLE DE PORTUGAL
ANNE
† 1432
= JOHN, duc de Bedford
CHARLES LE TEMERAIRE (1433-147
= 1) CATHERINE DE FRANCE
2) BONNE D'ARTOIS
3) MARGUERITE D'YORK
MARIE DE BOURGOGNE
(1457-1482)
PHILIPPE LE BEAU

DE BOURGOGNE

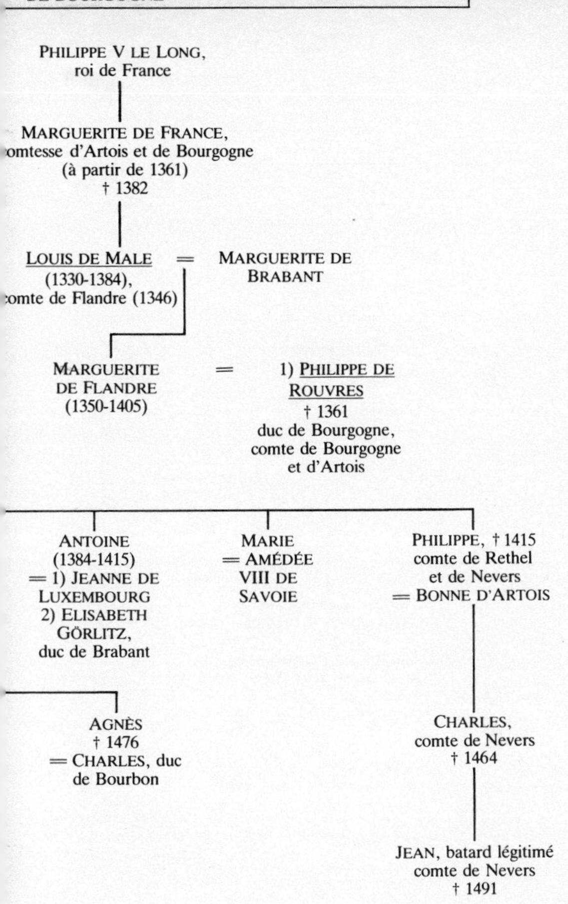

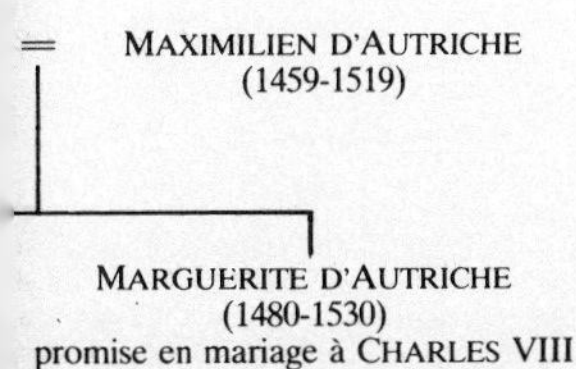

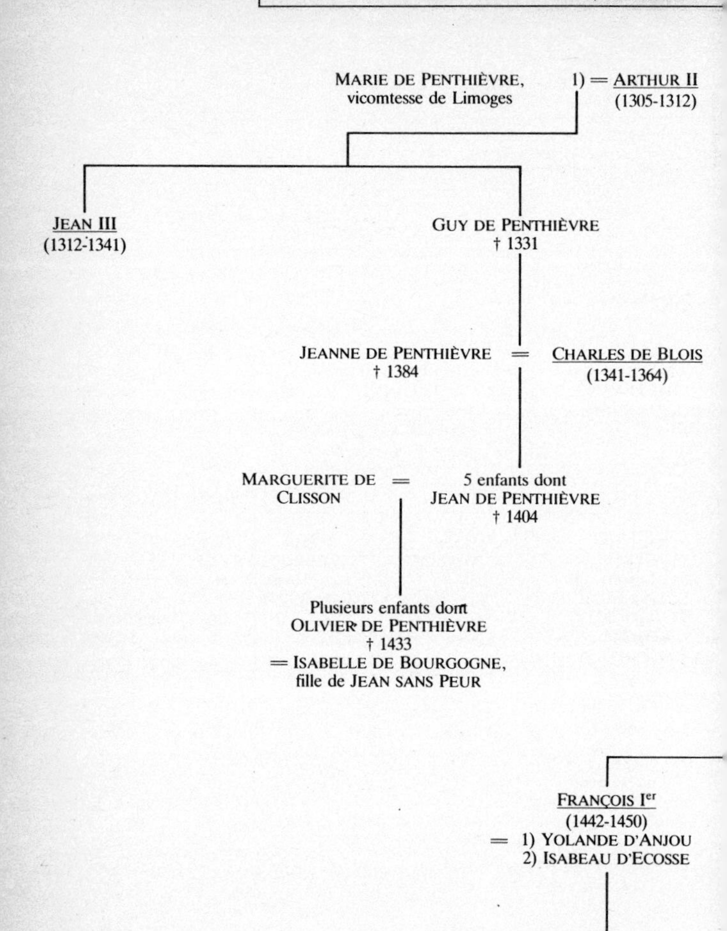
MARIE DE PENTHIÈVRE,
vicomtesse de Limoges
1) = ARTHUR II
(1305-1312)
JEAN III
(1312-1341)
GUY DE PENTHIÈVRE
† 1331
JEANNE DE PENTHIÈVRE
† 1384
=
CHARLES DE BLOIS
(1341-1364)
MARGUERITE DE
CLISSON
=
5 enfants dont
JEAN DE PENTHIÈVRE
† 1404
Plusieurs enfants dont
OLIVIER DE PENTHIÈVRE
† 1433
= ISABELLE DE BOURGOGNE,
fille de JEAN SANS PEUR
FRANÇOIS Ier
(1442-1450)
= 1) YOLANDE D'ANJOU
2) ISABEAU D'ECOSSE
MARGUERITE
= FRANÇOIS II

DE BRETAGNE

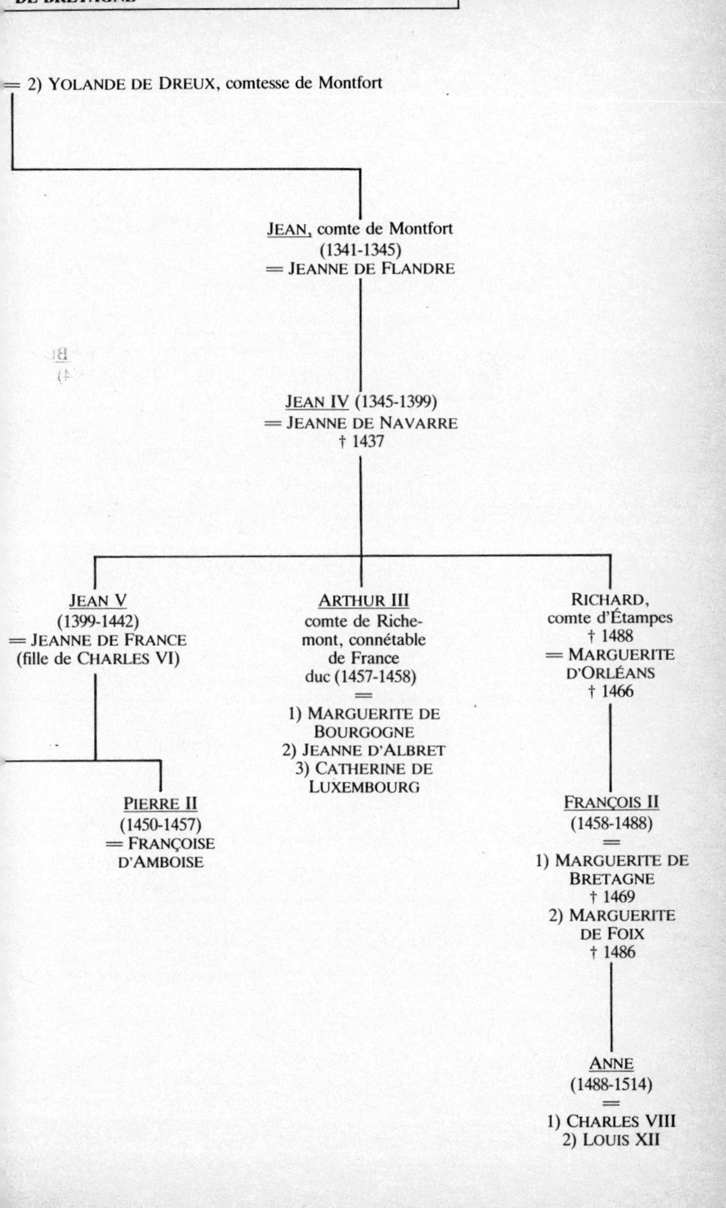

= 2) YOLANDE DE DREUX, comtesse de Montfort
JEAN, comte de Montfort
(1341-1345)
= JEANNE DE FLANDRE
JEAN IV (1345-1399)
= JEANNE DE NAVARRE
† 1437
JEAN V
(1399-1442)
= JEANNE DE FRANCE
(fille de CHARLES VI)
ARTHUR III
comte de Riche-
mont, connétable
de France
duc (1457-1458)
=
1) MARGUERITE DE
BOURGOGNE
2) JEANNE D'ALBRET
3) CATHERINE DE
LUXEMBOURG
RICHARD,
comte d'Étampes
† 1488
= MARGUERITE
D'ORLÉANS
† 1466
PIERRE II
(1450-1457)
= FRANÇOISE
D'AMBOISE
FRANÇOIS II
(1458-1488)
=
1) MARGUERITE DE
BRETAGNE
† 1469
2) MARGUERITE
DE FOIX
† 1486
ANNE
(1488-1514)
=
1) CHARLES VIII
2) LOUIS XII

8) LA MAISON

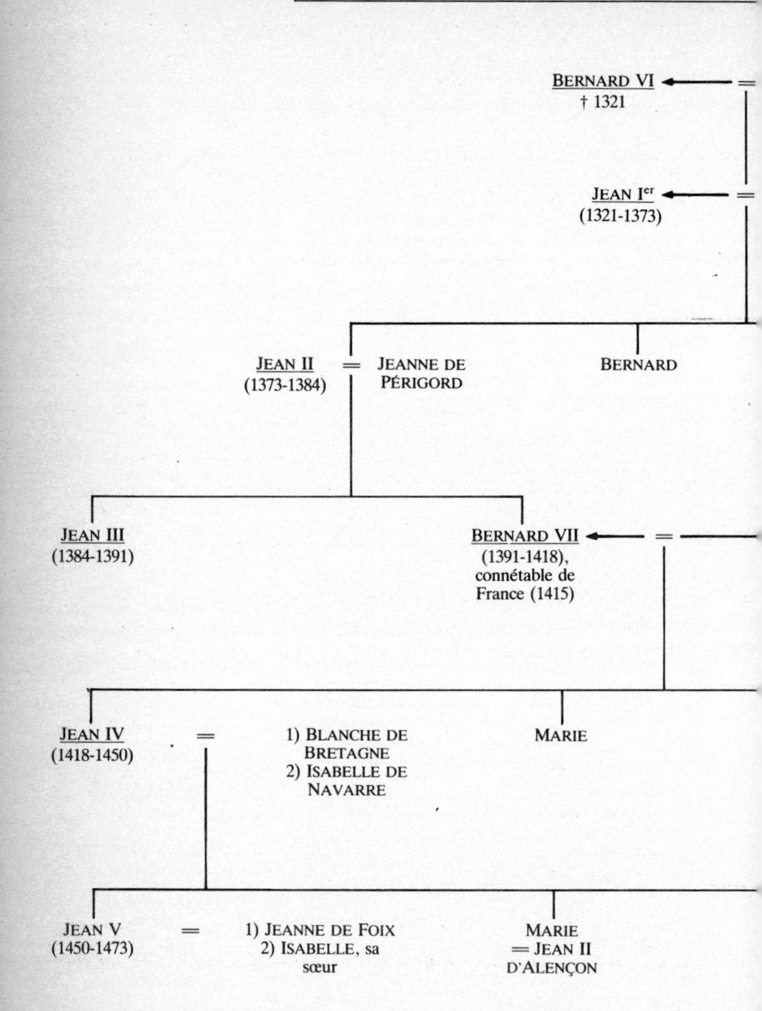

BERNARD VI
† 1321
JEAN Ier
(1321-1373)
JEAN II
(1373-1384)
=
JEANNE DE
PÉRIGORD
BERNARD
JEAN III
(1384-1391)
BERNARD VII
(1391-1418),
connétable de
France (1415)
=
JEAN IV
(1418-1450)
=
1) BLANCHE DE
BRETAGNE
2) ISABELLE DE
NAVARRE
MARIE
JEAN V
(1450-1473)
=
1) JEANNE DE FOIX
2) ISABELLE, sa
sœur
MARIE
= JEAN II
D'ALENÇON

D'ARMAGNAC - NEMOURS

→ 2) CÉCILE DE RODEZ

→ 2) BÉATRICE DE CLERMONT

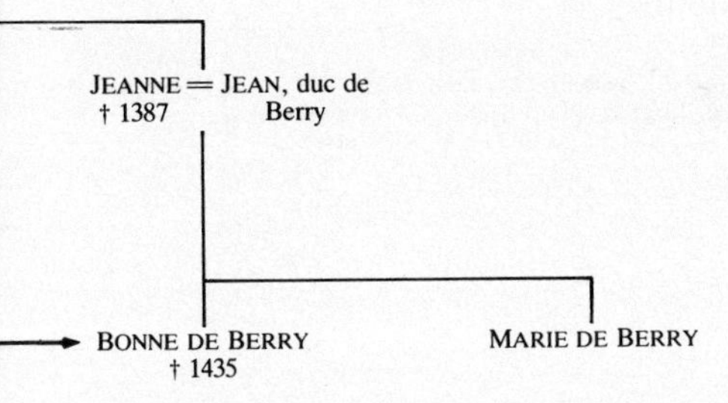

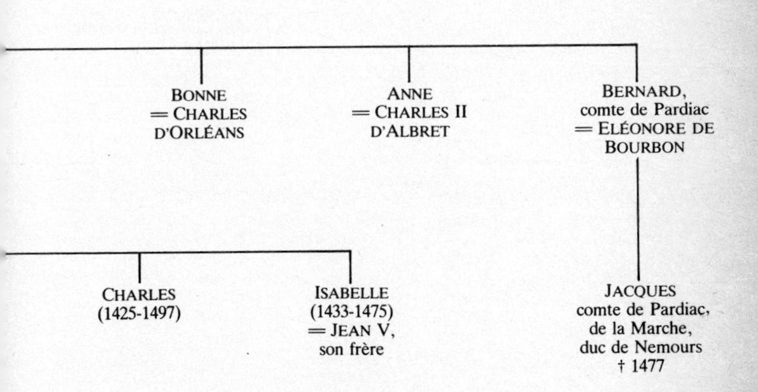

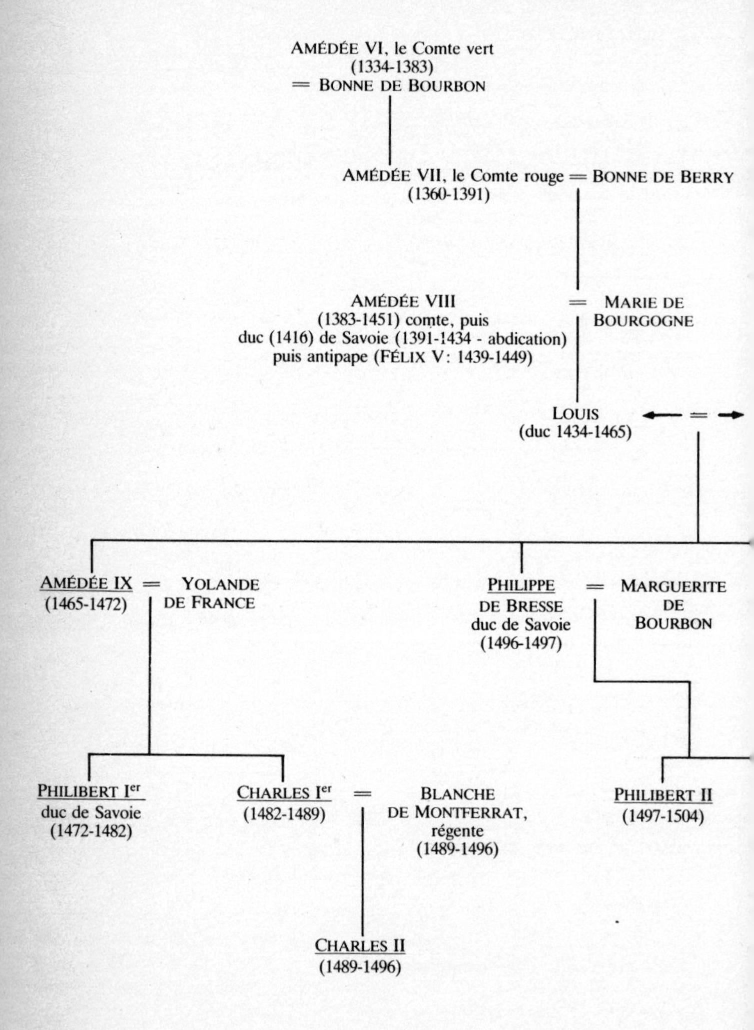
AMÉDÉE VI, le Comte vert
(1334-1383)
= BONNE DE BOURBON
AMÉDÉE VII, le Comte rouge = BONNE DE BERRY
(1360-1391)
AMÉDÉE VIII
(1383-1451) comte, puis
duc (1416) de Savoie (1391-1434 - abdication)
puis antipape (FÉLIX V: 1439-1449)
= MARIE DE BOURGOGNE
LOUIS
(duc 1434-1465)
AMÉDÉE IX
(1465-1472)
= YOLANDE DE FRANCE
PHILIPPE
DE BRESSE
duc de Savoie
(1496-1497)
= MARGUERITE DE BOURBON
PHILIBERT Ier
duc de Savoie
(1472-1482)
CHARLES Ier
(1482-1489)
= BLANCHE
DE MONTFERRAT,
régente
(1489-1496)
PHILIBERT II
(1497-1504)
CHARLES II
(1489-1496)

PUIS DUCS DE SAVOIE

ANNE DE LUSIGNAN

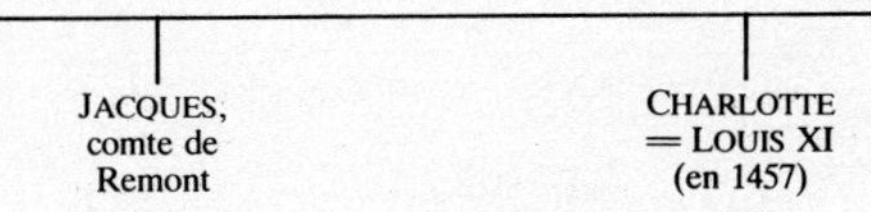

JACQUES,
comte de
Remont

CHARLOTTE
= LOUIS XI
(en 1457)

CHARLES III
(1504-1533)

La France de Charles V

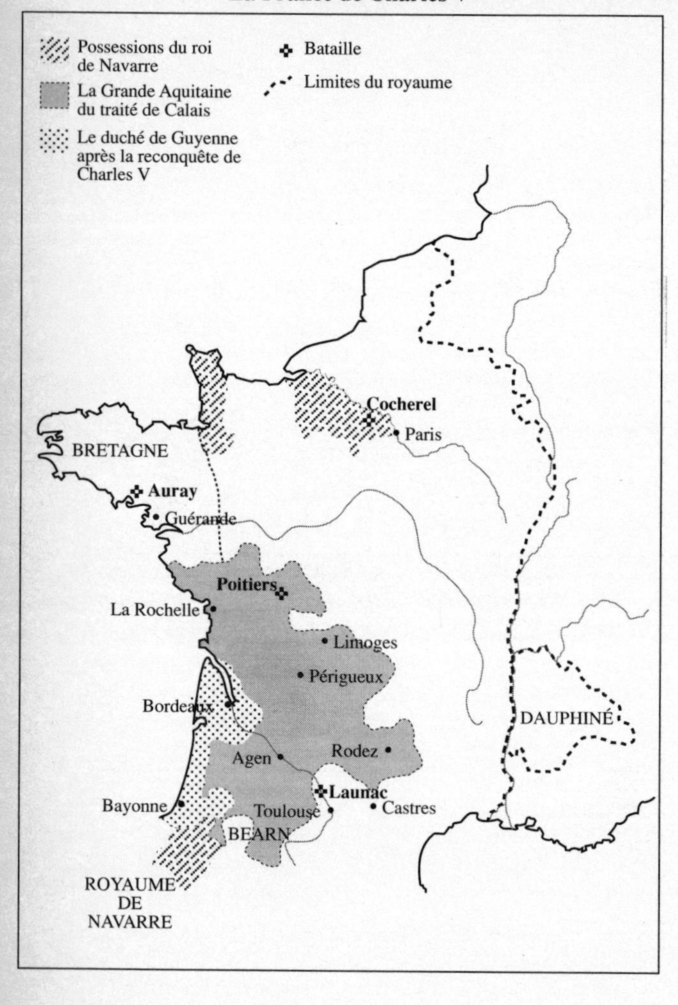

Le Paris de Charles VI

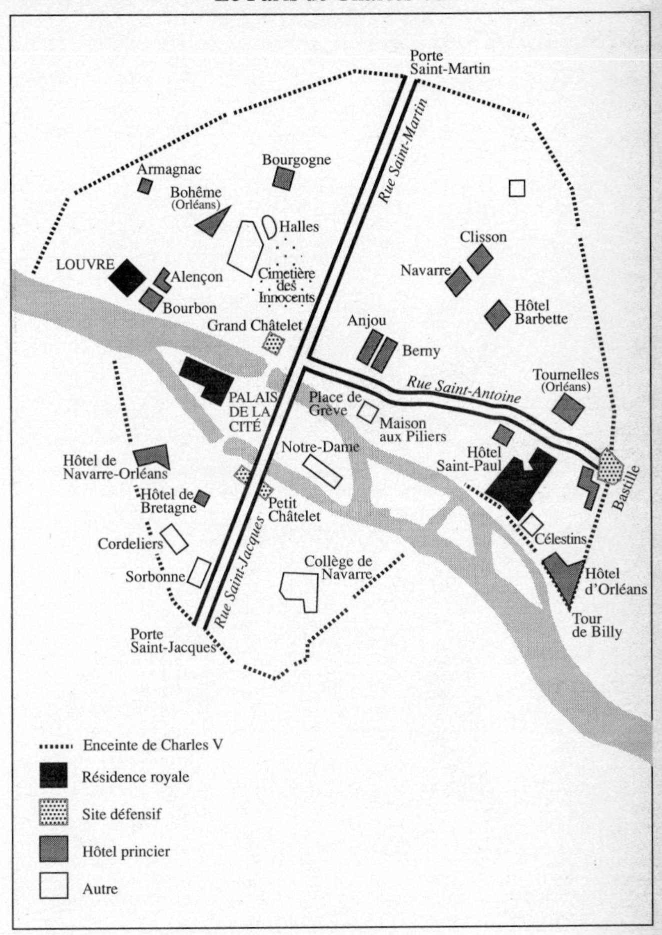

La France de Jeanne d'Arc

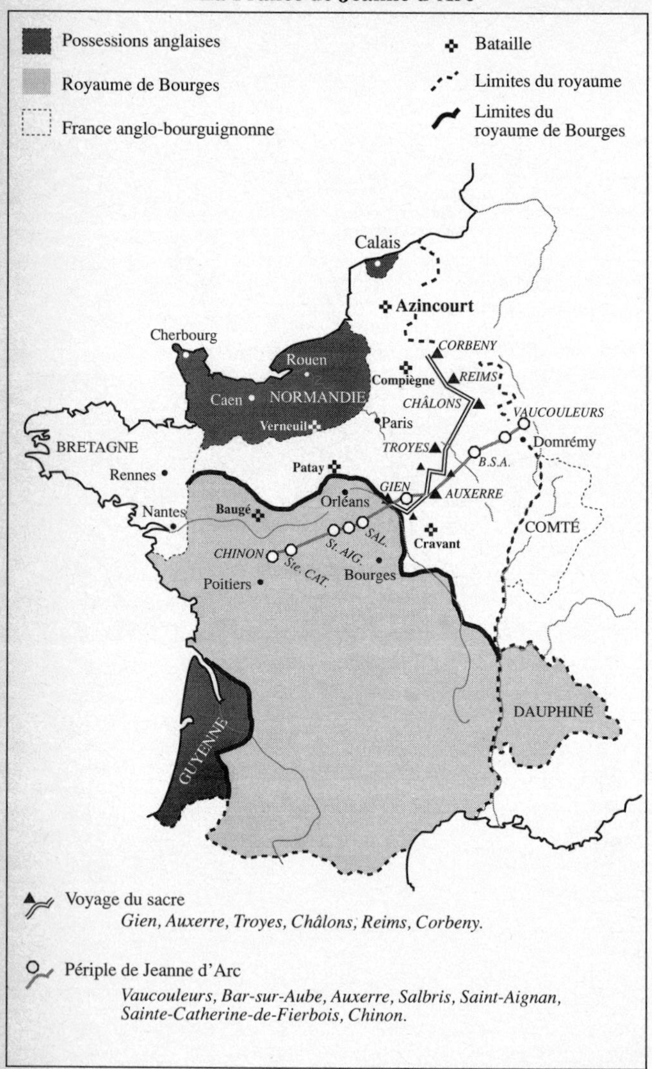

La France et les États bourguignons au temps de Louis XI

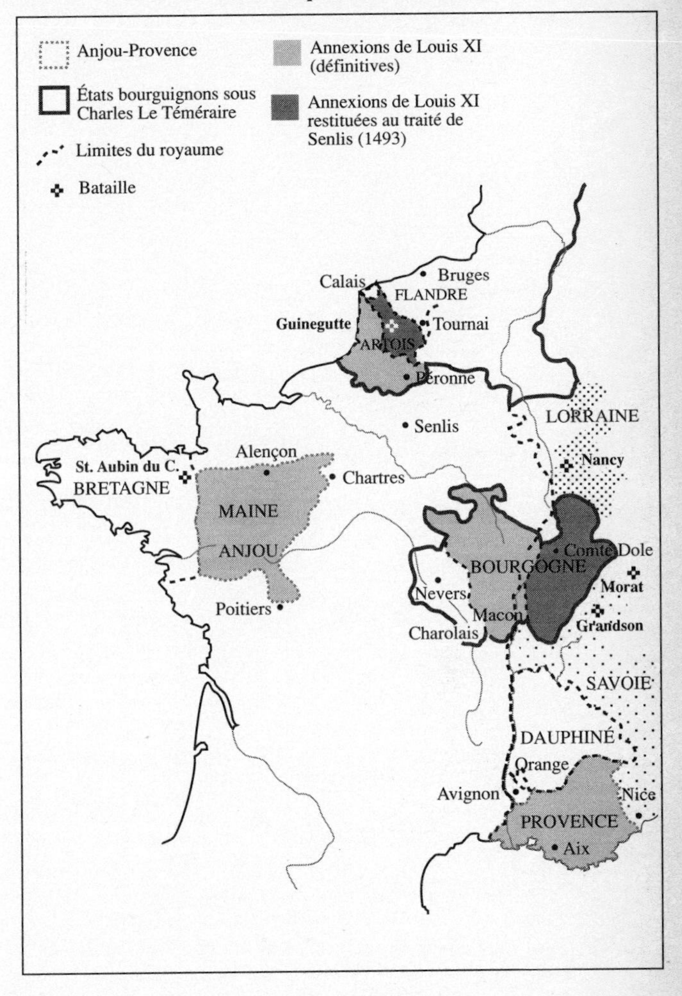

Bibliographie

Cette bibliographie se limite, à quelques exceptions près, aux livres, à l'exclusion des articles ; aux ouvrages récents surtout. Certains dépassent largement le cadre chronologique que j'ai eu à traiter. Mais au moment où le genre biographique fait fureur, il m'a semblé utile de mettre l'accent sur l'antidote : les livres de synthèse qui affirment clairement que le domaine de l'Histoire est infini : les grands hommes (ou ceux qu'on appelle ainsi sans qu'ils le méritent toujours), oui, mais aussi les groupes, la géographie historique, le climat et les calamités, la famille, la vie privée, la mode, l'horloge et le temps, la maladie, la mort, le pain et le vin, l'étranger et le migrant, le bordel et les étuves, le jeu et le sport, etc.

Sources

Je ne cite ici que les principales des nombreuses chroniques utilisées, celles dont j'ai retenu quelques extraits dans le cours de mon texte.

1. Thomas Basin, *Histoire de Charles VII et de Louis XI*, éd. et trad. C. Samaran, Paris, Les Belles Lettres, « Les classiques de l'histoire de France au Moyen Age », 5 vol., 1963.
2. Nicolas de Baye, *Journal*, éd. A. Tuetey, Paris, Société de l'histoire de France (abrégé SHF), 2 vol., 1885-1889.
3. Gilles Le Bouvier (dit le Héraut Berry), *Les Chroniques du roi Charles VII*, éd. H. Couteault et L. Celier, Paris, SHF, 1979.
4. Gilles Le Bouvier, *Le Livre de la description des pays*, éd. T.H. Hamy, Paris, Recueil de documents pour l'histoire de la géographie, 1908.
5. Jean Chartier, *Chronique de Charles VII*, éd. A. Vallet de Viriville, 3 vol. Paris, 1858.
6. *Chronique des quatre premiers Valois (1327-1393)*, éd. S. Luce, Paris, SHF, 1862.

7. *Chronique de Jean II et de Charles V*, éd. R. Delachenal, Paris, SHF, 1910.

8. Philippe de Commynes, *Mémoires*, éd. J. Calmette, Paris, Les Belles Lettres, « Les classiques de l'histoire de France au Moyen Age », 1964-1965. La partie des *Mémoires* portant sur le règne de Louis XI a été éditée par J. Dufournet, Paris, Gallimard, coll. « Folio », 1978.

9. Mathieu d'Escouchy, *Chronique*, éd. G. Du Fresne de Beaucourt, Paris, SHF, 3 vol., 1863-1864.

10. Jean Froissart, *Chroniques*, éd. S. Luce, G. Raynaud, L. Mirot, Paris, SHF, 14 vol., 1864-1967. Encore inachevée, la publication vient d'être reprise par P. Contamine et F. Autrand.

11. *Journal d'un bourgeois de Paris*, 1405-1449, éd. A. Tuetey, Paris, SHF, 1881. Mais on peut se reporter maintenant à l'excellente édition procurée par Colette Beaune, Paris, Livre de Poche, coll. « Lettres gothiques », 1990.

12. *Le Livre des fais du bon messire Jehan Le Maingre, dit Boucicaut*, éd. D. Lalande, Genève, Droz coll. « Textes littéraires français », 1985.

13. *La Chronique d'Enguerran de Monstrelet (1400-1444)*, éd. L. Douët d'Arcq, Paris, SHF, 6 vol., 1862.

14. Religieux de Saint-Denis, *Chronique de Charles VI*, éd. et trad. L. F. Bellaguet, Paris, « Collection des documents inédits de l'histoire de France », 6 vol., 1839-1852.

Ouvrages généraux

Je renvoie d'abord, sans détailler, aux manuels généraux concernant notre période de la collection « Nouvelle Clio » (Paris, PUF), et de la collection « U » (Paris, A. Colin). Je signale également l'importance des publications des actes des colloques organisés en 1984-1985 sur le thème de la « Genèse de l'État moderne » (éditions diverses).

15. *Histoire de France*, dirigée par E. Lavisse, t. IV, 1re partie, *Les Premiers Valois et la guerre de Cent Ans (1328-1422)*, par A. Coville, Paris, 1902 ; et 2e partie, *Charles VII, Louis XI et les premières années de Charles VIII (1422-1492)*, par C. Petit-Dutaillis, Paris, 1911. On ne soulignera jamais assez les mérites de ce monument ; malgré son âge et ses limites, il demeure irremplacé. Un juste hommage lui a été rendu puisque P. Nora lui a consacré un chapitre, « L'*Histoire de France* de Lavisse » dans *Les Lieux de mémoires*, II, *La Nation*, vol. 3, édité par P. Nora et M. Ozouf, Paris, 1987.

16. Duby (G.), *Histoire de France. Le Moyen Age (987-1460)*, Paris, Larousse, 1988.

17. Le Roy Ladurie (E.), *Histoire de France. L'État royal (1460-1610)*, Paris, Larousse, 1988.

18. Lewis (P.S.), *La France à la fin du Moyen Age*, Paris, Hachette, 1977 (traduit de l'anglais, *Late Medieval France. The Polity*, Londres, 1968).

19. Contamine (P.), *La Guerre de Cent Ans*, Paris, PUF, coll. « Que sais-je ? », 1968.

20. Favier (J.), *La Guerre de Cent Ans*, Paris, Fayard, 1980.

21. Leguai (A.), *La Guerre de Cent Ans*, Paris, Nathan, coll. « Fac », 1974.

22. Perroy (E.), *La Guerre de Cent Ans*, Paris, Gallimard, 1945, rééd. 1976.

23. Allmand (C.), *The Hundred Years War. England and France at War c. 1300-c. 1450*, Cambridge University Press, 1988, Traduction française, Paris, Payot, 1989. (Il s'agit moins d'une guerre de Cent Ans traditionnelle que d'une remarquable étude sur la guerre pendant la période de la guerre de Cent Ans.)

24. Mollat (M.), *Genèse médiévale de la France moderne*, Paris, 1970, rééd. Éd. du Seuil, coll. « Points-Histoire », 1977.

25. *La France anglaise*, actes du 111e congrès national des Sociétés savantes (Poitiers, 1986), Paris, Éd. du Comité des travaux historiques et scientifiques (abrégé CTHS), 1988.

26. *La France de la fin du XVe siècle. Renouveau et apogée*, colloque international du CNRS (Tours 1983), Paris, Éd. du CNRS, 1985.

L'histoire des règnes

La vogue de la biographie a relancé cette Histoire « rétro » ; ce qui compte, c'est que l'historien ne soit pas « rétro » ! Alternent donc de scrupuleuses histoires événementielles, « dépassées mais non remplacées », et des synthèses récentes intégrant les nouveaux aspects de l'histoire politique. Signalons que la période 1350-1500 sera bientôt entièrement traitée par la série de Georges Bordonove, *Les Rois qui ont fait la France, les Valois* (trois volumes parus en 1990, *Charles V*, *Charles VII*, *Louis XI*), coll. « Marabout Université », diffusion Hachette.

27. Delachenal (R.), *Histoire de Charles V*, Paris, 5 vol., 1909-1931.

28. Autrand (F.), *Charles VI*, Paris, Fayard, 1986.

29. Vale (M.), *Charles VII*, Oxford, 1974.

30. Du Fresne de Beaucourt (G.), *Histoire du règne de Charles VII*, Paris, 6 vol., 1881-1891.

31. Gaussin (P.-R.), *Louis XI, un roi entre deux mondes*, Paris, Librairie A.-G. Nizet, 1976.

32. Kendall (P.M.), *Louis XI*, Paris, Fayard, 1974. Rééd. en poche.

33. Labande-Mailfert (Y.), *Charles VIII et son milieu (1470-1498). La jeunesse au pouvoir*, Paris, Librairie C. Klincksieck, 1975. L'auteur a donné de ce livre une version remaniée : *Charles VIII*, Paris, Fayard, 1986.

34. Jacquart (J.), François Ier, Paris, Fayard, 1981. Rééd. en poche, Marabout Université, 1984.

Quelques moments forts

1. La crise du milieu du XIVe siècle.

35. Avout (J. d'), *31 juillet 1358. Le meurtre d'Étienne Marcel*, Paris, Gallimard, coll. «30 journées qui ont fait la France», 1960.

36. Cazelles (R.), *Étienne Marcel*, Paris, Tallandier, 1984.

37. Cazelles (R.), «Le parti navarrais jusqu'à la mort d'Étienne Marcel», *Bulletin philologique et historique du Comité des travaux historiques et scientifiques,* 1960.

38. Plaisse (A.), *Charles dit le Mauvais, comte d'Évreux, roi de Navarre, capitaine de Paris*, Évreux, Société libre de l'Eure, 1972.

39. Moissonier (M.), *La Jacquerie*, Paris, Maspéro, 1971.

40. Medeiros (M.T. de), *Jacques et Chroniqueurs. Une étude comparée des récits contemporains relatant la Jacquerie de 1358*, Paris, H. Champion, 1979.

2. La guerre civile.

41. Avout (J. d'), *La Querelle des Armagnacs et des Bourguignons*, Paris, Gallimard, 1943.

42. Schnerb (B.), *Armagnacs et Bourguignons*, Paris, Perrin, 1988.

43. Demurger (A.), «Guerre civile et changement du personnel administratif dans le royaume de France de 1400 à 1418 : l'exemple des baillis et sénéchaux», *Francia*, 6 (1978), Munich, 1979.

44. Famiglietti (R.), *Royal Intrigue. French Monarchy in Crisis*, New York, AMS Press, 1986.

45. Nordberg (M.), *Les Ducs et la Royauté*, Uppsala, 1964.

46. Bonenfant (P.), *Du meurtre de Montereau au traité de Troyes*, Bruxelles, Académie royale de Belgique, classe des lettres et sciences morales; *Mémoires*, 1958.

3. Jeanne d'Arc et son temps.

47. *Jeanne d'Arc. Une époque, un rayonnement*, colloque d'histoire médiévale (Orléans, octobre 1979), Paris, Éd. du CNRS, 1982.

48. Duby (G. et A.), *Le Procès de Jeanne d'Arc*, Paris, Julliard, coll. « Archives », 1973.

49. Barstow (A.L.), *Joan of Arc, Heretic, Mystic, Shaman*, New York, Edwin Mellen Press, 1986.

50. Pernoud (R.) et Clin (M. V.), *Jeanne d'Arc*, Paris, Fayard, 1986.

51. Dickinson (J.G.), *The Congress of Arras, 1435. A Study in Medieval Diplomacy*, Oxford, Clarendon Press, 1955.

4. Louis XI et le Téméraire.

Tout en précisant que le conflit ne se résume pas en un duel entre deux hommes, sacrifions à la tradition en rappelant qu'elle s'est formée à partir des *Mémoires* de Commynes et d'un roman historique, le *Quentin Durward* de Walter Scott. On trouve un récit objectif et détaillé des faits dans :

52. Frédérix (P.), *La Mort de Charles le Téméraire*, Gallimard, coll. « 30 journées qui ont fait la France », Paris, 1966.

53. Cazaux (Yves), *Marie de Bourgogne*, Paris, A. Michel, 1967.

Deux bonnes biographies du Téméraire :

54. Bartier (J.), *Charles le Téméraire*, Bruxelles, Arcade, 1970; il s'agit d'une réédition somptueuse et abondamment illustrée d'un ouvrage paru en 1944.

55. Paravicini (W.), *Karl der Kühne*, Göttingen, 1976.

La réaction anti-Commynes est donnée dans :

56. Dufournet (J.), *La Destruction des mythes dans les Mémoires de Commynes*, Genève, Droz, 1966.

Et surtout dans l'œuvre colossale et difficile (et inachevée) :

57. Bittman (K.), *Ludwig XI und Karl der Kühne. Die Memoiren des Philippe de Commynes als historische Quelle*, t. I (2 vol.); t. II (1re partie), Göttingen, Vandenhoeck und Ruprecht, 1964 et 1970.

Trois colloques qui se sont tenus à l'occasion du cinq centième anniversaire des événements font le point sur la question et plus généralement sur la situation européenne de la fin du XVe siècle. Ce sont :

58. *Grandson 1476. Essai d'approche pluridisciplinaire d'une action militaire du XVe siècle*, édité par D. Reichel, Lausanne, 1976.

59. *Cinquième Centenaire de la bataille de Morat*, actes du colloque « Morat », avril 1976, Fribourg, 1976.

60. *Cinq Centième Anniversaire de la bataille de Nancy (1477)*, université de Nancy 2, Nancy, 1979.

Le royaume, la nation, le roi

61. Planhol (X. de), *Géographie historique de la France, Paris*, Fayard, 1988.

62. *La France et les Français*, sous la direction de M. François, Paris, Gallimard, « Bibliothèque de la Pléiade », 1972.

63. Beaune (C.), *Naissance de la Nation France*, Paris, Gallimard, « Bibliothèque des histoires », 1985.

64. Barbey (J.), *La Fonction royale. Essence et légitimité d'après le Tractatus de Jean de Terre vermeille*, Paris, Nouvelles Éd. latines (NEL), 1983.

65. Bloch (M.), *Les Rois thaumaturges*, Strasbourg, 1924, rééd. Paris, Gallimard, « Bibliothèque des histoires », 1983.

66. Contamine (P.), « L'oriflamme de Saint-Denis aux XIVe et XVe siècles », *Annales de l'Est*, t. XXV (1973).

67. Krynen (J.), *Idéal du prince et pouvoir royal en France à la fin du Moyen Age (1380-1440)*, Paris, Picard, 1981.

68. Giesey (P.), *Le roi ne meurt jamais*, Paris, Flammarion, 1987.

69. Jackson (R.), *Vivat rex. Histoire des sacres et des couronnements en France*, Strasbourg, distribution Paris, Ophrys, 1984.

Les institutions et la société politique

Citons d'abord, bien qu'inégaux et un peu vieillis dans leur conception, les trois volumes de :

70. Lot (F.) et Fawtier (R.), *Histoire des institutions françaises au Moyen Age*, Paris, PUF, 1958-1962. Le volume 2 étudie les institutions monarchiques.

71. Autrand (F.), « Offices et officiers en France sous Charles VI », *Revue historique*, CCXLII (1969).

72. *Histoire comparée de l'administration (IVe-XVIIIe siècle)*, Actes du 14e colloque historique franco-allemand, Tours, 1977, publiés par W. Paravicini et K.F. Werner, Munich, 1980.

73. Bossuat (A.), *Le Bailliage royal de Montferrand (1425-1556)*, Paris, PUF, 1957.

74. Guenée (B.), *Tribunaux et Gens de justice dans le bailliage de Senlis à la fin du Moyen Age (vers 1380-vers 1550)*, Strasbourg, Publications de la faculté des lettres, 1963.

75. Fédou (R.), *Les Hommes de loi lyonnais à la fin du Moyen Age*, Paris, Les Belles Lettres, 1964.

76. Autrand (F.), *Naissance d'un grand corps de l'État : les gens du Parlement de Paris, 1345-1454*, Paris, Publications de la Sorbonne, 1981.

77. Viala (A.), *Le Parlement de Toulouse et l'administration royale laïque, 1420-1525 environ*, Albi, Imprimerie des orphelins apprentis, 1953, 2 vol.

78. Little (R.), *The Parlement of Poitiers. War, Government and Politics in France 1418-1436*, Londres, Royal Historical Society, 1984.

79. Cuttler (S.H.), *The Law of Treason and Treason Trials in Later Medieval France*, Cambridge, Cambridge University Press, 1981.

80. Henneman (J.B.), *Royal Taxation in Fourteenth Century France. The Captivity and Ransom of John the Second, 1356-1370*, Princeton University Press, 1976.

81. Hocquet (J.-C.), *Le Sel et le Pouvoir, de l'an mil à la Révolution française*, Paris, Plon, 1985.

82. Miskimin (H.), *Money and Power in Fifteenth Century France*, Londres, Yale University Press, 1984.

83. Rey (M.), *Les Finances royales sous Charles VI. Les causes du déficit, 1388-1413*, Paris, SEVPEN, 1965.

84. Rey (M.), *Le Domaine du roi et les finances extraordinaires sous Charles VI, 1388-1413*, Paris, SEVPEN,1965.

85. Gilles (H.), *Les États du Languedoc au XVe siècle*, Toulouse, Privat, 1965.

86. Cazelles (R.), *Société politique, noblesse et couronne sous les règnes de Jean le Bon et Charles V*, Genève, Droz, 1982.

87. Guenée (B.), *Entre l'Église et l'État. Quatre vies de prélats français à la fin du Moyen Age*, Paris, Gallimard, « Bibliothèque des histoires », 1987.

88. Contamine (P.), *Guerre, État et société à la fin du Moyen Age. Étude sur les armées des rois de France, 1337-1494*, Paris, Mouton, 1972.

Je signale sur les problèmes de la violence, de la criminalité et de la justice les thèses non encore publiées de :

Gauvard (C.), *Une question d'État et de société. Violence et criminalité en France à la fin du Moyen Age*, université de Paris I, décembre 1989.

Gonthier (N.), *Délinquance, justice et société en Lyonnais (fin* XIIIe *siècle-début* XVIe *siècle)*, université Jean-Moulin, Lyon III, février 1988.

Les principautés

89. Jones (M.), *Ducal Brittany 1364-1399*, Oxford University Press, 1970.

90. Kerhervé (J.), *L'État breton aux* XIVe *et* XVe *siècles. Les ducs, l'argent et les hommes*, Paris, Maloine, 1987.

91. Lacour (R.), *Le Gouvernement de l'apanage de Jean, duc de Berry, 1360-1416*, Paris, 1934.

92. Leguai (A.), *Le Bourbonnais pendant la crise monarchique. De la seigneurie à l'État*, Moulins, Imprimeries réunies, 1969.

93. Leguai (A.), *Les Ducs de Bourbon pendant la crise monarchique du quinzième siècle. Contribution à l'étude des apanages*, Paris, Les Belles Lettres, 1962.

94. Samaran (C.), *La Maison d'Armagnac au* XVe *siècle*, Paris, 1902.

95. Tucoo-Chala (P.), *Gaston Fébus et la vicomté de Béarn (1343-1391)*, Bordeaux, 1959, repris dans : *Gaston Fébus, un grand prince d'Occident*, Pau, 1976.

96. Allmand (C.), *Lancastrian Normandy 1415-1450. The History of a Medieval Occupation*, Oxford, Clarendon Press, 1983.

97. Vale (M.G.A.), *English Gascony 1399-1453*, Oxford University Press, 1970.

Sur la Bourgogne et l'État bourguignon les quatre volumes de R. Vaughan constituent, malgré les critiques faites à certaines conceptions de l'auteur, l'ensemble le plus solide et le plus détaillé. Il s'agit de :

98. *Philip the Bold. The Formation of the Burgundian State*, Londres, Longman, 1962.

99. *John the Fearless. The Growth of the Burgundian Power*, Londres, Longman, 1966.

100. *Philip the Good. The Apogee of Burgundy*, Londres, Longman, 1970.

101. *Charles the Bold, the Last Valois Duke of Burgundy*, Londres, Longman, 1973.

Sur la Provence du roi René :

102. Coulet (N.), Planche (A.), Robin (F.), *Le Roi René : le prince, le mécène, l'écrivain, le mythe*, Aix-en-Provence, Édisud, 1982.

Une série consacrée aux provinces de France a été publiée aux éditions Privat, Toulouse.

L'Église et la vie religieuse

103. *Histoire de la France religieuse*, sous la direction de J. Le Goff et R. Rémond, t. II, *XIVe-XVIIIe siècle*, par J. Chiffoleau et F. Lebrun, Paris, Éd. du Seuil, 1988.

104. Chiffoleau (J.), *La Comptabilité de l'au-delà. Les hommes, la mort et la religion dans la région d'Avignon à la fin du Moyen Age*, Rome, École française de Rome, 1980.

105. Gazzaniga (J.-L.), *L'Église du Midi à la fin du règne de Charles VII*, Paris, Picard, 1976.

106. Lemaître (N.), *Le Rouergue flamboyant. Clergé et paroisses du diocèse de Rodez*, Paris, Éd. du Cerf, 1988.

107. Martin (H.), *Le Métier de prédicateur au Moyen Age, Paris*, Éd. du Cerf, 1988.

108. Millet (H.), *Les Chanoines du chapitre cathédral de Laon, 1272-1412*, École française de Rome, 1982.

109. Millet (H.) et Poulle (E.), *Le Vote de la soustraction d'obédience en 1398*, t. I, Introduction. Édition et fac-similés des bulletins de votes, Paris, Éd. du CNRS, 1988.

110. Valois (N.), *Histoire de la pragmatique sanction de Bourges sous Charles VII*, Paris, 1906.

111. Vauchez (A.), *Les Laïcs au Moyen Age. Pratiques et expériences religieuses*, Paris, Éd. du Cerf, 1987.

112. Vincent (C.), *Des charités bien ordonnées. Les confréries normandes de la fin du XIIIe siècle au début du XVIe siècle*, Paris, Publications de l'École normale supérieure de jeunes filles, 1988.

La population

113. *Histoire de la population française*, sous la direction de J. Dupâquier, t. I, *Des origines au XVIe siècle*, Paris, PUF, 1988.

114. *Histoire de la famille*, sous la direction de G. Duby et C. Lévy-Strauss, t. I, *Mondes lointains, mondes anciens*, Paris, A. Colin, 1986.

115. Biraben (J.-N.), *Les Hommes et la Peste en France et dans les pays européens et méditerranéens*, Paris-La Haye, Mouton, 1975-1976, 2 vol.

(Ces deux ouvrages dépassent évidemment le cadre français.)

116. Higounet-Nadal (A.), *Périgueux aux XIVe-XVe siècles. Étude démographie historique*, Bordeaux, Fédérations historiques du Sud-Ouest, 1978.

117. Berthe (M.), *Famines et Épidémies en Navarre, Paris*, Anthropos, 1985.

118. *La Mosaïque France. Histoire des étrangers et de l'immigration en France*, sous la direction de Y. Lequin, Paris, Larousse, coll. «Mentalités, vécus et représentations», 1988.

Les villes

119. *Histoire de la France urbaine*, sous la direction de G. Duby, t. II, *La Ville médiévale*, sous la direction de J. Le Goff, Paris, Éd. du Seuil, 1980.

120. Chevalier (B.), *Les Bonnes Villes de France du XIVe au XVIe siècle*, Paris, Aubier, 1982.

121. Billot (C.), *Chartres à la fin du Moyen Age*, Paris, Éd. de l'École des hautes études en sciences sociales, 1987.

122. Chevalier (B.), *Tours, ville royale, 1356-1520; origine et développement d'une capitale à la fin du Moyen Age*, Paris, Publications de la Sorbonne, 1975.

123. Coulet (N.), *Aix-en-Provence. Espace et relations d'une capitale, milieu XIVe s., milieu XVe s.*, Aix-en-Provence, Publications de l'université de Provence, 1988, 2 vol.

124. Favreau (R.), *La Ville de Poitiers à la fin du Moyen Age. Une capitale régionale*, Poitiers, Société des antiquaires de l'Ouest, 1978, 2 vol.

125. Rigaudière (A.), *Saint-Flour, ville d'Auvergne au bas Moyen Age. Étude d'histoire administrative et financière*, Paris, PUF, 1982, 2 vol.

126. Stouff (L.), *Arles à la fin du Moyen Age*, Aix-en-Provence, Publication-Diffusion de l'université de Provence, 1986, 2 vol.

127. *Nouvelle Histoire de Paris*, t. II, *De la fin du règne de Philippe-Auguste à la mort de Charles V (1223-1380)*, par R. Cazelles, Paris, 1972; et t. III, *Paris au XVe siècle*, par J. Favier, Paris, 1974.

On dispose maintenant de très nombreuses histoires de villes, qu'il n'est pas possible de citer ici.

Les campagnes

128. Il faut rappeler d'abord l'ouvrage fondamental de M. Bloch, *Les Caractères originaux de l'histoire rurale française*, Paris 1931, fort justement réédité avec une préface de P. Toubert, Paris, A. Colin, 1988.

La synthèse récente est constituée par :

129. *Histoire de la France rurale*, sous la direction de G. Duby et A. Wallon, t. II, *L'Age classique des paysans*, sous la direction de E. Le Roy Ladurie, Paris, Éd. du Seuil, 1975.

130. Bois (G.), *Crise du féodalisme*, Paris, Presses de la Fondation nationale des sciences politiques, 1981 (1re édition, 1976). A partir d'une étude minutieuse centrée sur la Normandie orientale, l'auteur s'efforce de donner une explication globale de la crise.

131. Boutruche (R.), *La Crise d'une société. Seigneurs et paysans en Bordelais pendant la guerre de Cent Ans*, Strasbourg, Publications de la faculté des lettres, 1963 (nouveau tirage de l'édition de 1947). Cet ouvrage, toujours d'actualité, doit être considéré comme le point de départ des études régionales en profondeur de la société médiévale.

132. Charbonnier (P.), *Une autre France. La seigneurie rurale en Basse-Auvergne (du XIVe siècle au XVIe siècle)*, Clermont-Ferrand, Publications de l'Institut d'études du Massif central, 1980.

133. Fourquin (G.), *Les Campagnes de la région parisienne à la fin du Moyen Age*, Paris, PUF, 1964.

134. Germain (R.), *Les Campagnes bourbonnaises à la fin du Moyen Age (1370-1530)*, Clermont-Ferrand, Publications de l'Institut d'études du Massif central, 1988.

135. Le Mené (M.), *Les Campagnes angevines. Étude économique (vers 1350-vers 1530)*, Paris, 1982.

136. Lorcin (M.T.), *Les Campagnes de la région lyonnaise aux* XIVe-XVe *siècles*, Lyon, Librairie Bosc, 1974.

137. Glénisson (J.), « La reconstruction agraire en Saintonge méridionale au lendemain de la guerre de Cent Ans », *Revue de la Saintonge et de l'Aunis*, t. I, 1975.

138. Lartigaut (J.), *Les Campagnes du Quercy après la guerre de Cent Ans (vers 1440-vers 1500)*, Toulouse, Publications de l'université de Toulouse-Le Mirail, 1978.

139. Le Roy Ladurie (E.), *Les Paysans de Languedoc*, Paris, SEVPEN, 1966, 2 vol.

Commerce et industrie

Citons trois publications de documents (parmi beaucoup d'autres) :

140. *Le Traité des monnaies de Nicole Oresme et autres écrits monétaires du* XIVe *siècle*, édités par C. Dupuy, Paris, La Manufacture, 1989.

141. Favier (J.), *Le Registre des compagnies françaises, 1444-1467*, Paris, Imprimerie Nationale, 1975. Cet ouvrage concerne le commerce fluvial parisien.

142. Mollat (M.), *Les Affaires de J. Cœur. Le Journal du procureur Dauvet*, Paris, SEVPEN, 1952-1953.

143. Wolff (P.), *Automne du Moyen Age ou printemps des temps nouveaux?*, Paris, Aubier, 1986.

144. Bergier (J.-F.), *Genève et l'Économie européenne de la Renaissance*, Paris, SEVPEN, 1963.

145. Bernard (J.), *Navires et Gens de mer à Bordeaux, vers 1400-vers 1550*, Paris, SEVPEN, 1968, 3 vol.

146. Dubois (H.), *Les Foires de Chalon et le Commerce dans la vallée de la Saône a la fin du Moyen Age (vers 1280-vers 1430)*, Paris, Publications de la Sorbonne, 1976.

147. Mollat (M.), *Le Commerce maritime normand à la fin du Moyen Age*, Paris, Picard, 1952.

148. Mollat (M.), *Jacques Cœur*, Paris, Aubier, 1988.

149. Touchard (H.), *Le Commerce maritime breton à la fin du Moyen Age*, Paris, Les Belles Lettres, 1967.

150. Wolff (P.), *Commerce et Marchands de Toulouse (vers 1350-vers 1450)*, Paris, Plon, 1954.

151. *Mines, carrières et métallurgie dans la France médiévale* (colloque, Paris, 1980), éd. P. Benoît et Ph. Braunstein, Paris, Éd. du CNRS, 1983.

152. Hesse (P.-J.), *La Mine et les Mineurs de 1300 à 1550*, Microéditions AUDIR, Paris, 1973.

153. *Histoire de l'édition française*, sous la direction de H.-J. Martin et R. Chartier, t. I, *Le Livre conquérant du Moyen Age au milieu du XVII*e *siècle*, Paris, Promodis, 1982.

154. Bozzolo (C.) et Ornato (E.), *Pour une histoire du livre manuscrit au Moyen Age*, Paris, Éd. du CNRS, 1980.

155. Glénisson (J.), *Le Livre au Moyen Age*, Paris, Éd. du CNRS, 1988.

156. Landes (D.-S.), *L'heure qu'il est. Les horloges, la mesure du temps et la formation du monde moderne*, Paris, Gallimard, « Bibliothèque illustrée des histoires », 1987 (trad. de l'éd. anglaise, 1983).

La vie sociale

157. *Histoire de la vie privée*, sous la direction de P. Ariès et G. Duby, t. II, *De l'Europe féodale à la Renaissance*, sous la direction de G. Duby, Paris, Éd. du Seuil, 1985.

158. Contamine (P.), *La Vie quotidienne pendant la guerre de Cent Ans. XIV*e *siècle, France et Angleterre*, Paris, Hachette, 1976.

159. Pouchelle (M.-C.), *Corps et Chirurgie à l'apogée du Moyen Age*, Paris, Flammarion, 1983.

160. Geremek (B.), *Les Marginaux parisiens aux XIV*e *et XV*e *siècles*, Paris, Flammarion, 1976.

161. Geremek (B.), *La Potence ou la Pitié. L'Europe et les pauvres du Moyen Age à nos jours*, Gallimard, « Bibliothèque des histoires », Paris, 1987.

162. Gonthier (N.), *Lyon et ses pauvres au Moyen Age, Lyon*, L'Hermès, 1978.

163. Muchembled (R.), *La Violence au village. Sociabilité et comportement populaire en Artois du 15*e *au 17*e *siècle*, Tournai, 1989.

164. Rossiaud (J.), *La Prostitution médiévale*, Paris, Flammarion, 1988, Réédité en poche, coll. « Champs », 1990.

165. Iancu (D.), *Les Juifs en Provence (1475-1501). De l'insertion à l'expulsion*, Marseille, Institut historique de Provence, 1981.

166. Mollat (M.) et Wolff (P.), *Ongles bleus, Jacques et Ciompi. Les révolutions populaires en Europe aux* XIV*e et* XV*e siècles*, Paris, Calmann-Lévy, 1970.

167. Desportes (F.), *Le Pain au Moyen Age*, Paris, Orban, 1987.

168. Lachiver (M.), *Vigne, vin et vignerons en France*, Paris, Fayard, 1987.

169. Caron (M.-T.), *La Noblesse dans le duché de Bourgogne à la fin du Moyen Age*, Paris, Publications de la Sorbonne, 1986.

170. Charbonnier (P.), *Guillaume de Murol, un petit seigneur auvergnat du début du* XV*e siècle*, Clermont-Ferrand, Publications de l'Institut d'études du Massif central, 1973.

171. Lalande (D.), *Jean II Le Meingre dit Boucicaut (1366-1421)*, Genève, Droz, 1988.

Aspects culturels

172. *Les Grandes Chroniques de France; reproduction intégrale des miniatures de Fouquet*, par F. Avril, M. T. Goinot et B. Guenée, Paris, P. Lebaud, 1987.

173. Guenée (B.), *Histoire et culture historique dans l'Occident médiéval*, Paris, Aubier, 1980.

174. Gazzaniga (J.-L.) et Ourliac (P.), *Histoire du droit privé français, de l'an mil au Code civil*, Paris, 1985.

175. *Histoire générale de l'enseignement et de l'éducation en France*, sous la direction de L.H. Parias ; t. I, *Des origines à la Renaissance*, par M. Rouche, Paris, G.-V. Labat, 1981.

176. *Histoire des universités en France*, sous la direction de J. Verger, Toulouse, Privat, 1986.

177. Cecchetti (D.), *Il primo umanesimo francese*, Turin, 1988.

178. Ornato (E.), *Jean Muret et ses amis Nicolas de Clamanges et Jean de Montreuil. Contribution à l'étude des rapports entre les humanistes de Paris et ceux d'Avignon (1394-1420)*, Genève, Droz, 1969.

179. Favier (J.), *Francois Villon*, Paris, Fayard, 1984.

180. Châtelet (A.) et Recht (R.), *Le Temps du gothique. Automne et renouveau, 1380-1500*, Paris, Gallimard, coll. « L'univers des formes », 1988.

181. *Les Fastes du gothique. Le siècle de Charles V* (catalogue de l'exposition du Grand Palais, Paris, 1981-1982), Paris, Éd. de la réunion des musées nationaux, 1981.

182. Lombardi (S.), *Jean Fouquet*, Florence, Libreria editrice Salimbeni, 1983.

183. Robin (F.), *La Cour d'Anjou-Provence. La vie artistique sous le règne de René*, Paris, Picard, 1985.

184. *Histoire du théâtre*, sous la direction de A. de Jonasson, t. I, Paris, A. Colin, 1988.

185. Gally (M.) et Marchello-Nizia (C.), *Littératures de l'Europe médiévale*, Paris, Magnard, 1982.

186. Marchello-Nizia (C.), *Histoire de la langue française aux* XIVe *et* XVe *siècles*, Paris, Bordas, 1979.

Pour finir...

187. Huizenga (J.), *L'Automne du Moyen Age*, Leyde, 1919, rééd. avec une préface de J. Le Goff, Paris, Payot, 1975.

188. Pernoud (R.), *Pour en finir avec le Moyen Age, Paris*, Éd. du Seuil, 1977.

Index des noms de personnes

(Selon l'usage, les personnes sont classées au prénom lorsqu'elles ont vécu avant 1400, et au nom lorsqu'elles ont vécu après 1400).

Index des auteurs contemporains cités

Index des noms de lieux

Table

ANNEXES

COMPOSITION : CHARENTE-PHOTOGRAVURE À L'ISLE-D'ESPAGNAC (16340).
IMPRESSION : IMPRIMERIE BRODARD ET TAUPIN À LA FLÈCHE (72200).
DÉPÔT LÉGAL OCTOBRE 1990. N° 12221 (1502D-5).